O PRINCÍPIO 80/20

*Os segredos para conseguir **mais** com **menos** nos negócios e na vida*

RICHARD KOCH

O PRINCÍPIO 80/20

Os segredos para conseguir ***mais*** *com* ***menos*** *nos negócios e na vida*

8ª reimpressão

TRADUÇÃO Cristina Sant'Anna

Título original: *The 80/20 Principle: The Secret of Achieving More with Less*

EDITORA RESPONSÁVEL
Silvia Tocci Masini

ASSISTENTES EDITORIAIS
Felipe Castilho
Carol Christo

CAPA
Diogo Droschi
(Sobre imagem de Ugurhan Betin)

REVISÃO
Monique D'Orazio
Lúcia Assumpção

DIAGRAMAÇÃO
Christiane Morais

Dados Internacionais de Catalogação na Publicação (CIP)
(Câmara Brasileira do Livro, SP, Brasil)

Koch, Richard
O princípio 80/20 : os segredos para conseguir mais com menos nos negócios e na vida / Richard Koch ; tradução Cristina Sant'Anna. – 1. ed.; 8. reimp. – Belo Horizonte : Gutenberg, 2025.

Título original: The 80/20 Principle: The Secret of Achieving More with Less.

ISBN 978-85-8235-259-5

1. Administração do tempo 2. Conduta de vida 3. Eficiência industrial - Aspectos psicológicos 4. Produtividade do trabalho - Aspectos psicológicos 5. Sucesso em negócios I. Título.

15-03090 CDD-650.1

Índices para catálogo sistemático:
1. Administração do tempo 650.1
2. Tempo : Administração 650.1

A **GUTENBERG** É UMA EDITORA DO **GRUPO AUTÊNTICA**

São Paulo
Av. Paulista, 2.073, Conjunto Nacional
Horsa I . Salas 404-406 . Bela Vista
01311-940 São Paulo . SP
Tel.: (55 11) 3034 4468

Belo Horizonte
Rua Carlos Turner, 420
Silveira . 31140-520
Belo Horizonte . MG
Tel.: (55 31) 3465 4500

www.editoragutenberg.com.br
SAC: atendimentoleitor@grupoautentica.com.br

SUMÁRIO

PRÓLOGO À NOVA EDIÇÃO

Escrevi este livro na África do Sul em 1996 e fui a Londres para lançá-lo no verão de 1997. Lembro-me de peregrinar entre os estúdios de rádio e de tevê, para descobrir, várias vezes, no último minuto, que minha entrevista tinha sido cancelada. Quando conseguia entrar no ar, ninguém parecia muito interessado nas descobertas que um obscuro economista italiano havia feito no apagar das luzes do século XIX. "Uou-uou", uma celebridade do momento cantarolou em um programa de entrevistas, "Mas o que faz você aqui, se não foi a pessoa que teve essas ideias?". Eu gostaria de ter respondido, sem pestanejar, sobre a influência que São Paulo e os outros apóstolos e evangelistas tiveram, dizendo que eles fizeram o trabalho pesado ao divulgar as ideias de Jesus de Nazaré, e que, se não fosse assim, ele seria um desconhecido, hoje. Eu *queria* ter dado essa resposta naquela ocasião, mas, na verdade, fiquei sem palavras.

Retornei para a Cidade do Cabo completamente abatido. Então, de repente, um pequeno milagre aconteceu. O editor inglês que havia encomendado o livro, um homem conhecido por olhar o lado sombrio da vida, me enviou um fax (lembra do fax?) para dizer que, apesar do fiasco da divulgação, o livro estava "vendendo *muito* bem". De fato, o livro vendeu mais de 700 mil exemplares em todo o mundo e já foi traduzido para mais de 24 idiomas.

Tendo passado mais de um século desde que Vilfredo Pareto observou o consistente desequilíbrio existente na relação entre esforços e resultados, entradas e saídas, e uma década depois que este livro reinterpretou o Princípio de Pareto, acredito que agora podemos afirmar que o princípio resistiu à prova do tempo. Há um feedback considerável, muito positivo, de leitores e críticos. Por todo o mundo, um grande número de indivíduos, talvez centenas de milhares, considera o princípio útil para o trabalho, para a carreira e, cada vez mais, para os aspectos do dia a dia da vida.

O Princípio 80/20 tem duas implicações quase opostas. Por um lado, é uma observação estatística, um padrão comprovado: sólido, quantitativo, confiável e estável. Por isso, agrada àqueles que querem tirar mais da vida, estar à frente da multidão, aumentar os lucros ou reduzir os esforços ou custos na busca de ganhos para elevar enormemente a *eficiência*, que é definida como: resultados divididos pelos esforços de produção. Se pudermos identificar os poucos casos em que os resultados relativos ao esforço são muito maiores do que o usual, seremos capazes de nos tornar muito mais eficientes em qualquer tarefa realizada. O princípio nos possibilita melhorar a obtenção de resultados, enquanto escapamos da tirania do excesso de trabalho.

Por outro lado, o princípio tem uma faceta totalmente diferente: suave, mística, misteriosa, quase mágica, no sentido de que o mesmo padrão de números surge por toda parte e se relaciona não somente à eficiência, mas a tudo aquilo que faz com que nossa vida valha a pena. É o sentido que nos conecta uns aos outros, e ao universo, por uma lei misteriosa, na qual podemos mergulhar para mudar nossa vida, gerando um sentimento de admiração e reverência.

Olhando para trás, acho que meu livro foi diferente porque *estendeu a abrangência* do Princípio de Pareto. Anteriormente, o conceito era bem conhecido na área de administração, para aumentar a eficiência. Até onde sei, o princípio nunca tinha sido aplicado antes para aprimorar e aprofundar a qualidade de nossa vida como um todo. É apenas em retrospecto que consigo perceber integralmente a natureza dual dessa ideia, a estranha, mas perfeita, tensão entre as duas faces: a materialidade da eficiência e a suavidade da qualidade de vida. Como abordo no novo capítulo desta edição, essa tensão representa o "yin e o yang" do princípio, a "dialética", na qual as aplicações para ganhos de eficiência e para a melhoria da vida são "opostos complementares". A eficiência abre espaço para a melhoria da vida, enquanto uma vida melhor requer que sejamos claros a respeito daquilo que é realmente importante em nosso trabalho, nos relacionamentos e em todas as outras atividades cotidianas.

Com certeza, nem todo mundo aceita minha reinterpretação do Princípio de Pareto. Fiquei surpreso como este livro se tornou controverso. Enquanto existem apoiadores fervorosos e um grande número de pessoas que me escrevem dizendo que o livro mudou a vida delas, tanto profissional quanto pessoal, há muitos que desprezam a abrangência do princípio para o lado "suave" da vida, e declaram isso com grande clareza e eloquência! Essa oposição me desconcertou no início; mas, depois, eu abracei as vozes contrárias. Elas me fizeram pensar sobre o princípio com mais profundidade e, como espero que fique demonstrado no capítulo final, acabei por alcançar uma compreensão ainda maior de sua natureza dual.

O que há de novo nesta edição?

Para começar, menos é mais. Eliminei o capítulo final da primeira edição, chamado de "A reconquista do progresso". Era, sinceramente, uma tentativa malsucedida de aplicar o Princípio 80/20 nas questões da sociedade e da política.[1] Embora todas as outras partes do livro tenham provocado comentários positivos e negativos, esse capítulo parecia ter caído inteiramente em terras inférteis. A única parte que preservei foi a conclusão, que é um apelo para que os indivíduos entrem em ação.

Substituí aquele capítulo final por um inteiramente novo, chamado "As duas dimensões do princípio", destacando os principais pontos gerados por uma década de comentários, conversas, cartas e e-mails. Amplifiquei e categorizei as melhores críticas ao princípio, antes de apresentar minha resposta. Considero que esse esforço nos conduziu a um novo nível de consciência e compreensão do seu poder.

Resta a mim agradecer a todos aqueles que contribuíram para engrandecer o debate sobre o 80/20. Que assim continue por muito tempo. Muito obrigado a todos. Eu talvez tenha tocado a vida de vocês, mas vocês certamente tocaram a minha e eu sou muito grato.

Parte 1

INTRODUÇÃO

O UNIVERSO É INSTÁVEL

O que é o Princípio 80/20? O Princípio 80/20 nos diz que, em qualquer população, algumas coisas são muito mais importantes do que outras. Uma boa referência ou hipótese é que 80% dos resultados ou dos produtos derivam de 20% das causas e, às vezes, até de uma proporção ainda menor de forças poderosas.

A linguagem que usamos no dia a dia é um bom exemplo. Sir Isaac Pitman, que inventou a taquigrafia, descobriu que apenas 700 palavras comuns formam dois terços de nossas conversas. Ao incluir as derivações dessas mesmas 700 palavras, Pitman concluiu que esse vocabulário é responsável por 80% da nossa fala cotidiana. Nesse caso, portanto, menos de 1% das palavras disponíveis são usadas 80% do tempo. Poderíamos chamar isso de princípio 80/1. Similarmente, mais de 99% da nossa fala utiliza menos de 20% das palavras: nós poderíamos chamar isso de relação 99/20.

O cinema também ilustra o Princípio 80/20. Um estudo recente demonstrou que 1,3% dos filmes produzidos faturam 80% da receita das bilheterias, gerando quase uma regra 80/1.

O Princípio 80/20 não é uma fórmula mágica. De vez em quando, a relação entre os resultados e as causas fica mais próxima de 70/30 do que 80/20 ou 80/1. Mas é mesmo bem raro que 50% das causas levem a 50% dos resultados. O universo é previsivelmente desequilibrado. Poucos fatores têm real relevância.

As pessoas e as empresas verdadeiramente eficazes firmam-se em algumas poucas forças em ação em seu mundo e obtêm vantagem disso.

Leia este livro para saber como conseguir fazer o mesmo.

CAPÍTULO 1: BEM-VINDO AO PRINCÍPIO 80/20

Por um tempo realmente longo,
a Lei de Pareto (o Princípio 80/20) foi um estorvo
na cena econômica, como um bloco errático na paisagem:
uma lei empírica que ninguém explica.

Josef Steindl[2]

O Princípio 80/20 pode – e deveria – ser usado por toda pessoa inteligente em seu cotidiano, e por toda organização, grupo social e forma de sociedade. É um conceito que ajuda os indivíduos e os grupos a obterem muito mais com muito menos esforço. O Princípio 80/20 pode elevar a eficácia pessoal e a felicidade. Pode multiplicar a lucratividade das corporações e a eficácia de qualquer empresa. Ele contém a resposta para aumentar a qualidade e a quantidade dos serviços públicos, ao mesmo tempo em que pode cortar seus custos. Este livro, o primeiro a ser escrito sobre o Princípio 80/20,[3] foi redigido com a ardente convicção, validada pela experiência pessoal e empresarial, de que esse princípio é uma das melhores maneiras de lidar e transcender às pressões da vida moderna.

O que é o Princípio 80/20?

O Princípio 80/20 afirma que a *minoria* das causas, fatores ou esforços, em geral, leva à *maioria* dos resultados, produtos ou consequências. Tomado literalmente, isso significa, por exemplo, que 80% do que realizamos em nosso emprego resulta de 20% do tempo que investimos. Portanto, para todos os propósitos práticos, quatro quintos do nosso esforço – uma parte significativa – é irrelevante. Isso é contrário ao que as pessoas normalmente esperam.

Assim, o Princípio 80/20 afirma que existe um desequilíbrio inerente entre causas e resultados, entre recursos e produtos, e entre esforços e recompensas. Uma boa referência desse desequilíbrio é dada pela relação 80/20: um padrão típico mostrará que 80% dos produtos resultam de 20% dos recursos; que 80% das consequências ocorrem em decorrência de 20% das causas; ou que 80% dos resultados são fruto de 20% dos esforços. A Figura 1 mostra esses padrões típicos.

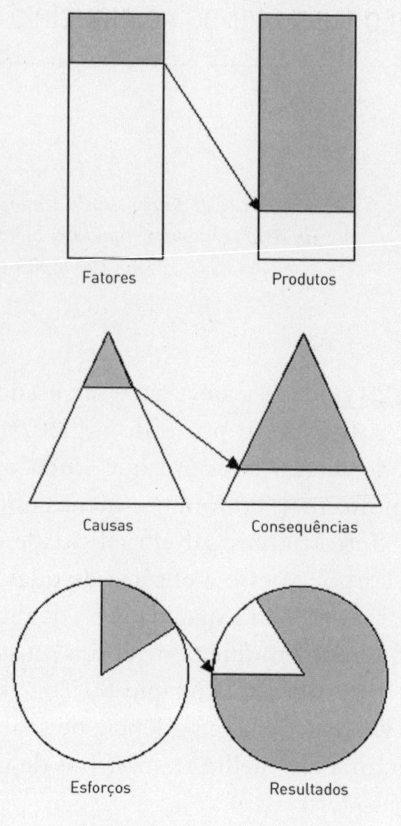

Figura 1 – Princípio 80/20

Nos negócios, muitos exemplos do Princípio 80/20 têm sido comprovados. Sendo assim, 20% dos produtos geralmente são responsáveis por 80% do montante das vendas, e, portanto, correspondem a 20% dos consumidores. Da mesma forma, 20% dos produtos ou dos consumidores geralmente representam 80% da lucratividade das organizações.

Na sociedade, 20% dos criminosos respondem por 80% de todos os delitos; 20% dos motoristas causam 80% dos acidentes; 20% das pessoas que casam transformam-se em 80% das estatísticas sobre divórcio (aquelas pessoas que voltam a casar e voltam a se divorciar distorcem a estatística e dão uma impressão pessimista e desvirtuada da fidelidade matrimonial); e 20% das crianças recebem 80% da qualificação educacional disponível.

Em casa, é provável que 20% do tapete tenha 80% de uso; 20% das roupas sejam vestidas 80% do tempo; e, caso você tenha um sistema de alarme no prédio, 80% dos alarmes falsos serão compensados por 20% de possíveis causas verdadeiras.

O motor de combustão interna dos veículos é um grande tributo ao Princípio 80/20, ou seja, 80% da energia é gasta na combustão e somente 20% chega às rodas; e esses 20% geram 100% do resultado![4]

A descoberta de Pareto: falta de equilíbrio sistemática e previsível

O padrão subjacente ao Princípio 80/20 foi descoberto em 1897 pelo economista italiano Vilfredo Pareto (1848-1923). Desde então, sua descoberta tem sido chamada por muitos nomes, incluindo Princípio de Pareto, Lei de Pareto, Regra 80/20, Princípio do Menor Esforço e Princípio do Desequilíbrio. Ao longo deste livro, nós o denominaremos de Princípio 80/20. Graças a um processo subterrâneo de influência de muitos conquistadores, especialmente de homens de negócios, de entusiastas da computação e de engenheiros de qualidade, o Princípio 80/20 ajudou a dar forma ao mundo moderno. Mesmo assim, permaneceu um dos grandes segredos de nosso tempo. E apesar do seleto clube de iniciados que conhece e usa o Princípio 80/20, apenas uma pequena parte de seu poder é explorado.

Mas, afinal, o que Pareto descobriu? Ele estava observando os padrões de riqueza e de renda na Inglaterra do século XIX, quando percebeu que, em suas amostras, a maior parte dessa riqueza e renda pertencia a uma minoria de pessoas. Talvez não houvesse nada de surpreendente nisso, mas ele também descobriu dois outros fatos que considerou altamente significativos. Um deles era que havia uma relação matemática consistente entre a proporção de pessoas (como um percentual do total da população relevante) e a quantidade de riqueza e de renda de que esse grupo desfrutava.[5] Para simplificar, se 20% da população desfrutava de 80% da riqueza,[6] então, era possível prever confiavelmente que 10% da população teria, vamos dizer, 65% da riqueza e 5% da população teria 50%. O ponto-chave não são os percentuais, mas o fato de que a distribuição da riqueza entre a população estava *previsivelmente desequilibrada.*

A outra descoberta de Pareto, aquela que de fato o entusiasmou, foi que esse padrão de desequilíbrio era, de modo consistente, repetido onde quer que ele observasse os dados, em diferentes períodos de tempo e em diferentes países. Fosse uma observação na Inglaterra dos velhos tempos ou quaisquer outros dados disponíveis de outros países, em qualquer época ou na atualidade, ele encontrava o mesmo padrão repetindo-se com precisão matemática.

Aquilo era uma coincidência maluca ou algo que tinha grande importância para a economia e para a sociedade? Será que aquele padrão ocorreria se fosse buscado em conjuntos de dados relacionados a outros temas, além de riqueza e renda? Pareto foi um grande inovador porque antes dele ninguém nunca havia relacionado dois conjuntos de dados – nesse caso, a distribuição de renda ou riqueza, comparada com o número de recebedores da renda ou proprietários de bens – para comparar percentuais entre eles (atualmente, esse método é comum e levou a avanços significativos nos negócios e na economia).

Infelizmente, embora Pareto tenha percebido a importância e a ampla aplicação de sua descoberta, não era muito hábil para explicá-la. Ele se direcionou para uma série de teorias sociológicas fascinantes, mas divagadoras e centradas no papel das elites, que no final de sua vida foram resgatadas pelos fascistas de Mussolini. O significado do Princípio 80/20 ficou adormecido por uma geração. Embora alguns economistas, especialmente nos Estados Unidos,[7] percebessem sua importância, foi somente após a Segunda Guerra Mundial que dois pioneiros – em paralelo, mas completamente diferentes – começaram a trazer à tona o Princípio 80/20.

1949: O Princípio do Menor Esforço de Zipf

Um desses pioneiros foi o professor de filologia de Harvard, George K. Zipf. Em 1949, ele descobriu o "Princípio do Menor Esforço", que era na realidade uma redescoberta e elaboração do princípio de Pareto. O princípio de Zipf afirmava que os recursos (pessoas, bens, tempo, competências e tudo mais que é produtivo) tendiam a se arranjar de forma a minimizar o trabalho. Assim, aproximadamente 20% a 30% de qualquer recurso representava de 70% a 80% da atividade relacionada àquele recurso.[8]

O professor Zipf utilizou estatísticas populacionais, livros, filologia e comportamento industrial para demonstrar a consistente recorrência desse padrão de desequilíbrio. Por exemplo: ele analisou todas as licenças de casamento concedidas na Filadélfia em 1931, em uma área de 20 quarteirões da cidade, demonstrando que 70% dos casamentos ocorreram entre pessoas que viviam a cerca de 30% de distância.

Aliás, Zipf também deu uma explicação científica para a bagunça das mesas de trabalho, justificando a desordem com outra lei: a frequência do uso traz para perto de nós os objetos frequentemente usados. Há muito tempo as pessoas inteligentes sabem que as pastas que são frequentemente consultadas não devem ser arquivadas!

1951: A Regra de Juran dos Poucos Vitais e a ascensão do Japão

Outro pioneiro do Princípio 80/20 foi o grande guru da qualidade, o engenheiro romeno radicado nos Estados Unidos, Joseph Moses Juran (nascido em 1904), o homem por trás da Revolução da Qualidade ocorrida entre 1950 e 1990. Ele tornou o que chamava alternadamente de "Princípio de Pareto" ou "Regra dos Poucos Vitais", praticamente sinônimo da busca por produtos de alta qualidade.

Em 1924, Juran foi trabalhar na Western Electric, a divisão de manufatura da Bell Telephone System. Começou como engenheiro industrial da empresa e, mais tarde, estabeleceu-se como um dos primeiros consultores em qualidade do mundo.

Sua grande ideia foi usar o Princípio 80/20 juntamente com outros métodos estatísticos para extirpar as falhas de qualidade e melhorar a confiabilidade e o valor de bens industriais e de consumo. Seu livro pioneiro, *Controle de Qualidade*, foi publicado pela primeira vez em 1951 e o autor exaltava o Princípio 80/20 em termos gerais:

> O economista Pareto descobriu que a riqueza não era uniformemente distribuída da mesma maneira [de acordo com as observações de Juran sobre a perda de qualidade]. Muitos outros exemplos podem ser citados, como a distribuição de delitos entre os criminosos, a distribuição de acidentes em processos perigosos etc. O princípio de Pareto da distribuição desigual aplica-se à distribuição de riqueza e à distribuição da perda de qualidade.[9]

Nenhum grande industrial dos Estados Unidos interessou-se pelas teorias de Juran. Em 1953, ele foi convidado a dar uma palestra no Japão e encontrou uma audiência receptiva. Ele permaneceu no país, trabalhando em várias empresas japonesas, e transformou a qualidade e o valor dos bens de consumo naquele país. Só quando a ameaça dos japoneses à indústria dos Estados Unidos tornou-se aparente, depois de 1970, é que Juran foi levado a sério no Ocidente. Ele voltou para fazer pela indústria norte-americana o que já havia realizado pela japonesa. O Princípio 80/20 foi o cerne dessa revolução global da qualidade.

De 1960 a 1990: o progresso com a aplicação do Princípio 80/20

A IBM foi uma das primeiras e a mais bem-sucedida empresa a identificar e a aplicar o Princípio 80/20, o que ajuda a explicar por que a maioria dos especialistas em sistemas de computação nas décadas de 1960 e 1970 estava familiarizada com a ideia.

Em 1963, a IBM descobriu que cerca de 80% do tempo de um computador era gasto executando cerca de 20% dos códigos de operação. A companhia imediatamente reescreveu seu software operacional para tornar a parte dos 20% mais usados mais acessível e amigável. Isso fez os computadores da IBM ficarem mais eficientes e rápidos do que as máquinas dos concorrentes, para a maioria das aplicações.

Aquelas empresas que desenvolveram o computador pessoal e seus softwares na geração seguinte, como a Apple, a Lotus e a Microsoft, aplicaram o Princípio 80/20 com um prazer ainda maior, fazendo máquinas mais baratas e mais fáceis de usar. Havia um novo segmento de clientes a conquistar, incluindo os agora celebrados "avessos à tecnologia", que anteriormente haviam mantido distância dos computadores.

O vencedor leva tudo

Um século depois de Pareto, as implicações do Princípio 80/20 vieram à tona em uma controvérsia a respeito das quantidades de dinheiro astronômicas e sempre crescentes recebidas pelas supercelebridades e por aqueles poucos que estão no topo de diversas profissões. O diretor de cinema Steven Spielberg tem a riqueza, segundo a *Forbes*, de 3,2 bilhões de dólares. Os diretores de cinema e os advogados meramente competentes, com certeza, ganham uma pequena fração dessa soma.

O século XX e as primeiras décadas do século XXI realizaram esforços maciços para nivelar a renda das pessoas, mas a desigualdade, removida de uma esfera, continua surgindo em outras. Nos Estados Unidos, de 1973 a 1995, a média da receita real subiu 36%, mas o indicador equivalente para os trabalhadores fora dos cargos de chefia caiu 14%. Durante a década de 1980, todos os ganhos foram para 20% no topo da pirâmide e espantosos 64% do ganho total foi para apenas 1%! A propriedade de ações nos Estados Unidos também é altamente concentrada entre uma minoria: 5% das famílias detêm aproximadamente 75% das ações vendidas para pessoas físicas. Um efeito similar pode ser verificado com o dólar: quase 50% do comércio mundial é realizado em dólares, bem acima da participação de 13% dos Estados Unidos nas exportações globais. Além disso, embora a fatia do dólar nas reservas internacionais seja de 64%, a proporção do PIB norte-americano no resultado global é pouco acima de 20%. O Princípio 80/20 sempre se reafirmará, apesar de, ao menos conscientemente, serem realizados esforços consistentes e maciços para superá-lo.

Por que o Princípio 80/20 é tão importante

A razão para o Princípio 80/20 ser tão importante é que ele é contraintuitivo. Temos a tendência de esperar que todas as causas tenham mais ou menos a mesma relevância. Que todos os clientes sejam igualmente valiosos. Que cada parte do negócio, cada produto e cada centavo da receita de vendas seja tão bom quanto qualquer outro. Que todos os empregados de uma mesma categoria profissional tenham valor equivalente. Que cada dia ou semana ou ano que vivemos tenha o mesmo significado. Que todos os nossos amigos tenham valor semelhante. Que todas as consultas ou telefonemas devam ser tratados da mesma maneira. Que uma universidade é tão boa quanto a outra. Que todos os problemas têm um grande número de causas e que, portanto, não vale a pena isolar um pequeno grupo de causas-chave. Que todas as oportunidades são igualmente valiosas e que, assim, devemos tratá-las todas da mesma forma.

Temos a tendência de presumir que 50% das causas ou fatores representarão 50% dos resultados ou dos produtos. Parece ser uma expectativa natural, quase democrática, que as causas e os resultados sejam geral e igualmente equilibrados. E, com certeza, de vez em quando eles são. Porém, essa falácia do 50/50 é uma das mais imprecisas e danosas, além de profundamente arraigada em nosso mapa mental. O Princípio 80/20 afirma que, quando dois conjuntos de dados referentes a causas e resultados podem ser examinados e analisados, a conclusão mais provável é que haja um padrão de desequilíbrio, que pode ser 65/35, 70/30, 75/25, 80/20, 95/5 ou 99,9/0,1 ou qualquer dupla de números intermediários. No entanto, os dois números na comparação não têm que somar 100.

O Princípio 80/20 também afirma que, quando conhecemos a verdadeira relação, é bem provável que nos surpreendamos com o grau de desequilíbrio. Qualquer que seja o nível da desigualdade, a maior chance é que exceda nossa expectativa inicial. Os executivos podem suspeitar que alguns clientes e que alguns produtos são mais lucrativos do que outros, mas quando o tamanho da diferença é constatado, é muito possível que se sintam surpresos e até espantados.

Os professores talvez saibam que a maioria dos problemas de disciplina ou de evasão escolar advém de uma minoria de alunos, mas se os dados forem analisados, o tamanho do desequilíbrio provavelmente será maior do que o esperado. Podemos sentir que parte do nosso tempo é mais valiosa do que o resto, mas se medirmos recursos e resultados, a disparidade poderá nos deixar atordoados.

Por que deveríamos nos importar com o Princípio 80/20? Quer você perceba ou não, o conceito aplica-se à sua vida, ao seu universo social e à empresa em que trabalha. Compreender esse princípio vai ampliar sua perspectiva sobre o que realmente acontece ao seu redor.

A mensagem principal deste livro é que nosso cotidiano pode ser enormemente melhorado com o uso do Princípio 80/20. As pessoas podem ser mais eficazes e felizes. As empresas podem se tornar muito mais lucrativas. As organizações não lucrativas podem entregar resultados muito mais úteis. Cada governo pode assegurar que seus cidadãos se beneficiem muito mais em sua gestão. Para cada pessoa e cada instituição, é possível obter muito mais valor e evitar perdas, com muito menos investimento de energia, dinheiro e tempo.

No centro dessa evolução está um processo de substituição. Os recursos que apresentam fraco desempenho em uma aplicação particular podem deixar de ser usados ou passar a ser usados mais esparsamente. Já os recursos com efeitos positivos podem ser usados tanto quanto possível. Cada recurso pode ser utilizado onde apresentar melhor resultado. Sempre que possível, os recursos fracos podem ser aprimorados para imitar o desempenho dos recursos fortes.

Os negócios e os mercados têm empregado esse processo, com grande efeito, por centenas de anos. O economista francês Jean-Baptiste Say cunhou a palavra "empreendedor" por volta de 1800, dizendo que "o empreendedor troca os recursos econômicos de uma área de baixa produtividade por outra de alta produtividade e rendimento". Mas uma das implicações mais fascinantes do Princípio 80/20 é observar como os negócios e os mercados ainda estão longe de gerar as soluções ideais. Por exemplo, o Princípio 80/20 afirma que 20% dos produtos, dos clientes ou dos funcionários são realmente responsáveis por 80% dos lucros. Se isso é verdade (e pesquisas detalhadas em geral confirmam que esse padrão de grande desequilíbrio existe), a situação do negócio está muito distante de ser eficiente ou ótima. A consequência é que 80% dos produtos, dos clientes ou dos funcionários estão contribuindo somente para 20% dos lucros. Há aqui um grande desperdício, ou seja, os recursos mais poderosos da companhia estão sendo consumidos pela maioria dos recursos menos eficazes. Os lucros poderiam ser multiplicados se mais do melhor tipo de produto pudesse ser vendido, se mais dos melhores funcionários pudessem ser contratados, ou se mais dos melhores clientes fossem conquistados (ou convencidos a comprar mais da empresa).

Nesse tipo de situação, alguém poderia muito bem perguntar: por que continuar a fazer os 80% de produtos que só geram 20% dos lucros? As empresas raramente se fazem essas perguntas, talvez porque, para respondê-las, teriam de agir radicalmente. E parar de produzir quatro quintos do que se está fazendo não é uma mudança trivial.

O que Jean-Baptiste Say chamava de trabalho do empreendedor os modernos financistas denominam arbitragem. Os mercados financeiros internacionais são muito rápidos para corrigir avaliações anômalas, por exemplo, entre taxas de câmbio. Mas as empresas e os indivíduos são geralmente carentes desse tipo de ação empreendedora ou de arbitragem, ou seja, de ações que mudam uma posição que utiliza recursos que trazem resultados fracos para outra que utiliza recursos que trazem resultados fortes, ou de ações que cortam recursos que agregam pouco valor para adquirir recursos que agregam mais valor. Na maior parte do tempo, não percebemos que apenas um pequeno grupo de recursos é superprodutivo (que Juran chamava de "os poucos vitais"), enquanto a maioria ("os muitos triviais") apresenta baixa produtividade ou chega até a ter valor negativo. Se nós realmente percebermos a diferença entre os poucos vitais e os muitos triviais, em todos os aspectos de nossa vida, e fizermos algo em relação a isso, poderemos multiplicar tudo aquilo a que damos valor.

O Princípio 80/20 e a Teoria do Caos

A teoria da probabilidade nos diz que é praticamente impossível que o Princípio 80/20 ocorra aleatoriamente em todos os casos a que se aplica, como se fosse obra do acaso. Nós só podemos explicar o princípio, se postularmos um significado mais profundo ou uma causa escondida por trás dele.

O próprio Pareto lutou contra essa questão, tentando aplicar uma metodologia consistente ao estudo da sociedade. Ele buscava por "teorias que apresentavam os fatos da experiência e da observação", por padrões regulares, por leis sociais ou por "uniformidades" que explicassem o comportamento dos indivíduos e da sociedade.

A sociologia de Pareto fracassou em encontrar uma resposta convincente. Ele morreu muito antes do surgimento da Teoria do Caos, que guarda excelentes paralelos com o Princípio 80/20 e ajuda a explicá-lo.

O último terço do século XX viu uma revolução na maneira como os cientistas pensaram o universo, derrubando o pensamento que prevaleceu por 350 anos. Aquela sabedoria do passado era baseada em uma visão mecanicista e racional, mas que já era um grande avanço em relação à perspectiva mística e aleatória do mundo, que predominou na Idade Média. Essa visão mecanicista transformou Deus de um ser irracional e imprevisível a uma força mais amigável, como a de um engenheiro construtor de relógios.

A visão de mundo a partir do século XVII, que ainda prevalece hoje, exceto em avançados círculos científicos, tornou-se imensamente reconfortante e útil. Todos os fenômenos foram reduzidos a relações *lineares*, regulares e previsíveis. Por exemplo: *a* causa *b*, *b* causa *c* e *a* + *c* causa *d*. Essa perspectiva possibilita que cada parte individual do universo – o funcionamento do coração humano, por exemplo, ou qualquer mercado isoladamente – possa ser analisada em separado, porque o todo é a soma das partes, e vice-versa.

Mas, no século XXI, parece muito mais adequado ver o mundo como um organismo em evolução, no qual o sistema como um todo é mais que a soma das partes, e onde as relações entre as partes não são lineares. É difícil definir as causas, existem interdependências complexas e, além disso, as causas e os efeitos não estão nítidos. O problema com o raciocínio linear é que nem sempre funciona; é uma simplificação exagerada da realidade. O equilíbrio é ilusório ou fugaz. O universo é instável.

Mesmo assim, apesar do nome, a Teoria do Caos não afirma que tudo é uma confusão incompreensível e desesperançada. Em vez disso, existe uma lógica de auto-organização escondida por trás da desordem, uma não linearidade previsível, algo que o economista Paul Krugman chamou de "assustadora", "misteriosa" e "terrivelmente exata".[10] Essa lógica é mais difícil de descrever do que de identificar, e não é totalmente diferente da recorrência de um tema em uma peça musical. Determinados padrões característicos recorrem, mas há uma variedade infinita e imprevisível.

A Teoria do Caos e o Princípio 80/20 esclarecem-se mutuamente

O que a Teoria do Caos e os conceitos científicos relacionados a ela têm a ver com o Princípio 80/20? Embora ninguém pareça ter feito essa ligação, considero que a resposta é: tudo.

► *O princípio do desequilíbrio*

O ponto em comum entre a Teoria do Caos e o Princípio 80/20 é a questão do equilíbrio, ou, mais precisamente, do desequilíbrio. Tanto a

Teoria do Caos quanto o Princípio 80/20 afirmam (com grande respaldo empírico) que o universo é desequilibrado. Ambas consideram que o mundo não é linear, e que causa e efeito raramente estão vinculados de modo semelhante. Os dois também depositam muito crédito na auto-organização: algumas forças são mais energéticas do que outras e tentam obter mais do que sua justa parcela de recursos. A Teoria do Caos ajuda a explicar por que e como esse desequilíbrio ocorre, traçando uma série de evoluções ao longo do tempo.

► *O universo não é uma linha reta*

O Princípio 80/20, assim como a Teoria do Caos, é baseado na ideia da não linearidade. Uma grande parte do que ocorre não é importante e pode ser descartado. No entanto, existem algumas poucas forças que exercem influência além da expressão de seus números. Essas são as que devem ser identificadas e observadas. Se forem forças positivas, devemos multiplicá-las. Se forem forças das quais não gostamos, precisamos pensar cuidadosamente sobre como neutralizá-las. O Princípio 80/20 oferece um teste empírico muito poderoso de não linearidade em qualquer sistema: podemos perguntar se existem 20% de causas que levam a 80% dos resultados? Será que 80% de um fenômeno está associado somente a 20% de um evento relacionado? Esse é um método útil para revelar a não linearidade, porém, é ainda mais útil para nos direcionar na identificação das poderosas forças incomuns em ação.

► *Ciclos de feedback distorcem e perturbam o equilíbrio*

O Princípio 80/20 também é consistente e pode ser explicado por referência aos ciclos de feedback (*feedback loops*) identificados pela Teoria do Caos, segundo a qual pequenas influências iniciais geradas por feedback podem se multiplicar significativamente e produzir resultados altamente inesperados, que não poderão ser explicados em retrospecto. Na ausência dos ciclos de feedback, a distribuição natural dos fenômenos seria 50/50 – as causas ocorridas em determinada frequência levariam a resultados proporcionais. É somente pela existência dos ciclos de feedback positivos e negativos que as causas não têm resultados equivalentes. No entanto, também parece verdade que os poderosos feedbacks positivos afetam apenas uma pequena minoria das causas.

Isso ajuda a explicar por que aquela pequena minoria de causas pode exercer tanta influência.

Podemos ver o ciclo de feedback positivo em ação em muitas áreas, explicando como geralmente acabamos em 80/20 em vez de uma relação 50/50 entre as populações. Por exemplo, o rico se torna mais rico não somente (ou principalmente) por suas habilidades superiores, mas porque riqueza gera riqueza. Um fenômeno semelhante ocorre com peixinhos dourados em um lago. Mesmo que você comece a população com peixes quase exatamente do mesmo tamanho, aqueles que são ligeiramente maiores vão logo se tornar bem maiores, porque, apesar da pequena vantagem inicial no tamanho da boca e na velocidade para nadar, eles serão capazes de capturar e engolir alimentos em uma quantidade desproporcional.

► *O ponto de virada*

Relacionado à ideia de ciclos de feedback está o conceito de ponto da virada (*tipping point*). Acima de determinado ponto, uma nova força – seja isso um novo produto, uma doença, uma nova banda de rock ou um novo hábito social como as corridas e os patins – tem dificuldade para avançar. Uma grande quantidade de esforço gera pouco resultado. Nesse ponto, muitos pioneiros desistem. Mas se a nova força persiste e consegue cruzar uma linha invisível, uma pequena quantidade de esforço extra será capaz de alcançar grandes resultados. Essa linha invisível é o ponto da virada.

O conceito vem da teoria das epidemias. O ponto da virada é "o ponto no qual um fenômeno comum e estável – um surto de gripe de baixa ocorrência – pode se transformar em uma crise de saúde pública",[11] por causa do número de pessoas infectadas e que podem, dessa forma, infectar outras. E já que o comportamento das epidemias é não linear e não se comporta da maneira que esperamos, "pequenas mudanças – como conseguir reduzir o número de infecções de 40 mil para 30 mil – podem provocar grandes efeitos... Tudo depende de quando e de como as mudanças são feitas".[12]

► *Quem chega antes é mais bem-servido*

A Teoria do Caos defende "uma sensível dependência das condições iniciais"[13] – o que acontece primeiro, mesmo algo ostensivamente trivial, pode ter um efeito desproporcional. Isso está em sintonia e ajuda a explicar o Princípio 80/20. Este último afirma que uma minoria de causas exerce a maioria dos efeitos. Uma limitação do Princípio 80/20, tomado isoladamente, é que ele sempre representa uma fotografia instantânea do que é real agora (ou, mais precisamente, naquele exato momento do passado recente quando a fotografia foi tirada). É aqui que o conceito da Teoria do Caos, sobre a dependência das condições iniciais torna-se útil. Uma pequena vantagem inicial pode se transformar em uma grande vantagem ou em uma posição dominante mais tarde, até que o equilíbrio seja perturbado por outra pequena força que, então, exercerá sua influência desproporcional.

Uma empresa que, nos estágios iniciais do mercado, ofereça um produto 10% melhor do que o dos concorrentes, poderá vir a ter uma participação 100% ou 200% maior do que a dos concorrentes, mesmo que mais tarde eles também ofereçam um produto melhor. No início da motorização do transporte, se 51% dos motoristas ou dos países decidissem dirigir do lado direito em vez do esquerdo, haveria a tendência de que essa se transformasse na norma para quase 100% dos motoristas. Quando começamos a usar relógios circulares, se 51% deles girassem no que agora chamamos de sentido horário em vez de anti-horário, essa convenção iria se tornar dominante, embora os relógios girassem logicamente para a esquerda. De fato, o relógio da catedral de Florença gira no sentido anti-horário e mostra 24 horas.[14] Logo depois de 1442, quando a catedral foi construída, as autoridades e os relojoeiros padronizaram os relógios com 12 horas e que giravam em sentido horário, porque a maioria já tinha essas características. No entanto, se 51% dos relógios fossem como o da catedral de Florença, hoje nós teríamos relógios marcando 24 horas e girando no sentido anti-horário.

Essas observações a respeito da dependência significativa das condições iniciais não ilustram exatamente o Princípio 80/20. Os exemplos dados envolvem mudança *ao longo do tempo*, enquanto o Princípio 80/20 refere-se a uma ruptura *estática* das causas em *um momento qualquer*. Há, porém, um vínculo importante entre os conceitos. Os dois ajudam a demonstrar como o universo abomina o equilíbrio. No caso anterior, vemos um natural descolamento da distribuição 50/50 por fenômenos rivais. Uma proporção 51/49 é inerentemente instável e tende a gravitar para 95/5, 99/1 ou até mesmo para 100/0. A igualdade termina em dominação: essa é uma das mensagens da Teoria do Caos. A mensagem do Princípio 80/20 é diferente, embora complementar. Ele nos diz que, em um determinado ponto, a maioria dos fenômenos será explicada ou causada por uma minoria de fatores que participam do fenômeno. Isto é, 80% dos resultados derivam de 20% das causas. Poucos fatores são importantes; a maioria não é.

O Princípio 80/20 separa os filmes bons dos ruins

Um dos exemplos mais dramáticos do Princípio 80/20 ocorre na área cinematográfica. Dois economistas[15] fizeram um estudo sobre a receita e a expectativa de vida de trezentos filmes lançados ao longo de um período de dezoito meses. Descobriram que somente quatro filmes – 1,3% do total – conquistaram 80% da receita da bilheteria; os outros 296 filmes ou 98,7% ficaram com apenas 20% do faturamento. Portanto, o cinema, um bom exemplo do livre mercado em ação, produz uma regra 80/1, uma demonstração muito clara do princípio do desequilíbrio.

Ainda mais intrigante é o motivo. Verifica-se que os espectadores comportam-se como as partículas de um gás com movimentos aleatórios. Como foi identificado pela Teoria do Caos, as partículas de um gás, as bolas de pingue-pongue e os espectadores de cinema comportam-se de modo aleatório, mas produzem um resultado previsivelmente desequilibrado. O boca a boca, as críticas e o público das pré-estreias determinam se a segunda etapa da audiência será grande ou pequena, que, por sua vez, define a próxima onda de público e assim por diante. Alguns filmes seguem adiante com cinemas lotados, enquanto outros, caros e repletos de estrelas, vão rapidamente para salas de exibição cada vez menores e, então, desaparecem. É a vingança do Princípio 80/20.

Um guia para ler este livro

O Capítulo 2 explica como você pode colocar em prática o Princípio 80/20 e aborda a diferença entre a Análise 80/20 e o Pensamento 80/20, sendo ambos métodos úteis derivados do Princípio 80/20. A Análise 80/20 é um método sistemático e quantitativo para comparar causas e efeitos. O Pensamento 80/20 é um procedimento mais amplo, menos preciso e mais intuitivo, que compreende os modelos mentais e os hábitos que nos capacitam a criar hipóteses sobre quais são as causas relevantes daquilo que é importante em nossa vida. Identificadas as causas, podemos melhorar com exatidão nossa posição e realocar nossos recursos em conformidade.

A Parte 2, *O sucesso corporativo não precisa ser misterioso*, sintetiza os usos mais poderosos do Princípio 80/20 nos negócios. Essas aplicações foram criadas, testadas e validadas por terem imenso valor, embora curiosamente mantenham-se inexploradas pela maior parte da comunidade empresarial. Não há muita coisa original neste meu resumo, mas qualquer um que queira aumentar a lucratividade, seja em um pequeno ou grande negócio, vai achar útil este livro, o primeiro a surgir no gênero.

A Parte 3, *Trabalhe menos, ganhe mais e divirta-se mais*, apresenta como o Princípio 80/20 pode ser usado para elevar seu nível operacional tanto no trabalho quanto na vida pessoal. Essa é uma tentativa pioneira de aplicar o Princípio 80/20 sobre uma nova tela, e essa tentativa, embora eu tenha certeza de que está imperfeita e incompleta em muitos aspectos, conduziu a ideias surpreendentes. Por exemplo, 80% da felicidade ou das conquistas de uma pessoa típica ocorrem em uma pequena porção de sua vida. Os picos de alto valor pessoal podem ser bastante expandidos. A opinião geral é que temos pouco tempo. Minha aplicação do Princípio 80/20 sugere o contrário: estamos repletos de tempo e somos perdulários no seu uso.

A Parte 4, *Novas percepções: o princípio revisitado*, aborda o feedback que recebi e como meu pensamento sobre o Princípio 80/20 evoluiu desde a primeira edição deste livro.

Por que o Princípio 80/20 traz boas novas

Gostaria de encerrar esta introdução com uma observação pessoal em vez de uma nota formal. Considero o Princípio 80/20 muito promissor. Certamente, o princípio coloca no devido lugar aquilo que, de qualquer maneira, já era evidente: há uma quantidade trágica de desperdício por toda parte, no modo como a natureza opera, nos negócios, na sociedade e em nossa própria vida. Se o padrão típico é que 80% dos resultados vêm de 20% das causas, também é necessariamente padrão que 80% dos resultados, a grande maioria, tenham apenas um impacto marginal de 20%.

O paradoxo é que esse enorme desperdício pode ser uma notícia maravilhosa. Isso se pudermos usar o Princípio 80/20 de forma criativa, não apenas para identificar e punir a baixa produtividade, mas para tomar uma atitude positiva. Há um amplo campo para melhorias, rearranjando e redirecionando a natureza e nossa vida. O aprimoramento da natureza, a recusa em aceitar o *status quo*, é a trajetória de todo progresso: evolucionário, científico, social e pessoal. George Bernard

Shaw colocou muito bem: "O homem sensato adapta-se ao mundo. Aquele insensato insiste em tentar adaptar o mundo a ele. No entanto, todo progresso depende do homem insensato".[16]

A implicação do Princípio 80/20 é que o resultado não pode ser somente aumentado, pode ser multiplicado, caso consigamos tornar os fatores de baixa produtividade mais parecidos aos de alta produtividade. As experiências bem-sucedidas com o Princípio 80/20 na área dos negócios sugerem que, em geral, com criatividade e determinação, esse salto em valor pode ser dado.

Existem duas rotas para alcançar isso. Uma é realocar os recursos dos usos improdutivos para os produtivos, o segredo dos empreendedores de todas as épocas. Encontre um buraco redondo para um pino redondo, um buraco quadrado para um pino quadrado e um encaixe perfeito para qualquer outra forma intermediária. A experiência sugere que todo recurso tem sua área ideal, na qual poderá ser dezenas ou centenas de vezes mais eficaz que nas outras.

A outra rota para o progresso – o método dos cientistas, médicos, religiosos, engenheiros de sistemas de computação, educadores e técnicos – é encontrar a maneira de tornar os recursos improdutivos mais eficazes, mesmo em suas atuais aplicações; fazer com que os recursos fracos se comportem como seus primos mais fortes, imitando, se necessário, por intrincadas aprendizagens de repetição mecânica, os recursos altamente produtivos.

Os poucos fatores que funcionam fantasticamente bem devem ser identificados, cultivados, estimulados e multiplicados. Ao mesmo tempo, o desperdício – a maioria dos fatores que sempre se provará de baixo valor para o homem e para o animal – deve ser eliminado ou drasticamente reduzido.

Enquanto escrevo este livro e observo milhares de exemplos do Princípio 80/20, sinto minha fé reforçada: fé no progresso, nos grandes saltos para à frente e na habilidade da humanidade, individual e coletivamente, para aprimorar a mão da natureza. Joseph Ford comentou: "Deus joga dados com o Universo. Mas são dados viciados. Nosso principal objetivo é descobrir quais regras viciaram os dados e como podemos usá-las em nosso próprio benefício".[17]

O Princípio 80/20 pode nos ajudar a conquistar exatamente isso.

CAPÍTULO 2: COMO PENSAR 80/20

O Capítulo 1 explicou o conceito por trás do Princípio 80/20; este capítulo vai discutir como essa ideia funciona na prática e o que é capaz de fazer por você. As duas aplicações do princípio, a Análise 80/20 e o Pensamento 80/20, formam uma filosofia pragmática para ajudar você a compreender e melhorar sua vida.

Definição do Princípio 80/20

O Princípio 80/20 afirma que existe um desequilíbrio inerente entre as causas e os resultados, os recursos e os produtos e os esforços e as recompensas. Normalmente, as causas, os fatores e os esforços dividem-se em duas categorias:

- A grande maioria, que tem baixo impacto.
- A pequena minoria, que tem alto impacto.

Em geral, os resultados, produtos e recompensas são derivados de uma pequena proporção das causas, fatores e esforços necessários para gerar esses resultados, produtos e recompensas. A relação entre as causas, fatores e esforços de um lado, e dos resultados, produtos e recompensas de outro costuma ser desequilibrada.

Quando esse desequilíbrio pode ser mensurado aritmeticamente, uma boa referência é a relação 80/20, ou seja, 80% dos resultados, produtos e recompensas são derivados de somente 20% das causas, fatores e esforços. Cerca de 80% da energia do mundo é consumida por 15% da população.[18] E 80% da riqueza mundial é possuída por 25% das pessoas.[19] No atendimento à saúde, 20% da base populacional ou 20% dos indivíduos doentes vão consumir 80% dos seus recursos.[20]

As Figuras 2 e 3 mostram esse padrão 80/20. Vamos imaginar que uma empresa fabrica 100 produtos e descobriu que os 20 mais rentáveis são responsáveis por 80% de todo o lucro. Na Figura 2, a barra da esquerda representa os 100 produtos, cada um ocupando uma fatia de um centésimo do espaço.

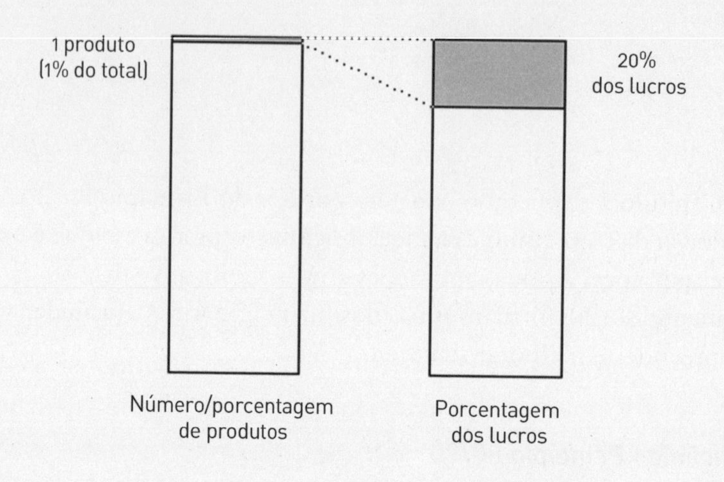

Figura 2

Na barra da direita está o total do lucro da empresa, resultante dos 100 produtos. Imagine que o lucro de um dos produtos mais rentáveis está inserido na barra da direita. Vamos dizer que o produto mais rentável seja responsável por 20% do total dos lucros. A Figura 2, dessa maneira, mostra que um produto, ou 1% dos produtos, que ocupa um centésimo do espaço da barra esquerda, é responsável por 20% dos lucros. As áreas mais escuras representam essa relação.

Se continuarmos contabilizando o lucro dos próximos produtos mais rentáveis até chegar aos 20 melhores, poderemos, então, escurecer a barra da direita, de acordo com a lucratividade gerada por esses 20 produtos. Isso está mostrado na Figura 3, na qual vemos (em nosso exemplo fictício) que 20 produtos, 20% do número total de produtos, respondem por 80% do total dos lucros (a área mais escura da barra). Contrariamente, na área branca podemos ver o outro lado dessa relação: em conjunto, 80% dos produtos só representam 20% do lucro total.

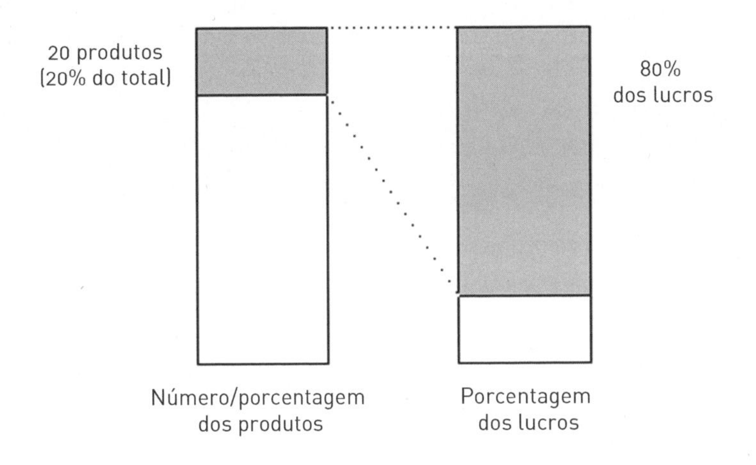

Figura 3 – Um padrão típico 80/20

Os números 80/20 são apenas uma referência e a verdadeira relação pode ser mais ou menos desequilibrada que isso. O Princípio 80/20 afirma, no entanto, que na maioria dos casos é mais provável que a relação fique mais próxima de 80/20 do que de 50/50. Se todos os produtos daquela empresa dessem o mesmo lucro, então a relação seria a que está representada na Figura 4.

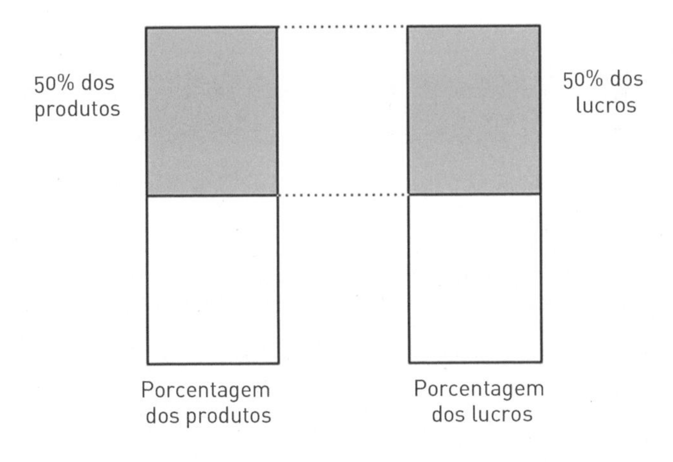

Figura 4 – Um padrão incomum 50/50

O ponto curioso, mas crucial, é que, quando essas pesquisas foram feitas, a Figura 3 mostrou ser um padrão muito mais típico que a Figura 4. Quase sempre, uma pequena proporção de produtos gera uma grande proporção dos lucros.

Com certeza, a relação exata pode não ser 80/20. A relação 80/20 é uma metáfora conveniente e uma hipótese útil, mas não é o padrão único. Às vezes, 80% dos lucros derivam de 30% dos produtos; às vezes, 80% dos lucros são resultantes de 15% ou até mesmo de 10% dos produtos. Os números comparados não têm de somar 100, mas, em geral, o desequilíbrio da situação se parece mais com a Figura 3 do que com a Figura 4.

Infelizmente, os números 80 e 20 somam 100. Isso torna o exemplo elegante (como, de fato, também seria um resultado 50/50, 70/30, 99/1, ou muitas outras combinações) e fácil de memorizar, mas faz muitas pessoas acreditarem que estamos lidando somente com um conjunto de dados que soma 100%. Não é assim. Se 80% das pessoas forem destras e 20% canhotas, essa não seria uma observação 80/20. Para aplicar o Princípio 80/20, você precisa ter dois conjuntos de dados que totalizam 100% cada um. Um deles mensura uma variável, por exemplo, a quantidade possuída, resultante ou causada por pessoas ou fatores que formam o outro conjunto de 100%.

O que o Princípio 80/20 pode fazer por você

Toda pessoa que conheço que levou o Princípio 80/20 a sério teve ideias úteis, quando não encontrou soluções salvadoras. Você tem de descobrir suas próprias aplicações para o princípio: elas estarão lá se você olhar criativamente. A Parte 3 deste livro, formada pelos Capítulos de 9 a 15, guiará você em sua odisseia, mas posso ilustrar desde já com alguns exemplos da minha própria vida.

Como o Princípio 80/20 me ajudou

Quando eu era calouro em Oxford, meu tutor me disse para nunca ir a palestras. "Os livros podem ser lidos muito mais depressa", ele explicou. "Nunca leia um livro de ponta a ponta, a não ser que seja por prazer. Quando estiver estudando, descubra o que o livro está dizendo bem mais depressa do que lendo tudo. Leia a conclusão, então, leia a introdução, e novamente a conclusão. Depois, dê uma passada ligeira pelos pontos mais interessantes." O que ele estava realmente me dizendo era que 80% do valor de um livro pode ser encontrado em 20% – ou menos – de suas páginas, e assimilado em 20% do tempo que as pessoas gastam para ler um livro inteiro.

Eu peguei esse método de estudo e o ampliei. Em Oxford, não existe um sistema contínuo de avaliação, e a nota de graduação depende inteiramente dos exames realizados no fim do curso. Descobri pelo "método de leitura" e analisando provas antigas, que pelo menos 80% (às vezes 100%) das questões podiam ser bem respondidas com o conhecimento de 20% ou menos da matéria abrangida pela prova. Os examinadores ficam mais bem impressionados por um estudante que conhece em profundidade relativamente poucos assuntos do que com aquele que tem um bom conhecimento sobre muitos temas. Esse conceito me ajudou a estudar de modo bastante eficiente. Dessa forma, sem estudar em exagero, concluí minha graduação com excelente nota no exame final. Naquela época, achei que os catedráticos de Oxford eram ingênuos. Atualmente, prefiro pensar, talvez de modo improvável, que eles estavam nos ensinando como o mundo funciona.

Fui trabalhar na Shell e passava meu tempo dentro de uma refinaria horrorosa. Isso pode ter sido bom para minha alma, mas rapidamente percebi que os empregos mais bem pagos para pessoas jovens e inexperientes como eu estavam na área de consultoria em gestão. Então, fui para Filadélfia e cursei um MBA indolor em Wharton (desprezando o estilo "mão na massa" de uma experiência de aprendizado em Harvard). Fui contratado por uma consultoria norte-americana, que no primeiro dia me rendeu quatro vezes mais do que a Shell me pagou quando saí da empresa. Não há dúvida de que 80% de todo dinheiro recebido por jovens profissionais estava concentrado em 20% dos empregos.

Como naquela consultoria havia muitos colegas mais inteligentes que eu, fui para uma "butique" de estratégia. Eu a identifiquei assim porque estava crescendo bem mais depressa do que a consultoria em que estava antes, embora tivesse uma proporção bem menor de profissionais realmente inteligentes.

Para quem você trabalha é mais importante do que aquilo que faz

Na nova consultoria, tropecei com diversos paradoxos do Princípio 80/20. Naquela época, e atualmente também, 80% do crescimento do setor de consultoria estratégica (que continua crescendo a todo vapor) era conquistado por empresas que tinham, no total, menos de 20% dos profissionais da área. Oitenta por cento das promoções rápidas também estavam disponíveis em apenas um punhado de consultorias. Acredite, talento tem muito pouco a ver com isso. Quando deixei a primeira consultoria e fui para a segunda, elevei o nível de inteligência nas duas.

No entanto, a questão intrigante era que meus novos colegas eram mais eficazes do que os anteriores. Por quê? Eles não trabalhavam mais que os outros, mas seguiam o Princípio 80/20 de duas maneiras vitais. Primeiro, perceberam que, para a maioria das empresas, 80% dos lucros vinham de 20% dos clientes. No setor de consultoria, isso tem dois significados: grandes clientes e clientes de longo prazo. Grandes clientes pedem grandes projetos a seus consultores, o que quer dizer que pode ser usada uma proporção maior de jovens profissionais com remuneração mais baixa. A relação de longo prazo gera confiança e eleva o custo para o cliente trocar de consultoria. Os clientes de longo prazo tendem a não ser sensíveis ao preço.

Na maioria das empresas de consultoria, o grande entusiasmo é a conquista de mais clientes. Na nova consultoria em que fui trabalhar, porém, os verdadeiros heróis eram aqueles que trabalhavam com grandes clientes pelo maior tempo possível. Eles faziam isso cultivando o relacionamento com os chefes no topo da hierarquia dessas empresas.

O segundo ponto-chave era que, em todo cliente, 80% dos resultados disponíveis estarão concentrados em 20% das questões importantes. Sob o ponto de vista de um consultor curioso, essas questões não são necessariamente as mais interessantes. Por isso, nossos concorrentes costumam olhar de modo superficial para uma ampla gama de questões e, então, deixar para que o cliente siga (ou não) as recomendações dadas. Nós, ao contrário, nos mantínhamos sintonizados com as questões mais importantes, até que o cliente fosse literalmente conduzido a adotar soluções bem-sucedidas. Como resultado, a lucratividade do cliente aumentava, e a verba para a nossa consultoria também.

Você trabalha para enriquecer os outros ou ao contrário?

Logo me convenci de que, para os consultores e seus clientes, os esforços e as recompensas estavam, na melhor das hipóteses, vagamente relacionados. Era melhor estar no lugar certo do que ser inteligente e trabalhar duro. Era melhor ser astuto e focado em resultados do que nos recursos. A ação derivada de poucas ideias essenciais é o que produzia os resultados. Ser inteligente e trabalhar duro não. Infelizmente, por muitos anos, a culpa e a adequação à pressão do grupo não me deixaram aprender completamente essa lição; eu trabalhei duro por muito tempo.

Naquela época, a consultoria tinha uma equipe com centenas de pessoas e cerca de trinta profissionais, eu entre eles, que eram chamados de sócios. Mas 80% dos lucros iam para um único homem, o fundador, muito embora numericamente ele representasse menos de 4% da sociedade e uma fração de 1% da força dos consultores.

Em vez de continuar enriquecendo o fundador, dois outros colegas juniores e eu saímos para criar nossa consultoria e fazer o mesmo trabalho. Logo a seguir, embora nós três, sob qualquer medida, fizéssemos menos de 20% do trabalho de valor da empresa, passamos a receber 80% dos lucros. Aquilo também me fazia sentir culpa. Depois de seis anos, eu saí da sociedade e vendi minha participação para os outros colegas. Naquele momento, nós conseguíamos dobrar o faturamento e o lucro a cada ano, e fui capaz de assegurar um bom preço pela minha participação. Logo a seguir, a recessão da década de 1990 desabou sobre o setor de consultoria. Embora mais adiante no livro eu vá aconselhar você a abrir mão da culpa, tive sorte com a minha. Até mesmo quem segue o Princípio 80/20 precisa de um pouco de sorte, e eu sempre aproveitei bem a minha.

A riqueza dos investimentos ofusca a produzida pelo trabalho

Com 20% do dinheiro recebido, fiz um grande investimento em uma corporação chamada Filofax. Os consultores financeiros ficaram horrorizados. Naquela época, eu possuía posições em umas vinte empresas com capital aberto, mas aquela ação representava 5% do número de papéis que eu possuía e era responsável por 80% do meu portfólio. Felizmente, essa proporção cresceu ainda mais, pois, nos três anos seguintes, as ações da Filofax multiplicaram várias vezes seu valor. Quando vendi alguns papéis, em 1995, eles estavam valendo quase dezoito vezes o preço que paguei para comprar a primeira posição na Filofax.

Eu fiz dois outros grandes investimentos: um na *startup* de uma cadeia de restaurantes chamada Belgo, e outro na MSI, uma companhia hoteleira que naquele momento não possuía hotéis. Juntos, esses três investimentos formavam 20% do meu patrimônio líquido, mas que foram responsáveis por mais de 80% dos meus ganhos subsequentes, e atualmente representam 80% de um patrimônio líquido muito maior.

Como o Capítulo 14 vai mostrar, 80% do crescimento da maioria dos portfólios de longo prazo resulta de menos de 20% dos investimentos.

É crucial identificar bem esses 20% e, então, concentrar o máximo possível de investimento neles. A sabedoria convencional diz que não se deve colocar todos os ovos na mesma cesta. A sabedoria 80/20 afirma que é preciso escolher uma cesta cuidadosamente, colocar nela todos os ovos e, então, tomar conta dela como uma águia.

Como usar o Princípio 80/20

Existem duas maneiras de usar o Princípio 80/20, como é apresentado na Figura 5.

Tradicionalmente, o Princípio 80/20 requeria a Análise 80/20, um método quantitativo para estabelecer a relação precisa entre causas/recursos/esforços e resultados/produtos/recompensas. Esse método usa a possível existência de uma relação 80/20 como hipótese e, então, compila os fatos para que seja revelada a verdadeira proporção. É um procedimento empírico, que pode levar a qualquer resultado variando entre 50/50 a 99,9/0,1. Se o resultado demonstra um desequilíbrio notável entre os recursos e os produtos (vamos dizer uma relação 65/35 ou uma ainda mais desequilibrada), então, normalmente, é adotado algum tipo de ação (veja a seguir).

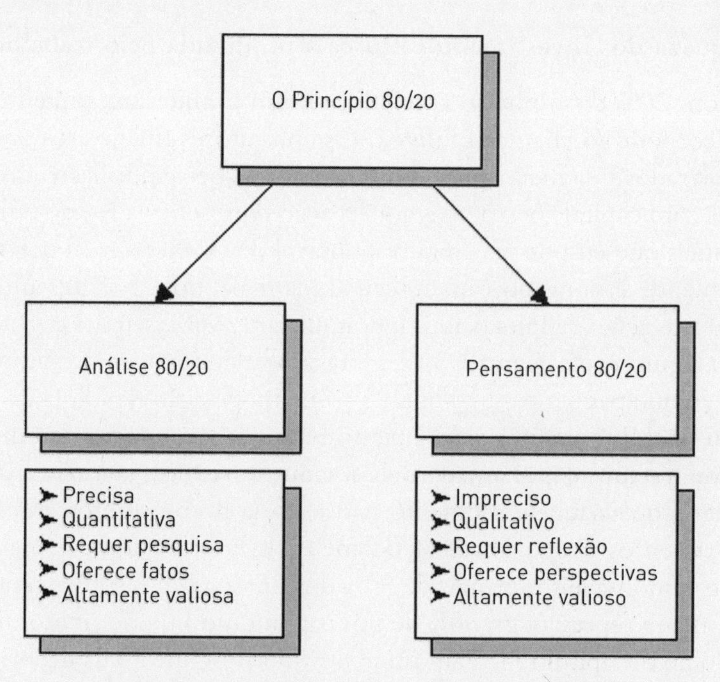

Figura 5 – Duas maneiras de usar o Princípio 80/20

Uma forma nova e complementar de utilizar o Princípio 80/20 é o que chamo de Pensamento 80/20. Isso exige uma reflexão profunda sobre a questão que é importante para você e pede que avalie se o Princípio 80/20 está em ação ali. Você poderá então agir a partir dessa perspectiva. O Pensamento 80/20 não exige que você colete dados e nem que teste a hipótese. Consequentemente, o Pensamento 80/20 pode induzir você a erro – é perigoso assumir, por exemplo, que você já sabe quais são os 20% vitais quando identifica uma relação –, mas eu argumento que o Pensamento 80/20 é menos arriscado do que o pensamento convencional. O Pensamento 80/20 é mais rápido e acessível do que a Análise 80/20, embora esta última deva ser preferida quando a questão é extremamente importante e você considera difícil confiar em estimativas.

Vamos abordar primeiro a Análise 80/20 e depois o Pensamento 80/20.

A Análise 80/20

A Análise 80/20 examina a relação entre dois conjuntos de dados comparáveis. Um conjunto é sempre um universo de pessoas ou objetos, em geral, um número grande de 100 ou mais, que pode ser transformado em porcentagem. O outro conjunto de dados refere-se a algumas características interessantes das pessoas ou dos objetos que possam ser mensuradas e também convertidas em percentuais.

Por exemplo, podemos decidir analisar um grupo de cem amigos. Todos bebem cerveja, pelo menos ocasionalmente, e vamos comparar quantos copos eles beberam na semana anterior.

Até aqui, esse método é comum a muitas análises estatísticas. O que torna a Análise 80/20 única é que a mensuração classifica o segundo conjunto em ordem descendente de importância e faz comparações percentuais entre os dois.

Em nosso exemplo, portanto, vamos perguntar aos nossos cem amigos quantos copos de cerveja beberam na semana anterior e lançar os dados em uma tabela em ordem descendente. A Figura 6 mostra os vinte maiores e os vinte menores bebedores de cerveja.

A Análise 80/20 pode comparar percentuais dos dois conjuntos de dados (os amigos e a quantidade de cerveja bebida). Nesse caso, podemos dizer que 70% da cerveja foi bebida por 20% dos amigos. Sendo assim, teremos uma relação 70/20. A Figura 7 apresenta um gráfico da distribuição com frequência 80/20 (ou gráfico 80/20 para resumir) para sintetizar visualmente os dados.

Por que é chamada de Análise 80/20?

Quando essas relações são comparadas, a observação mais frequente, feita há muito tempo (provavelmente na década de 1950), é que 80% da quantidade que estava sendo mensurada derivava de 20% das pessoas ou objetos. A proporção 80/20 ficou sendo o símbolo desse tipo de relação desequilibrada, seja, ou não, o seu resultado exato (estatisticamente, uma exata relação 80/20 é improvável). Por convenção, são os 20% do topo que são citados e não os 20% que ficam por último. A Análise 80/20 é o nome que dei para essa forma de usar o Princípio 80/20, que é quantitativa e empírica, medindo a possível relação entre recursos e produtos.

Podemos observar pelos dados de nossos amigos bebedores de cerveja que os 20% que menos beberam consumiram trinta copos ou 3% do total. Também seria perfeitamente legítimo chamá-la de relação 3/20, embora isso raramente seja feito. A ênfase recai sempre sobre os consumidores mais fortes ou as principais causas. Se uma cervejaria estiver fazendo uma promoção ou quiser saber o que os bebedores acham de suas cervejas, será mais útil atingir os 20% que estão no topo do ranking.

Nós também podemos querer saber qual porcentagem dos nossos amigos é responsável por 80% do total de cerveja consumida (mil copos no total, de acordo com a Figura 6). Nesse caso, a verificação na parte da tabela que não foi apresentada (a parte do meio) vai mostrar que Michael G., o 28° maior bebedor que tomou dez copos, fez o total acumulado chegar a 800 copos. Poderíamos expressar essa relação como 80/28, sendo 80% do total da cerveja consumido por apenas 28% de nossos amigos.

Deve ter ficado claro por esse exemplo que a Análise 80/20 pode resultar em uma série de descobertas. É evidente, as descobertas individuais são mais interessantes e potencialmente mais úteis onde quer que haja um desequilíbrio. Se, por exemplo, nós descobríssemos que todos os nossos amigos beberam exatamente oito copos cada um, a cervejaria poderia não se interessar em usar nosso grupo em uma promoção ou pesquisa. Nesse caso, teríamos uma relação 20/20 (20% da cerveja foi bebida por 20% dos amigos no "topo" do ranking) ou uma relação 80/80 na qual 80% da cerveja foi bebida por 80% dos nossos amigos).

Os 20 maiores bebedores

Posição	Nome	Copos bebidos	Total acumulado
1	Charles H	45	45
2	Richard J	43	88
3=	George K	42	130
3=	Fred F	42	172
5	Arthur M	41	213
6	Steve B	40	258
7	Peter T	39	292
8	Reg C	37	329
9=	Georg Be	36	365
9=	Bomber J	36	401
9=	Fatty M	36	437
12	Marian C	33	470
13	Stewart M	32	502
14	Cheryl W	31	533
15=	Kevin C	30	563
15=	Nick B	30	593
15=	Ricky M	30	623
15=	Nigel H	30	653
19	Greg H	26	679
20	Carol K	21	700

Os 20 menores bebedores

Posição	Nome	Copos bebidos	Total acumulado
81=	Rupert E	3	973
81=	Patrick W	3	976
81=	Anne B	3	979
81=	Jamie R	3	982
85=	Stephanie F	2	984
85=	Carli S	2	986
87=	Roberta F	1	987
87=	Pat B	1	988

87=	James P	1	989
87=	Charles W	1	990
87=	Jon T	1	991
87=	Edward W	1	992
87=	Margo L	1	993
87=	Rosabeth M	1	994
87=	Shirley W	1	995
87=	Greg P	1	996
87=	Gilly C	1	997
87=	Francis H	1	998
87=	David C	1	999
87=	Darleen B	1	1000

Figura 6

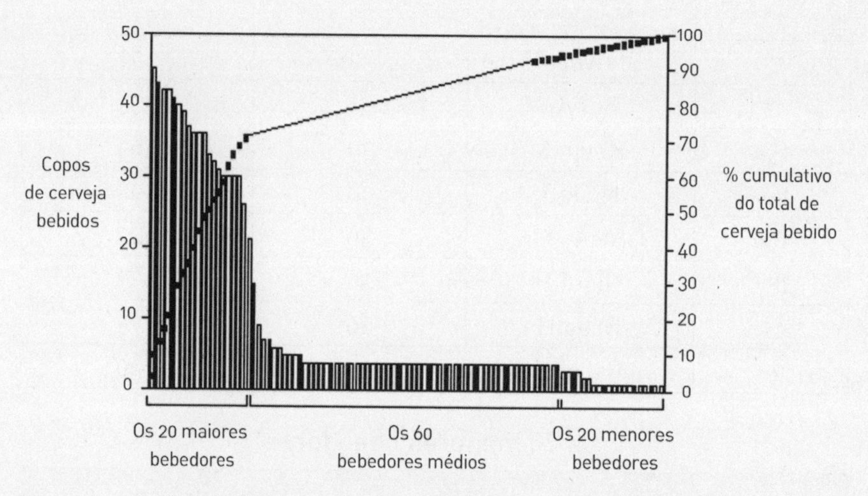

Figura 7 – Gráfico da distribuição com frequência 80/20 dos bebedores de cerveja

O gráfico de barras apresenta melhor a relação 80/20

Uma Análise 80/20 é apresentada visualmente melhor por um gráfico com duas barras, e particularmente apropriada para nosso exemplo (as Figuras 2 a 4 eram em gráfico de barras). A primeira barra na Figura 8 contém nossos 100 amigos bebedores de cerveja, e cada um corresponde a 1% do espaço, começando com os maiores bebedores no topo e descendo para os menores. A segunda barra representa a quantidade total de cerveja bebida individualmente (e no total) por nossos amigos. Em qualquer ponto, podemos ver, para uma determinada porcentagem dos nossos amigos, a proporção de cerveja que consumiram juntos.

A Figura 8 mostra o que nós descobrimos na tabela (e também podíamos ver na Figura 7): que 20% dos maiores bebedores foram responsáveis pelo consumo de 70% dos copos de cerveja. As barras simples da Figura 8 pegam os dados da Figura 7 e os apresentam de cima para baixo em vez da leitura da esquerda para a direita. Não importa qual tipo de gráfico você prefira.

Se quisermos ilustrar que porcentagem dos seus amigos bebeu 80% da cerveja, teremos que desenhar o gráfico de barras ligeiramente diferente, como na Figura 9, para mostrar a relação 80/28: 28% dos nossos amigos beberam 80% da cerveja.

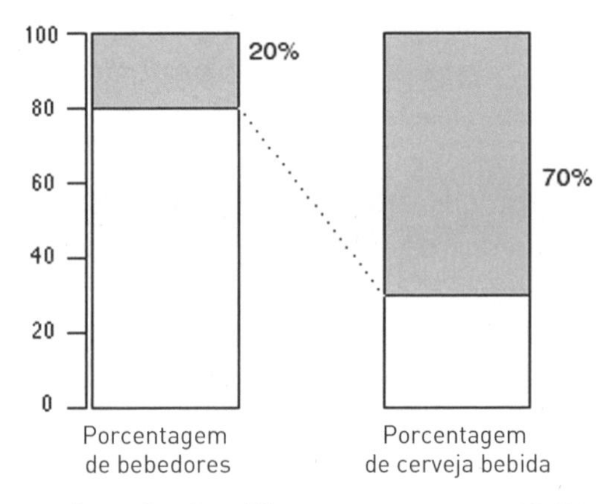

Figura 8 – O gráfico mostra uma regra 70/20

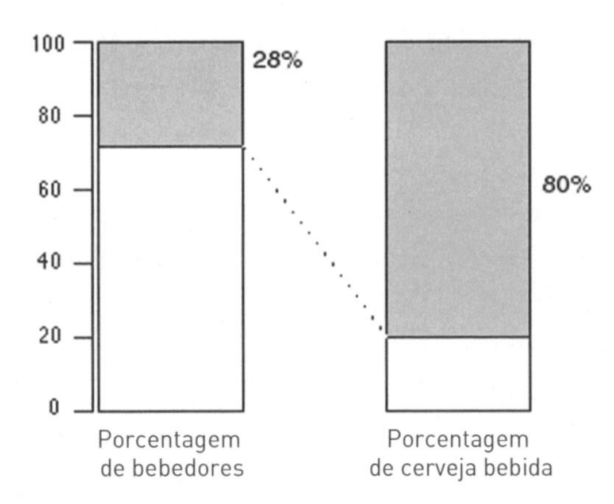

Figura 9 – O gráfico mostra uma regra 80/28

Para que a Análise 80/20 é usada?

Geralmente, é aplicada para alterar a relação que a Análise 80/20 descreveu ou para fazer um uso melhor dela!

Um dos usos é a concentração nas causas-chave da relação, aqueles 20% dos recursos que levam a 80% dos produtos (ou qualquer que seja o número exato). Se 20% dos maiores bebedores é responsável por 70% da cerveja consumida, é nesse grupo que a cervejaria deve concentrar sua ação para realizar o máximo de negócios com esses 20%, possivelmente aumentando o consumo de cerveja deles ainda mais. Para todos os propósitos práticos, a cervejaria pode decidir ignorar os 80% dos bebedores que consumiram somente 30% da cerveja; isso simplifica imensamente a tarefa.

Da mesma maneira, uma empresa que descobre que 80% de seus lucros derivam de 20% dos clientes pode usar essa informação para se concentrar em manter esses 20% satisfeitos e aumentar o volume de negócios realizado com eles. Isso é muito mais fácil e mais recompensador do que dar atenção ao grupo inteiro de clientes. Ou a companhia também pode descobrir que 80% de seus lucros são resultantes da venda de 20% de seus produtos e resolver se esforçar mais para comercializar mais daqueles produtos.

A mesma ideia é válida para aplicações não empresariais da Análise 80/20. Se você analisar a satisfação gerada por suas atividades de lazer e descobrir que 80% vêm de 20% delas, que na verdade ocupam somente 20% de seu tempo livre, então, faria sentido aumentar o tempo destinado a essas atividades de lazer, ampliando-o de 20% para, pelo menos, 80%.

Tomemos o transporte como outro exemplo: 80% dos engarrafamentos no trânsito ocorrem em 20% das estradas. Caso você vá para o trabalho diariamente pelo mesmo caminho, sabe que, grosso modo, 80% dos atrasos ocorrem em 20% dos cruzamentos. Uma reação sensata das autoridades poderia ser redistribuir o trânsito em fases naqueles 20% dos cruzamentos. Embora o custo de cuidar da distribuição do trânsito em 100% dos cruzamentos durante 100% do tempo seja muito alto, seria um dinheiro bem investido cuidar daqueles 20% de esquinas-chave durante 20% do tempo.

O segundo grande uso da Análise 80/20 é tomar providências em relação àqueles 80% dos recursos que estão com baixo desempenho e são responsáveis apenas por 20% dos resultados. Talvez os bebedores de cerveja eventuais possam ser convencidos a beber mais, quem sabe lhes oferecendo uma bebida mais suave. Talvez seja possível você tirar mais satisfação daquelas atividades de lazer que não lhe agradam tanto. Na educação, os sistemas de ensino interativo agora replicam a técnica usada pelos professores universitários, que fazem perguntas aos estudantes de forma aleatória; o objetivo é combater a regra 80/20 em que 80% da participação da classe vem de 20% dos alunos. Nos shopping centers norte-americanos, descobriu-se que as mulheres (cerca de 50% da população) respondem por 70% de todas as compras realizadas.[21] Uma maneira de aumentar os 30% de vendas para os homens talvez seja criar lojas especificamente para eles. Embora essa segunda aplicação da Análise 80/20 seja útil às vezes e tenha sido utilizada com grande sucesso na indústria para aumentar a produtividade de fábricas com baixo desempenho, geralmente dá mais trabalho e traz menos recompensas do que a primeira.

Não aplique a Análise 80/20 de modo linear

Ao discutir o uso da Análise 80/20, temos de abordar também seu potencial abuso. Como qualquer outra ferramenta simples e eficaz, a Análise 80/20 pode ser mal compreendida e mal aplicada. Nesse caso, em vez de instrumento para obter percepções diferenciadas, pode servir de justificativa para a malandragem convencional. A Análise 80/20 aplicada inadequadamente e de modo linear pode levar a equívocos ingênuos, e você deve estar sempre atento à falsa lógica.

Deixe-me ilustrar isso com um exemplo do setor editorial. É fácil demonstrar que, na maior parte do tempo e dos lugares, cerca de 20% dos títulos de livros representam cerca de 80% dos livros vendidos. Para quem é iniciado no Princípio 80/20, isso não é surpresa. Pode parecer fácil concluir depressa que as livrarias deveriam reduzir a variedade de livros em estoque e se concentrar forte e exclusivamente nos *best-sellers*. O interessante, no entanto, é que, na maioria das vezes, reduzir a variedade, em vez de elevar os lucros, derruba o resultado das livrarias.

Isso não invalida o Princípio 80/20 por duas razões. A consideração-chave não é a distribuição dos livros vendidos, mas o que os consumidores querem. Quando um cliente se dá ao trabalho de ir até uma livraria, quer encontrar uma variedade razoável de livros (ao contrário de um quiosque ou supermercado, onde não se espera variedade de títulos). As livrarias devem se concentrar naqueles 20% de clientes responsáveis por 80% de sua lucratividade e descobrir o que eles querem.

A outra razão: o que importa, mesmo quando se consideram os livros em vez dos clientes, não é a distribuição de vendas (aqueles 20% de livros que representam 80% das vendas), mas a distribuição dos lucros (aqueles 20% de títulos que geram 80% dos lucros). Com bastante frequência, aqui não estão só os *best-sellers*, os livros escritos por autores bem conhecidos. De fato, um estudo norte-americano revelou que "os *best-sellers* representam 5% do total das vendas".[22] Com frequência, os verdadeiros *best-sellers* são aqueles que nunca entram nas listas e nos gráficos, mas vendem uma quantidade segura ano após ano, com alta margem. Como comentam os mesmos pesquisadores norte-americanos: "O estoque essencial deve dar foco àqueles livros que vendem temporada após temporada. Eles são o '80' na regra 80/20, sempre contando para a maior parte das vendas de livros sobre determinado assunto".

Essa ilustração é salutar. Não invalida a Análise 80/20 de maneira nenhuma, já que as perguntas-chave devem sempre ser quais clientes e produtos geram 80% dos lucros. Mas isso mostra o perigo de não pensar claramente sobre a aplicação da análise. Quando usar o Princípio 80/20, seja seletivo e pense na contramão. Não se deixe seduzir pela ideia de que a variável para a qual todo mundo está olhando – nesse caso, os livros da última lista de *best-sellers* – é realmente o que importa. Isso é pensamento linear. As percepções mais valiosas vindas da Análise 80/20 sempre surgem do exame das relações não lineares, que os outros estão negligenciando. Além disso, como a Análise 80/20 é baseada em uma fotografia instantânea da situação em um ponto particular, e não incorpora as mudanças ocorridas ao longo do tempo, fique atento: se você, inadvertidamente, congelar a situação errada ou incompleta, poderá ter uma visão imprecisa.

Por que o Pensamento 80/20 é necessário

A Análise 80/20 é extremamente útil. Mas nem todo mundo tem capacidade analítica e, mesmo quem tem, nem sempre pode parar para investigar os dados toda vez que precisa tomar uma decisão. Isso traria impasses tremendos. No entanto, a maioria das decisões importantes nunca é tomada como resultado de uma análise – e nunca será –, não importa o quanto nossos computadores possam vir a se tornar inteligentes. Sendo assim, se quisermos que o Princípio 80/20 seja um guia em nosso cotidiano, precisamos de algo menos analítico e mais disponível do que a Análise 80/20. Necessitamos do Pensamento 80/20.

O Pensamento 80/20 é o nome que dei para a aplicação do Princípio 80/20 no dia a dia, para o uso não quantitativo do conceito. Como na Análise 80/20, começamos por traçar uma hipótese para a existência de um possível desequilíbrio entre os recursos e os produtos. Porém, em vez de coletar dados e analisá-los, nós os estimamos. O Pensamento 80/20 exige – e sua prática nos capacita – identificar os poucos fatores realmente importantes que estão acontecendo, e ignorar os muitos desimportantes. Ele nos ensina a perceber a floresta e não cada uma das árvores.

O Pensamento 80/20 é muito valioso e não deve ficar restrito às situações em que os dados e a análise são perfeitos. Para cada grama de conhecimento gerado quantitativamente, deve haver quilos de percepções resultantes das impressões e da intuição. É por isso que o Pensamento 80/20, embora apoiado em dados, não fica restrito a eles.

Para adotar o Pensamento 80/20, devemos nos perguntar constantemente: onde estão aqueles 20% que estão produzindo os 80%? Temos de assumir que jamais sabemos automaticamente qual é a resposta e tirar um tempo para pensar criativamente sobre o assunto. Quais são os poucos fatores ou causas que se opõem aos muitos triviais? Onde está a elegante melodia que está sendo abafada pelos ruídos ao fundo?

O Pensamento 80/20 é aplicado com os mesmos objetivos da Análise 80/20: mudar comportamentos e dar foco aos 20% importantes. Você percebe que o Pensamento 80/20 está funcionando quando a eficácia é multiplicada. A ação resultante do Pensamento 80/20 deve nos levar a obter muito mais com muito menos.

Quando estamos usando o Princípio 80/20 não *assumimos* que seus resultados são bons ou ruins ou que aquelas forças poderosas que observamos são necessariamente positivas. Nós *decidimos* se são boas (de acordo com nossa própria perspectiva) e determinamos se daremos um estímulo na direção certa na minoria das forças poderosas, ou como vamos agir para frustrá-las.

O Princípio 80/20 vira o senso comum de ponta-cabeça

A aplicação do Princípio 80/20 implica fazer o seguinte:

- Comemorar a produtividade excepcional em vez de estimular os esforços medíocres.
- Procurar os atalhos em vez de percorrer as rotas completas.

- Exercitar o controle sobre nossa vida com o mínimo esforço possível.
- Ser seletivo em vez de exaurir-se fazendo tudo.
- Buscar a excelência em poucas coisas em vez do ótimo desempenho em tudo.
- Delegar ou terceirizar o máximo possível no dia a dia, e ser encorajado e não penalizado por causa dos impostos a fazer isso (usar sempre serviços de mecânicos, faxineiros, decoradores e outros terceirizados, em vez de fazer você mesmo tudo).
- Escolher a carreira e os funcionários com extremo cuidado e, se possível, dar emprego aos outros em vez de ser empregado.
- Fazer somente aquilo que se faz bem e ter prazer em fazer.
- Olhar além das aparências para descortinar as ironias e as singularidades.
- Em toda questão importante, agir onde 20% dos esforços possam levar a 80% dos resultados.
- Reduzir a ansiedade, trabalhar menos e focar em um número reduzido de metas valiosas onde o Princípio 80/20 possa trabalhar por você, em vez de perseguir todas as oportunidades disponíveis.
- Tirar o máximo daqueles poucos "lances de sorte", quando estiver no auge criativo, e os astros se alinharão para garantir seu sucesso.

Não existem limites para o Princípio 80/20

Nenhuma esfera está imune à influência do Princípio 80/20. Como os seis indianos cegos e sábios que tentaram descobrir a forma de um elefante, a maioria dos adeptos do Princípio 80/20 conhece somente uma fração de seu alcance e poder. Tornar-se uma pessoa capaz de pensar 80/20 exige participação ativa e criatividade. Se quiser se beneficiar do Pensamento 80/20, *você* é quem tem de fazer isso!

Agora é um bom momento para começar. Caso objetive começar pelas aplicações empresariais, vá direto à Parte 2, que aborda a maioria das aplicações mais importantes do Princípio 80/20 nos negócios. Mas se estiver mais interessado em fazer grandes melhorias em sua vida, pule para a Parte 3, e encontrará uma nova maneira de relacionar o Princípio 80/20 com o desenvolvimento do seu dia a dia.

Parte 2

O SUCESSO PROFISSIONAL NÃO PRECISA SER UM MISTÉRIO

CAPÍTULO 3: O CULTO SUBTERRÂNEO

Agora, pois, vemos apenas um reflexo obscuro, como em espelho;
mas, então, veremos face a face. Agora conheço em parte;
então, conhecerei plenamente, da mesma forma
como sou plenamente conhecido.[23]

Coríntios 13:12

É difícil avaliar em que medida o Princípio 80/20 já é conhecido no universo dos negócios. Com quase toda certeza, este é o primeiro livro sobre o assunto, embora em minha pesquisa eu tenha encontrado facilmente centenas de artigos que se referem ao uso do 80/20 em todos os tipos de negócios no mundo. Muitas empresas e profissionais bem-sucedidos juram aplicar o Princípio 80/20, e a maioria dos alunos de MBA já ouviu falar do conceito.

Apesar de considerar que o Princípio 80/20 já afetou a vida de centenas de milhões de pessoas, elas parecem não estar conscientes disso, e a ideia permanece estranhamente sem aclamação. É hora de trazê-la à tona.

A primeira onda 80/20: a revolução da qualidade

A revolução da qualidade ocorrida entre as décadas de 1950 e 1990 transformou o valor dos bens de consumo de marca e de outras manufaturas. Esse movimento foi uma cruzada para atingir consistentemente mais qualidade, com custos mais baixos, pela aplicação de técnicas comportamentais e estatísticas. O objetivo, que foi na prática atingido por muitos, era obter taxa zero de defeito nos produtos. É possível argumentar que o movimento pela qualidade foi o mais significativo estímulo em favor da elevação dos padrões de vida no mundo desde 1950.

O movimento tem uma história intrigante. Seus dois grandes mentores, Joseph Juran (nascido em 1904) e W. Edwards Deming (nascido em 1900) eram ambos norte-americanos (embora Juran tivesse nascido na Romênia). Respectivamente um engenheiro elétrico e um estatístico, os dois desenvolveram suas ideias em paralelo, depois da Segunda Guerra Mundial, mas não conseguiram interessar nenhuma grande empresa dos Estados Unidos na busca pela qualidade extraordinária dos produtos. Juran publicou a primeira edição do seu manual de controle da qualidade em 1951, mas teve uma recepção fria.[24] O único interesse sério veio do Japão; por isso, Juran e Deming mudaram-se para lá no início da década de 1950. O trabalho pioneiro deles pegou uma economia conhecida na época por fazer imitações baratas e a transformou em uma usina de alta qualidade e produtividade.

Foi somente quando os produtos japoneses, como as motocicletas e as máquinas copiadoras, começaram a invadir o mercado norte-americano que a maioria das empresas dos Estados Unidos (e de outros países ocidentais) passou a levar a sério o movimento pela qualidade. A partir de 1970, e especialmente na década de 1980, Juran, Deming e seus discípulos realizaram uma igualmente bem-sucedida transformação nos padrões de qualidade ocidentais. Isso levou à ampla melhoria do nível e da consistência da qualidade, reduziu as taxas de erros e gerou grande queda nos custos.

O Princípio 80/20 foi um dos pilares do movimento pela qualidade. Joseph Juran era o mentor mais entusiasmado com o conceito, embora ele o chamasse de "Princípio de Pareto" ou de "Regra dos Poucos Vitais". Na primeira edição de seu livro sobre controle de qualidade, Juran afirmava que as "perdas" (isto é, os bens manufaturados que tinham de ser rejeitados pela baixa qualidade) não ocorriam em função de um grande número de causas:

> Em vez disso, as perdas são sempre mal distribuídas, de modo que uma pequena porcentagem das características da qualidade sempre contribui para uma alta porcentagem da perda de qualidade.*

E, na nota de rodapé, ele comentava:

> *O economista Pareto descobriu que a riqueza não era uniformemente distribuída. Muitos outros exemplos podem ser citados, como a distribuição de delitos entre os criminosos, a distribuição de acidentes em processos perigosos etc. O princípio de Pareto da distribuição desigual aplica-se à distribuição de riqueza e à distribuição da perda de qualidade.[25]

Juran aplicou o Princípio 80/20 no controle estatístico da qualidade. A abordagem identifica os problemas que estão provocando perda de qualidade, classificando-os dos mais para os menos importantes – aqueles 20% de defeitos responsáveis por 80% dos problemas de qualidade. Juran e Deming acabaram utilizando grandemente esse conceito para encorajar a identificação dos poucos defeitos que causavam a maioria dos problemas.

Assim que as "poucas fontes vitais" da perda de qualidade dos produtos estavam identificadas, os esforços eram focados em lidar com aquelas questões, em vez de tentar superar todos os problemas ao mesmo tempo.

Em seguida, o movimento da qualidade progrediu e passou da ênfase no "controle" para a visão de que a qualidade, antes de tudo, devia ser intrínseca ao processo de manufatura como um todo, e precisava estar na ação de todos os operadores. Conforme a gestão da qualidade total foi adotando o uso de softwares sofisticados, aumentou a presença das técnicas 80/20 e atualmente quase todo especialista em qualidade está familiarizado com elas. Algumas referências recentes ilustram como o Princípio 80/20 está sendo utilizado. Em um artigo publicado na *National Productivity Review*, Ronald J. Recardo pergunta:

> Quais falhas afetam adversamente seus clientes mais estratégicos? Como em muitos outros problemas de qualidade, a Lei de Pareto prevalece aqui também: se você resolver aqueles 20% problemas mais críticos de qualidade, perceberá que haverá 80% de benefícios. Em geral, esses primeiros 80% incluem as melhorias inovadoras.[26]

Outro autor, focado em reestruturações corporativas, comenta:

> Para cada etapa do seu processo de negócio, pergunte a si mesmo se aquilo adiciona valor ou oferece algum suporte essencial. Em caso negativo, é desperdício. Corte. [Essa é] a regra 80/20 revisitada: você pode eliminar 80% do desperdício gastando apenas 20% do que lhe custaria para se livrar de 100%. Siga direto para os ganhos rápidos.[27]

O Princípio 80/20 também foi aplicado pela Ford Electronics Manufacturing Corporation em um programa de qualidade que recebeu o prêmio Shingo:

> Os programas de just-in-time têm sido aplicados com a regra 80/20 (80% do valor está distribuído em cerca de 20% do volume), e as utilizações mais dispendiosas são constantemente analisadas. O trabalho e a sobrecarga de desempenho são substituídos pela análise do Ciclo de Tempo da Manufatura por linha de produto, reduzindo o tempo do ciclo do produto em até 95%.[28]

Alguns softwares que incorporam o Princípio 80/20 foram usados para elevar a qualidade:

> [Com o ABC DataAnalyzer] os dados são implantados ou importados para a área da planilha, na qual você pode destacá-los e com um clique escolher entre seis tipos de gráficos: histogramas, tabelas de controle ou de execução, diagramas de dispersão, pizza ou gráficos de Pareto. Os

gráficos de Pareto incorporam a regra 80/20, que pode mostrar, por exemplo, que, entre cada 1.000 reclamações de clientes, cerca de 800 podem ser eliminadas com a correção de somente 20% das causas.[29]

O Princípio 80/20 também pode ser bastante aplicado no design e no desenvolvimento de produtos. Por exemplo, uma revisão da utilização que o Pentágono fez da gestão de qualidade total explica que:

> [...] as decisões tomadas inicialmente no processo de desenvolvimento determinam a maioria dos custos do ciclo de vida. A regra 80/20 descreve esse efeito já que 80% dos custos do ciclo de vida são normalmente restritos a apenas 20% do tempo de desenvolvimento.[30]

O impacto da revolução da qualidade no valor e na satisfação dos clientes e, além disso, na posição competitiva individual das empresas e, com certeza, no todo das nações, tem sido pouco comentado, embora seja maciço. O Princípio 80/20 foi claramente um dos "poucos vitais" que impulsionaram a revolução da qualidade. Mas a influência subterrânea do Princípio 80/20 não para por aqui. O conceito também desempenhou um papel-chave em outra revolução, que, combinada com a primeira, criou a atual sociedade de consumo.

A segunda onda 80/20: a revolução da informação

A revolução da informação começou na década de 1960 e transformou hábitos de trabalho e a eficiência em grande parte dos negócios. E fez mais que isso: ajudou a mudar a natureza das organizações que são hoje a força dominante da sociedade. O Princípio 80/20 foi, é e será um acessório-chave da revolução da informação, ajudando a direcionar seu poder de maneira inteligente.

Talvez por estarem próximos do movimento da qualidade, os profissionais de TI e software que estavam por trás da revolução da informação tinham familiaridade com o Princípio 80/20 e o utilizaram intensamente. A julgar pelo número de artigos dessa área que fazem referência a esse conceito, os desenvolvedores de hardware e de software compreenderam e aplicaram o princípio em seu trabalho diário.

A revolução da informação foi mais eficaz porque utilizou os conceitos de seletividade e simplicidade do Princípio 80/20, como testemunharam dois diferentes diretores de projetos:

> Pense pequeno. Não planeje até a enésima potência no primeiro dia. O retorno sobre o investimento geralmente segue a regra

> 80/20: 80% dos benefícios estarão nos 20% das partes mais simples do sistema e os outros 20% dos benefícios virão de 80% das partes mais complexas do sistema.[31]

Na época, a Apple usou o Princípio 80/20 para desenvolver o Apple Newton Message Pad, um organizador pessoal eletrônico:

> Os engenheiros do Newton tiraram vantagem de uma versão ligeiramente modificada [da regra 80/20]. Eles descobriram que 0,01% do vocabulário de uma pessoa era suficiente para realizar 50% das tarefas que se quer fazer em um pequeno computador portátil.[32]

De modo crescente, o software substituiu o hardware com a aplicação do Princípio 80/20. Um exemplo foi o software RISC inventado em 1994:

> O RISC era baseado em uma variação da regra 80/20. Essa regra considera que a maioria dos softwares gasta 80% do tempo para executar somente 20% das instruções disponíveis. Os processadores RISC... otimizavam o desempenho daqueles 20% e mantinham o tamanho do chip e os custos menores pela eliminação dos outros 80%. O RISC fazia com o software o que o CISC (o sistema dominante anterior) fazia com silício.[33]

Aqueles que se utilizavam de software sabiam que, mesmo sendo incrivelmente eficientes, o funcionamento seguia o padrão 80/20. Como afirmava um desenvolvedor:

> O mundo dos negócios há muito tempo respeita a regra 80/20. A ideia é especialmente verdadeira para os softwares em que 80% dos usuários do produto aproveitam apenas 20% de suas capacidades. Isso significa que a maioria de nós paga por algo que não quer ou que não precisa. Os desenvolvedores de software parecem finalmente ter compreendido esse fato e muitos apostam que as aplicações modulares resolverão o problema.[34]

O design dos softwares é crucial para que as funções mais utilizadas sejam justamente as mais fáceis de usar. A mesma abordagem foi aplicada para outros serviços de bancos de dados:

> Como... os desenvolvedores de softwares [fazem] isso? Primeiro, eles identificam o que os clientes querem usar na maior parte do tempo e como gostariam de fazer isso – a velha regra 80/20 (as pessoas usam 20% das funções de um programa em 80% do tempo). Os desenvolvedores de software fazem com que as funções de grande uso sejam as mais simples, automáticas e inevitáveis.

> Traduzir essa abordagem para os atuais serviços de banco de dados significará observar a utilização dos clientes-chave durante todo o tempo... Quantas vezes o cliente aciona o serviço de suporte para perguntar que arquivo deve usar ou onde um arquivo pode ser encontrado? Um bom design pode eliminar esse tipo de pergunta.[35]

Para onde quer que nos viremos, as inovações eficazes em informação, em armazenagem, em recuperação e em processamento de dados sempre mantiveram um forte foco naqueles 20% das principais necessidades.

A revolução da informação tem um longo percurso

A revolução da informação foi a força empresarial mais subversiva que já conhecemos. O fenômeno deu conhecimento e autoridade aos técnicos e aos profissionais da linha de frente, destruindo o poder, e frequentemente até os empregos dos gerentes médios, que antes se protegiam usando o poder da informação. Essa revolução também descentralizou fisicamente as empresas: o celular, o computador, a internet, a crescente miniaturização e a mobilidade das tecnologias destruíram o poder dos palácios empresariais e daqueles profissionais que trabalhavam neles. Em última instância, a revolução da informação ajudou a destruir a própria profissão de administrador, capacitando os "fazedores" a criar muito mais valor para seus principais clientes.[36] O valor da informação automatizada cresceu de forma exponencial muito mais depressa do que pudemos utilizá-la. A chave para usar esse poder com eficácia é a seletividade: com a aplicação do Princípio 80/20. Peter Drucker indicou o caminho:

> Um banco de dados, por mais abrangente que seja, não é informação. É a pepita da informação... A informação de que um negócio mais depende está disponível, se estiver, somente em sua forma primitiva e desorganizada. Porque o que o negócio mais precisa para tomar suas decisões, especialmente as estratégicas, refere-se ao que está acontecendo lá fora. Os resultados, oportunidades e ameaças não estão dentro da empresa.[37]

Drucker argumentava que precisávamos de novas formas para mensurar a geração de riqueza. Ian Godden e eu chamamos essas ferramentas de "medidas automatizadas de desempenho".[38] No entanto, bem mais de 80% (provavelmente em torno de 99%) dos recursos de informação foram aplicados para medir melhor aquilo que já medíamos antes ("asfaltando a trilha da boiada"), em vez de criar e simplificar a mensuração da genuína geração da riqueza empresarial. A minúscula proporção de esforço usada pela revolução da informação para criar um novo tipo de corporação teve um impacto explosivo.

O Princípio 80/20 ainda é o segredo de negócios mais bem guardado

Considerando a importância do Princípio 80/20 e a extensão com que é conhecido pelos administradores, o conceito continua extremamente discreto. Até mesmo o termo 80/20 populariza-se devagar e sem marcos visíveis. Por causa de seu uso fragmentário e divulgação gradual, segue subestimado até mesmo por aqueles que reconhecem a ideia. O conceito é extremamente versátil. Pode ser aplicado de modo bem-sucedido em qualquer setor ou qualquer organização, qualquer função em uma empresa ou em qualquer cargo individualmente. O Princípio 80/20 pode ser útil para o presidente executivo, para os principais executivos, especialistas técnicos e trabalhadores de qualquer nível hierárquico ou até pelo trainee recém-contratado. E, embora seus usos sejam múltiplos, existe uma lógica subjacente e unificadora, que explica por que o princípio funciona e é tão valioso.

Por que o Princípio 80/20 funciona nos negócios

Quando aplicado aos negócios, o Princípio 80/20 tem um lema: gerar a maior quantidade de dinheiro com o menor investimento de ativos e esforços.

Os economistas clássicos do final do XIX e começo do século XX desenvolveram a teoria do equilíbrio econômico e declararam que, desde então, as organizações haviam conseguido dominar a racionalidade. Essa teoria afirmava que, sob condições de perfeita competição, as empresas não obtinham ganhos excessivos e a lucratividade era zero ou o custo "normal" do capital, sendo esse último definido por uma modesta taxa de juros. A teoria tem consistência interna e sua única falha é não poder ser aplicada a nenhum tipo de atividade da economia real e, em especial, à operação de nenhuma empresa individualmente.

A teoria da empresa 80/20

Ao contrário da teoria da perfeita competição, a teoria da empresa 80/20 é simultaneamente verificável (e, de fato, tem sido verificada muitas vezes) e útil como um guia de ação. A teoria da empresa 80/20 é a seguinte:

- Em qualquer mercado, alguns fornecedores são muito melhores do que outros na satisfação dos clientes. Esses fornecedores vão conseguir praticar os melhores preços e também conquistarão as maiores fatias do mercado.
- Em qualquer mercado, alguns fornecedores serão muito melhores do que outros para minimizar as despesas em relação às receitas. Em outras palavras, os produtos desses fornecedores custarão menos que os dos outros, o que vai se refletir na receita e no resultado final; ou, alternativamente, serão capazes de gerar um resultado equivalente com despesas mais baixas.
- Alguns fornecedores gerarão muito mais excedentes do que outros (eu uso o termo "excedente" em vez de "lucro", porque geralmente o lucro é a quantia disponível para os acionistas. O conceito de excedente refere-se ao nível de fundos disponíveis para distribuição de lucros ou reinvestimento, além e acima do que é normalmente necessário para manter o negócio em operação). Os excedentes maiores conduzirão a um ou mais de um dos seguintes efeitos: 1) maiores reinvestimentos em produtos e serviços para alavancar a superioridade e gerar mais apelo aos clientes; 2) investimento na conquista de fatias do mercado com vendas maiores e esforços de marketing e/ou aquisição de outras empresas; 3) retornos mais altos para os funcionários tendem a atrair e reter as melhores pessoas do mercado; e/ou 4) retornos mais altos aos acionistas tendem a elevar o preço das ações, o que reduz o custo de capital e facilita novos investimentos e/ou aquisições.
- Ao longo do tempo, a tendência é que 80% do mercado seja abastecido por 20% – ou menos – dos fornecedores, que normalmente também se tornam mais rentáveis. Nesse ponto, é possível que a estrutura do mercado atinja um equilíbrio, embora este seja de um tipo bem diferente daquele tão estimado pelos economistas adeptos do modelo da competição perfeita. No equilíbrio 80/20, alguns poucos fornecedores – os maiores – oferecerão mais valor pelo dinheiro dos clientes e obterão lucros mais altos do que seus pequenos rivais. Com frequência, isso é observado na vida real, apesar de ser impossível, de acordo com a teoria da perfeita competição. Podemos chamar nossa teoria mais realista de lei da competição 80/20. Em geral, porém, o mundo real não descansa

muito tempo em tranquilo equilíbrio. Mais cedo ou mais tarde (normalmente, mais cedo), sempre ocorrem mudanças na estrutura do mercado causadas pelas inovações dos competidores.

- Os novos fornecedores e os já existentes buscarão inovar para conquistar uma fatia maior de uma pequena, mas defensável, parte do mercado (segmento de mercado). Uma segmentação desse tipo é possível, oferecendo um produto ou serviço mais especializado, idealmente voltado para um perfil particular de consumidor. Ao longo do tempo, os mercados tenderão a ser formados por mais segmentos. No âmbito interno de cada um desses segmentos, a lei da competição 80/20 estará operando. O líder em cada segmento pode ser uma firma que opera ampla ou exclusivamente nele, ou uma indústria generalista, mas seu sucesso será dependente – em cada segmento – da obtenção do máximo de receita com o mínimo de custos e esforços. Em cada segmento, algumas firmas serão muito melhores do que outras nesse aspecto e terão a tendência de acumular fatias do mercado como consequência. Qualquer empresa de grande porte operará em um elevado número de segmentos, isto é, com um alto número de combinações de produtos/clientes. Sendo assim, para cada combinação será necessária uma fórmula diferente para maximizar as receitas em relação ao esforço e/ou haverá diferentes competidores a enfrentar. Em alguns desses segmentos, a grande empresa gerará individualmente grandes excedentes e, em outros, excedentes muito mais baixos (ou até déficits). Haverá a tendência, dessa forma, que 80% dos excedentes ou lucros resultem de 20% dos segmentos, de 20% dos consumidores e 20% dos produtos. Os mais lucrativos segmentos tenderão a estar (mas nem sempre) onde a firma desfruta das maiores fatias de mercado e onde estão os clientes mais leais (lealdade sendo entendida aqui como: ser cliente há muito tempo e com pouca chance de mudar para um concorrente).
- Dentro de qualquer empresa, assim como de qualquer entidade que dependa da natureza e da dedicação humana, é provável a existência de uma desigualdade entre fatores e produtos, um desequilíbrio entre esforços e recompensas. Externamente, isso está refletido no fato de que alguns mercados, produtos e clientes são mais lucrativos do que outros. Internamente, o mesmo princípio está refletido no fato de que alguns fatores – sejam pessoas, fábricas, máquinas ou trocas entre eles – produzirão

muito mais valor em relação ao custo do que outros recursos. Se for possível mensurar isso (como é o caso de algumas funções em vendas, por exemplo), veremos que algumas pessoas geram um excedente bastante alto (a parcela de receita atribuída àquela pessoa é muito maior do que seu custo total), enquanto outras produzem excedentes bem menores ou produzem até mesmo déficits. As empresas que contam com os maiores excedentes tendem a ter o mais alto excedente médio por funcionário. No entanto, em todas as companhias, o excedente real gerado individualmente por funcionário tende a ser bastante desigual: 80% dos excedentes geralmente são resultado do trabalho de 20% dos funcionários.

- Na menor unidade de soma de recursos de uma companhia (por exemplo, um funcionário individualmente), 80% do valor criado é provavelmente produzido durante uma pequena parte de seu tempo (em torno de 20%). Nesse intervalo de tempo, por uma combinação de circunstâncias, incluindo características pessoais e a exata natureza da tarefa, o empregado está operando muitas vezes acima do seu nível normal de eficácia.
- Dessa forma, os princípios do esforço e do retorno desiguais atuam em todos os níveis do negócio: mercados, segmentos, produtos, clientes, departamentos e funcionários. É essa falta de equilíbrio, em vez de um equilíbrio imaginário, o que caracteriza a atividade econômica. Aparentemente, pequenas diferenças criam enormes consequências. Basta apenas que um produto seja 10% melhor do que o do concorrente para gerar uma diferença de 50% em vendas e uma lucratividade 100% maior.

Três implicações dessa teoria

A primeira implicação da teoria da firma 80/20 é que as empresas bem-sucedidas atuam em mercados em que é possível para elas gerar as mais altas receitas com os menores esforços. Isso será absoluta e duplamente real, isto é, em relação aos lucros econômicos e em relação às empresas concorrentes. Uma empresa não pode ser considerada bem-sucedida se não tiver um alto excedente absoluto (em termos tradicionais, um alto retorno sobre investimento) e ainda um excedente mais alto que o de seus concorrentes (margens mais altas).

A segunda implicação prática para todas as companhias é que sempre é possível elevar o excedente econômico – em geral, em alto grau –, enfocando apenas aqueles mercados e segmentos de clientes onde no momento estão sendo gerados os maiores excedentes. Isso sempre levará à realocação de recursos para os segmentos que mais geram excedentes e, normalmente, também envolverá a redução do total de recursos e despesas (falando claro, menos funcionários e outros custos).

É raro que as empresas atinjam o nível de excedente que seria possível, ou nem mesmo chegam perto. Isso se deve ao fato de que os gestores nem sempre estão conscientes do potencial do excedente e porque, com frequência, preferem administrar grandes empresas em vez daquelas excepcionalmente lucrativas.

Uma terceira decorrência é que é possível para toda empresa elevar o nível dos excedentes, reduzindo a desigualdade interna entre resultados e recompensas. Isso pode ser conquistado com a identificação dos recursos (pessoas, fábricas, escritórios comerciais, unidades de representação, países) que geram os mais altos excedentes para valorizá-los, dando-lhes mais poder e recursos. E vice-versa: a identificação dos recursos que causam os excedentes mais baixos ou negativos para viabilizar melhorias dramáticas e, caso não correspondam, deixar de ter gastos com esses recursos.

Esses são os conceitos que constituem uma teoria da firma útil em sintonia com o Princípio 80/20, mas não devem ser interpretados de maneira muito rígida ou determinista. Essas ideias funcionam porque refletem as relações ocorridas na natureza, que são uma mistura intrincada de ordem e desordem, de regularidade e irregularidade.

Procure as percepções "irregulares" do Princípio 80/20

É importante dominar a fluidez e a força de direcionamento das relações 80/20. A menos que você consiga apreciar isso, correrá o risco de interpretar o Princípio 80/20 de forma muito rígida e acabará falhando ao explorar todo o seu potencial.

O mundo está repleto de pequenas causas que, quando somadas, podem levar a consequências espetaculares. Imagine uma panela com leite que, quando aquecida acima de uma determinada temperatura, provoca mudanças repentinas no líquido, como borbulhas e espuma. Em dado momento, você tem uma panela com leite calmo e organizado; no instante seguinte, tanto pode ter um delicioso cappuccino como, se chegar um segundo mais tarde, uma enorme sujeira sobre o fogão. Nos negócios, tudo leva mais tempo, mas em um ano você pode ter uma IBM bem-sucedida, muito lucrativa e dominando a indústria de computadores e, logo em seguida, uma combinação de pequenas causas leva o gigante monolítico a cambalear cegamente para tentar evitar a destruição.

Os sistemas criativos atuam longe do equilíbrio. Causas e efeitos, recursos e produtos operam de maneira não linear. Geralmente, você não obtém de volta o que investiu; algumas vezes, recebe muito menos e outras, pode conseguir muito mais. Grandes alterações em um sistema empresarial podem advir de causas aparentemente insignificantes. Em um dado momento, pessoas com igual inteligência, capacidade e dedicação podem produzir resultados bastante desiguais como consequência de pequenas diferenças estruturais. Os eventos não podem ser previstos, embora padrões previsíveis tendam a ocorrer.

Identifique os golpes de sorte

Sendo assim, controlar é impossível, mas é possível influenciar os eventos e, talvez até mais importante, é possível detectar irregularidades e se beneficiar delas. A arte de utilizar o Princípio 80/20 está em identificar a direção para a qual se volta o padrão da realidade atual e explorá-la ao máximo.

Imagine que você está em um cassino louco, repleto de roletas descalibradas. Todos os números têm chance de 35 por 1, mas individualmente ocorrem com mais ou menos frequência, em diferentes mesas. Em uma delas, o número 5 saiu uma vez em 20; em outra mesa, saiu apenas uma vez em 50. Se você apostar no número certo na mesa certa, pode ganhar uma fortuna. Mas se teimosamente insistir em jogar no "5" em uma mesa em que o número sai uma vez em 50, seu dinheiro todo vai desaparecer, independentemente do valor inicial da aposta.

Caso consiga identificar onde sua empresa está recebendo mais do que investe, pode aumentar as apostas e dar uma sacada. Igualmente, se for capaz de detectar onde sua companhia está recebendo menos do que investe, poderá cortar as perdas.

Nesse contexto, o "onde" pode ser qualquer coisa. Pode ser um produto, um mercado, um cliente ou perfil de cliente, uma tecnologia, um canal de distribuição, um departamento ou divisão, um país, um tipo de transação ou um funcionário, perfil de funcionário ou equipe. O nome do jogo é detectar os poucos lugares em que você obtém grandes excedentes e maximizá-los; e identificar os lugares em que está perdendo, para cair fora.

Nós fomos treinados para raciocinar em termos de causa e efeito, relações regulares, níveis médios de retorno, competição perfeita e resultados previsíveis. Isso não é o mundo real. A realidade abrange um conjunto de influências onde causa e efeito não são nítidos; onde os ciclos complexos de feedback distorcem os inputs; onde o equilíbrio é efêmero e, com frequência, ilusório; onde existem padrões de desempenho repetidos, mas irregulares; onde as empresas nunca competem de igual para igual e prosperam por diferenciação; e onde algumas almas favorecidas são capazes de encurralar o mercado para obter altos retornos.

Vistas por essa perspectiva, as grandes companhias são coalizões de forças incrivelmente complexas e em constante mutação, algumas das quais estão fluindo com a essência da natureza e gerando uma fortuna, enquanto outras seguem em sentido contrário e causam grandes perdas. Tudo isso é obscurecido por nossa inabilidade para deslindar a realidade e por nossos sistemas contábeis com efeitos médios, altamente distorcivos, mas tranquilizadores. O Princípio 80/20 é exuberante, mas grandemente ignorado. Em geral, o que podemos ver nos negócios são os efeitos "líquidos" do que acontece, o que não é, de jeito nenhum, o cenário completo. Por baixo e além, existem fatores antagônicos positivos e negativos que se combinam para produzir o efeito que podemos observar na superfície. O Princípio 80/20 é mais útil quando conseguimos identificar todas as forças sob a superfície; assim podemos deter as influências negativas e dar o máximo de poder às forças mais produtivas.

Como as empresas usam o Princípio 80/20 para aumentar os lucros

Já tivemos o bastante de história, filosofia e teoria! Agora, vamos girar as engrenagens para aspectos intensamente práticos. Qualquer negócio pode ganhar imensamente com a aplicação do Princípio 80/20. É hora de mostrar como fazer isso.

Os Capítulos 4 a 7 abordam a forma de elevar a lucratividade com o Princípio 80/20. O Capítulo 8 fecha a Parte 2 com dicas sobre como incluir o Pensamento 80/20 na sua vida profissional, e assim você poderá obter uma grande vantagem em relação aos colegas e aos concorrentes.

Começamos o próximo capítulo com o uso mais importante no Princípio 80/20 em qualquer companhia: isolar onde você está realmente tendo lucro e, tão importante quanto, onde você está realmente perdendo dinheiro. Todas as pessoas de negócios consideram que já sabem disso e quase todas estão equivocadas. Se pudessem enxergar o quadro todo, sua empresa seria transformada.

CAPÍTULO 4: POR QUE SUA ESTRATÉGIA ESTÁ ERRADA

A menos que você tenha usado o Princípio 80/20 para redirecionar sua estratégia, pode estar certo de que ela tem falhas graves. Com certeza praticamente absoluta, você não tem uma visão precisa de onde ganha e de onde perde mais dinheiro. Portanto, é quase inevitável que esteja fazendo muitas coisas com muitas pessoas.

A estratégia de negócios não deveria ser uma ampla e abrangente visão geral. Deveria se parecer mais com uma visão subterrânea, como se fosse um furo na superfície para revelar com detalhes o que está acontecendo lá embaixo. Para chegar a uma estratégia útil, você precisa olhar cuidadosamente para os diferentes segmentos do negócio, em particular para a lucratividade e a geração de caixa de cada uma delas.

Caso sua empresa não seja bem simples e pequena, é mais provável que *você obtenha pelo menos 80% dos excedentes e dos lucros em 20% das atividades e em 20% do faturamento.* O truque é trabalhar *nesses* 20%.

Onde você faz mais dinheiro?

Identifique quais são os segmentos do negócio que estão alcançando os maiores retornos, quais estão apenas cumprindo as rotinas e quais são um desastre. Para fazer isso, nós conduziremos uma Análise 80/20 dos lucros alcançados em diferentes categorias:

- Por produto ou por grupo/tipo de produto.
- Por cliente ou por grupo/tipo de cliente.
- Por qualquer recorte que pareça relevante para o seu negócio e sobre o qual tenha dados disponíveis, como, por exemplo, por área geográfica ou canal de distribuição.
- Por segmento competitivo.

Comece por *produtos*. Com certeza, sua empresa possui informações sobre produtos ou grupos de produtos. Para cada um, analise as vendas durante o último período: mês, trimestre ou ano (decida o mais confiável). Verifique a lucratividade depois de alocar todos os custos.

A tarefa será mais fácil ou mais difícil dependendo da situação de suas informações gerenciais. Os dados de que precisará podem estar já disponíveis; mas, caso não estejam, terá que estruturá-los você mesmo. Será necessário ter as vendas por produto ou por linha de produto e a margem bruta (vendas menos o custo de vendas). Também terá que saber os custos totais do negócio (todos os custos fixos indiretos). Será preciso, então, alocar os custos gerais para cada grupo de produto em bases razoáveis.

A maneira mais rudimentar para fazer isso é alocar os custos totais como um percentual do faturamento do período. Um momento de reflexão, no entanto, logo vai convencer você de que essa não é a forma mais acurada. Alguns produtos exigem uma grande parcela de tempo do pessoal de vendas em relação ao seu valor, por exemplo, enquanto outros precisam de bem pouco tempo. Alguns necessitam de grande volume de propaganda e outros não. Alguns exigem grande empenho na manufatura e outros são fabricados facilmente.

Pegue cada categoria de custos e faça a alocação para cada grupo de produto. Faça isso com todos os custos e, então, verifique os resultados.

Normalmente, alguns produtos, que representam a minoria do faturamento total, são bastante lucrativos; muitos produtos são marginal ou modestamente lucrativos; e outros realmente demonstram causar grandes perdas, assim que você aloca todos os custos.

$000			
Produtos	Vendas	Lucros	Retorno sobre vendas (%)
Produtos do Grupo A	3.750	1.330	35,5
Produtos do Grupo B	17.000	5.110	30,1
Produtos do Grupo C	3.040	601	25,1
Produtos do Grupo D	12.070	1.880	15,6

Produtos do Grupo E	44.110	5.290	12,0
Produtos do Grupo F	30.370	2.990	9,8
Produtos do Grupo G	5.030	(820)	(15,5)
Produtos do Grupo H	4.000	(3.010)	(75,3)
Total	119.370	13.380	11,2

Figura 10 – Quadro de vendas e lucratividade por grupo de produto da Electronic Instruments Inc.

A Figura 10 mostra os números de um estudo que conduzi para uma empresa de equipamentos eletrônicos, a Electronic Instruments Inc. A Figura 11 apresenta os mesmos dados visualmente; acompanhe por lá o raciocínio, caso prefira gráficos a números.

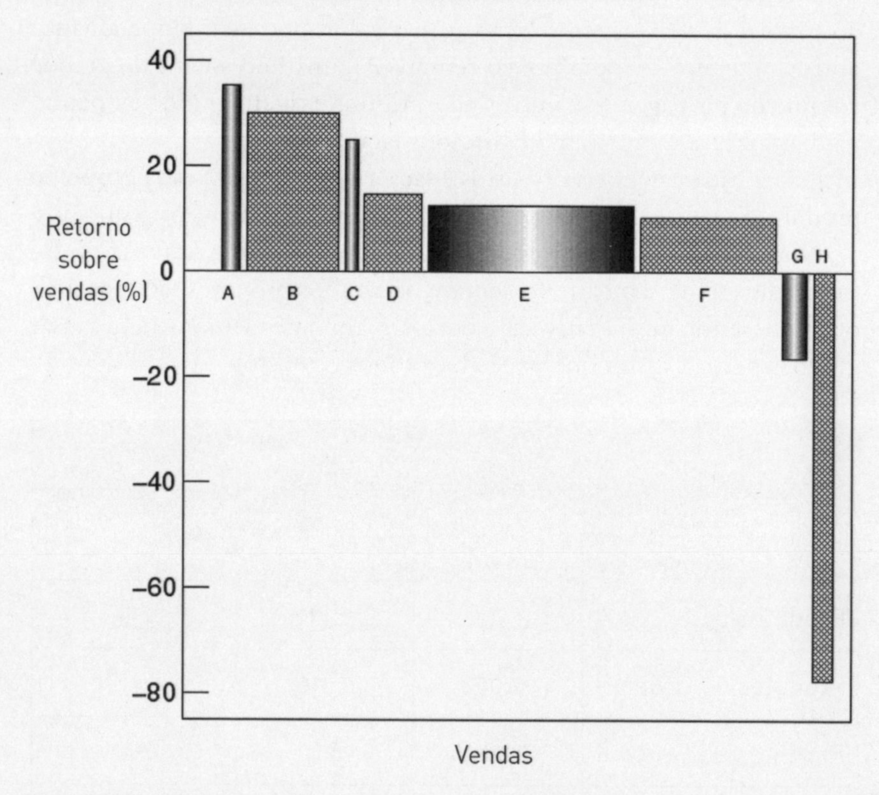

Figura 11 – Gráfico de vendas e lucratividade por grupo de produto da Electronic Instruments Inc.

Podemos ver pelas duas ilustrações que os produtos do Grupo A respondem por apenas 3% do total das vendas, mas representam 10% dos lucros. Os produtos dos Grupos A, B e C são responsáveis por 20% das vendas e por 53% da lucratividade geral. Isso se torna ainda mais claro quando esses dados são compilados em uma Tabela 80/20 ou em um Gráfico 80/20, como nas Figuras 12 e 13 respectivamente.

Nós ainda não identificamos os 20% em vendas que representam 80% da lucratividade, mas estamos no bom caminho. Caso a relação não seja 80/20, então pode ser 67/30, onde 30% dos produtos vendidos são responsáveis por quase 67% da lucratividade. Talvez você já esteja pensando em como fazer para aumentar as vendas dos produtos dos Grupos A, B e C. Por exemplo, você pode querer realocar todos os esforços de vendas dos outros 80% do negócio, dizendo aos vendedores para se concentrarem na duplicação das vendas dos produtos A, B e C e não se preocuparem mais com o resto. Se eles conseguirem fazer isso, as vendas aumentarão somente uns 20%, mas a lucratividade subirá mais de 50%.

Você também já pode estar pensando em cortar custos ou aumentar o preço dos produtos D, E e F; ou fazer uma redução radical ou completa eliminação dos grupos de produtos G e H.

Produtos	Porcentagem das vendas		Porcentagem dos lucros	
	Grupo	Cumulativo	Grupo	Cumulativo
Produtos do Grupo A	3,1	3,1	9,9	9,9
Produtos do Grupo B	14,2	17,3	38,2	48,1
Produtos do Grupo C	2,6	19,9	4,6	52,7
Produtos do Grupo D	10,1	30,0	14,1	66,8
Produtos do Grupo E	37,0	67,0	39,5	106,3
Produtos do Grupo F	25,4	92,4	22,4	128,7
Produtos do Grupo G	4,2	96,6	(6,1)	122,6
Produtos do Grupo H	3,4	100,0	(22,6)	100,0

Figura 12 – Tabela 80/20 da Electronic Instruments Inc.

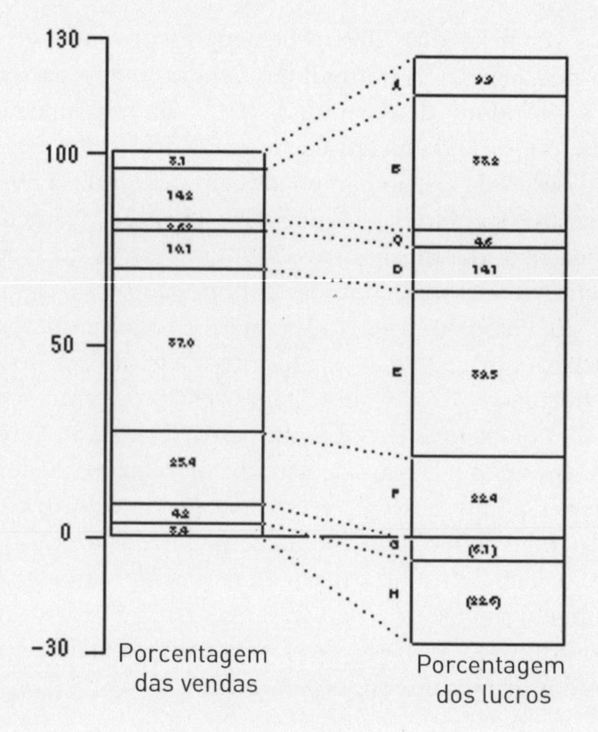

Figura 13 – Gráfico 80/20 da Electronic Instruments Inc.

E quanto à lucratividade por cliente?

Depois de analisar o desempenho dos produtos, olhe para os *clientes*. Repita a análise, mas verifique o total de compras por consumidor ou por grupo de consumidores. Alguns clientes pagam preços altos, mas têm alto custo de atendimento: com frequência, esses são clientes pequenos. Os grandes consumidores podem ser fáceis para atender e compram grandes volumes do mesmo produto, mas eles espremem você no preço. De vez em quando, essas diferenças compensam, mas com frequência, não. Para a empresa que estamos chamando de Electronic Instruments Inc., os resultados estão apresentados nas Figuras 14 e 15.

$000			
Clientes	Vendas	Lucros	Retorno sobre vendas (%)
Clientes do Tipo A	18.350	7.865	42,9
Clientes do Tipo B	11.450	3.916	34,2

Clientes do Tipo C	43.100	3.969	9,2
Clientes do Tipo D	46.470	(2.370)	(5,1)
Total	119.370	13.380	11,2

Figura 14 – Tabela de vendas e lucros por tipos de cliente da Electronic Instruments Inc.

Algumas palavras de explicação sobre essa análise. Os clientes do Tipo A são pequenos; pagam altos preços e oferecem gorda margem bruta. São bastante dispendiosos para servir, mas as margens mais que compensam isso. Os consumidores do Tipo B são distribuidores que tendem a colocar pedidos grandes e custam bem pouco para atender, embora, por uma ou outra razão, aceitem pagar preços razoavelmente altos. Isso se deve provavelmente ao fato de que suas compras de equipamentos eletrônicos representam uma pequena fração de seus custos totais. Os clientes do Tipo C são exportadores que pagam preços altos. No entanto, o obstáculo com eles é que são muito dispendiosos para atender. Já os clientes do Tipo D são grandes manufaturas que barganham duramente no preço, demandam muita atenção do suporte técnico e sempre fazem exigências "especiais".

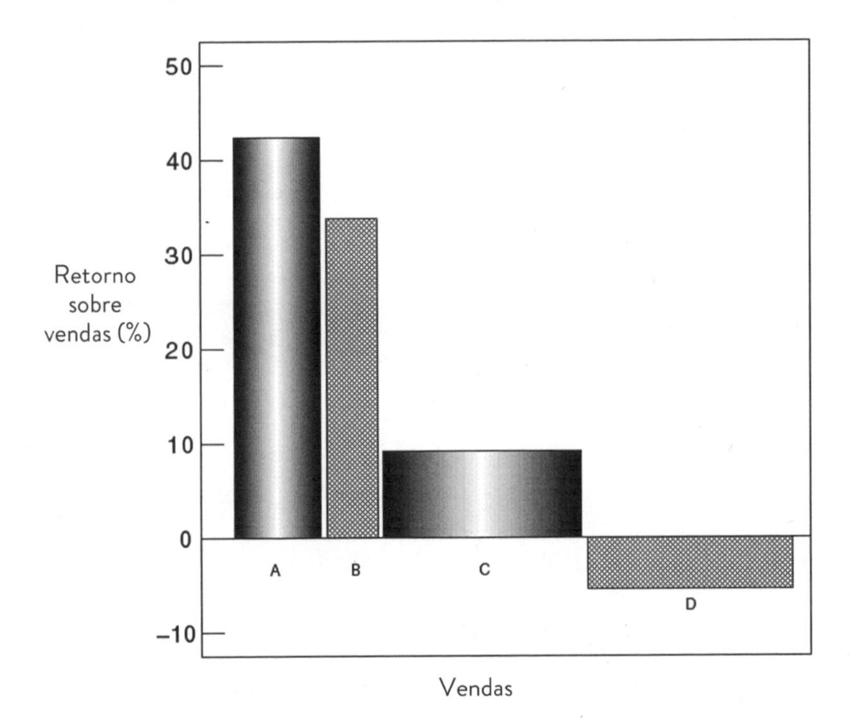

Figura 15 – Gráfico de vendas e lucros por tipos de cliente da Electronic Instruments Inc.

As Figuras 16 e 17 mostram a Tabela 80/20 e o Gráfico 80/20 por tipos de cliente respectivamente.

Essas figuras revelam uma regra 59/15 e uma regra 88/25: a categoria mais lucrativa de clientes responde por 15% das receitas, mas por 59% dos lucros, e os 25% dos melhores clientes rendem 88% dos lucros. Em parte, isso se deve ao fato de que os clientes mais lucrativos tendem a comprar os produtos mais lucrativos, mas também porque eles pagam mais em relação ao custo do serviço de atendê-los.

A análise resultou em uma bem-sucedida campanha para encontrar mais clientes A e B: os pequenos compradores diretos e os distribuidores. Mesmo levando em consideração o custo da campanha, o resultado foi bastante lucrativo. Os preços para os clientes do Tipo C (exportadores) foram seletivamente elevados, e foram encontradas formas para reduzir o custo de atendê-los, em especial aumentando o uso do telefone em vez de reuniões face a face. Os clientes D (grandes manufaturas) foram tratados individualmente: 9% deles representavam 97% das vendas desse grupo. Em alguns casos, os serviços técnicos passaram a ser cobrados em especial; em outros, os preços foram elevados; e três clientes foram taticamente "perdidos" para as empresas concorrentes mais odiadas depois de uma guerra de ofertas. Os administradores da Electronic Instruments Inc. realmente queriam que seus concorrentes apreciassem aquelas perdas!

Clientes	Porcentagem das vendas		Porcentagem dos lucros	
	Tipo	Cumulativo	Tipo	Cumulativo
Clientes do Tipo A	15,4	15,4	58,9	58,9
Clientes do Tipo B	9,6	25,0	29,3	88,2
Clientes do Tipo C	36,1	61,1	29,6	117,8
Clientes do Tipo D	38,9	100,0	(17,8)	100,0

Figura 16 – Tabela por tipos de cliente da Electronic Instruments Inc.

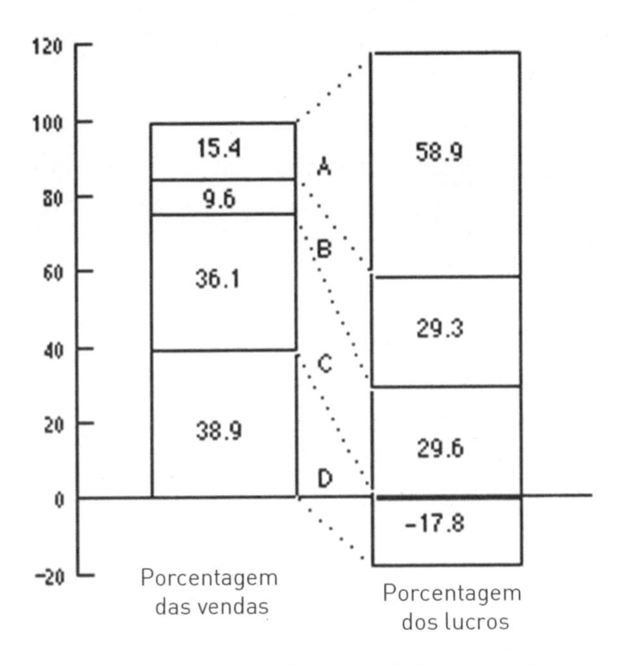

Figura 17 – Gráfico por tipos de cliente da Electronic Instruments Inc.

A Análise 80/20 aplicada a uma empresa de consultoria

Depois dos produtos e clientes, analise outra categoria/parte da empresa que seja relevante para o seu negócio. Não há análise especial que possa ser feita no caso de uma indústria de equipamentos eletrônicos, mas, para ilustrar esse ponto, considere a categorização dos negócios, feita por vendas e lucros em uma empresa de consultoria estratégica, como mostram as Figuras 18 e 19.

Essas figuras exibem uma regra 56/21: os grandes projetos somam somente 21% do faturamento, mas dão 56% dos lucros.

$000			
Divisão de negócios	Vendas	Lucros	Retorno sobre vendas (%)
Grandes Projetos	35.000	16.000	45,7
Pequenos Projetos	135.000	12.825	9,5
Total	170.000	28.825	17,0

Figura 18 – Tabela de lucratividade de projetos grandes versus projetos pequenos da Strategy Consulting Inc.

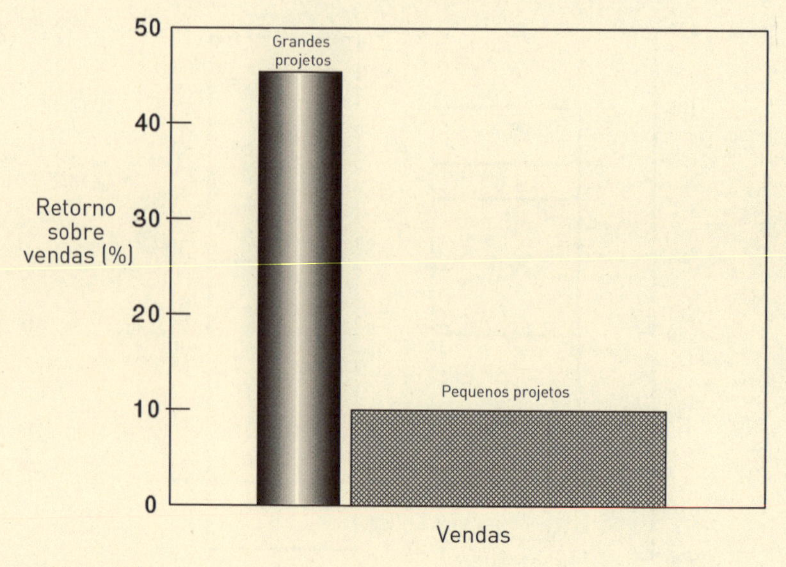

Figura 19 – Gráfico de lucratividade de grandes versus pequenos projetos da Strategy Consulting Inc.

Outra análise, apresentada nas Figuras 20 e 21, divide o negócio em "antigos" clientes (mais de três anos de contrato) e "novos" clientes (menos de seis meses) e aqueles clientes com longevidade intermediária.

Essas figuras nos dizem que 26% do negócio (clientes antigos) representam mais de 84% dos lucros: uma regra 84/26. A mensagem é que sejam realizados todos os esforços para manter e ampliar os clientes de longo prazo, que são os menos sensíveis a preço e podem ser atendidos com menos despesas. Os novos, que não se transformam em clientes de longo prazo, são reconhecidos como geradores de prejuízos. Por isso, a consultoria tornou-se muito mais seletiva na apresentação de propostas de trabalho, que passaram a ser feitas somente quando a empresa considerava que poderia fidelizar o cliente no longo prazo.

$000			
Divisão de negócios	Vendas	Lucros	Retorno sobre vendas (%)
Clientes antigos	43.500	24.055	55,3
Clientes intermediários	101.000	12.726	12,6
Clientes novos	25.500	(7.956)	31,2
Total	170.000	28.825	17,0

Figura 20 – Tabela de lucratividade de antigos versus novos clientes da Strategy Consulting Inc.

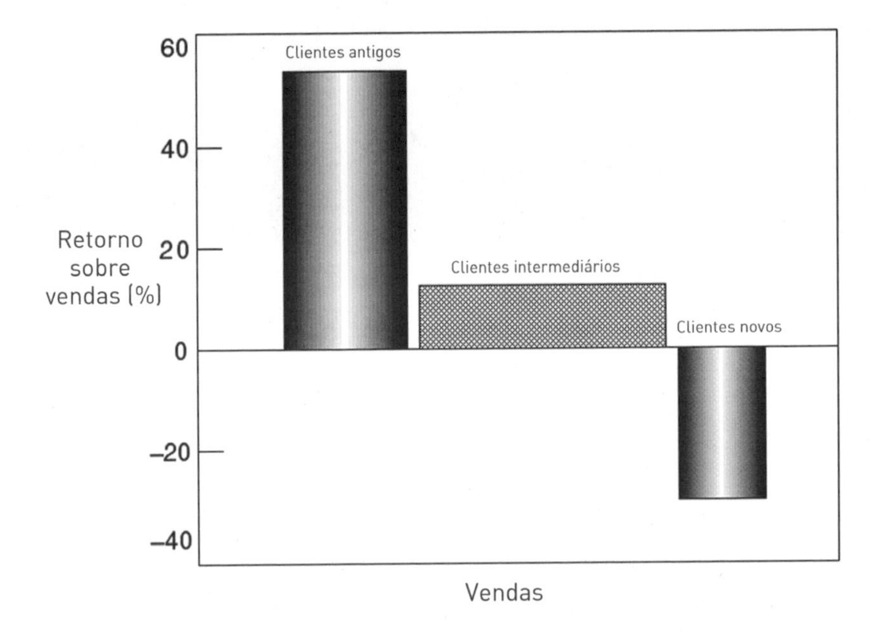

Figura 21 – Gráfico de lucratividade de antigos versus novos clientes da Strategy Consulting Inc.

As Figuras 22 e 23 sintetizam a terceira análise para os consultores, que escolheram dividir o negócio em Fusões & Aquisições (F&A), Análise Estratégica e Projetos Operacionais.

$000			
Divisão de negócios	Vendas	Lucros	Retorno sobre vendas (%)
F&A	37.600	25.190	67,0
Análise Estratégica	75.800	11.600	15,3
Projetos Operacionais	56.600	7.965	14,1
Total	170.000	28.825	17,0

Figura 22 – Tabela de lucratividade por tipo de projeto da Strategy Consulting Inc.

Essa categorização mostrou uma regra 87/22: o trabalho da área de Fusões & Aquisições era amplamente mais lucrativo, representando 87% dos lucros e 22% da receita total. Os esforços, portanto, foram redobrados para vender mais projetos de F&A.

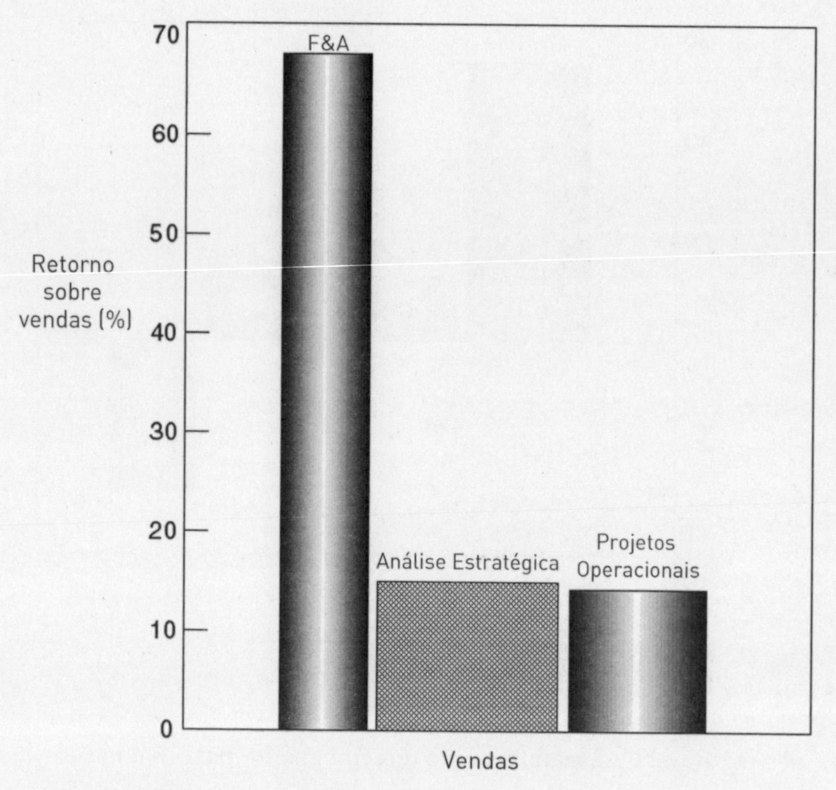

Figura 23 – Gráfico de lucratividade por tipo de projeto - Strategy Consulting

Os Projetos Operacionais para os clientes antigos, quando analisados separadamente, mostraram estar quase empatados entre custos e receitas, enquanto as grandes perdas concentraram-se nesse tipo de projeto realizado para clientes novos. Esse quadro levou à decisão de os consultores não se dedicarem mais a projetos operacionais para novos clientes, enquanto os antigos passaram a pagar mais caro por esse tipo de serviço ou foram encorajados a levar esses projetos para consultores especializados em operação.

A segmentação é chave para compreender e alavancar a lucratividade

A melhor maneira de examinar a lucratividade de sua empresa é dividindo-a em *segmentos competitivos*. Embora as análises por produto, cliente ou qualquer outra divisão relevante sejam geralmente bastante valiosas, as melhores percepções originam-se de uma combinação de clientes e produtos em "fatias" do negócio definidas em relação aos seus mais importantes concorrentes. Apesar de não ser tão difícil quanto possa parecer, bem poucas organizações dividem seus negócios dessa forma e, por isso, um pouco de explicação se faz necessário.

O que é um segmento competitivo?

Um segmento competitivo é aquela parte do seu negócio na qual você enfrenta um concorrente diferente ou uma dinâmica competitiva diferente.

Tome qualquer parte da sua empresa que lhe venha à mente: um produto, um cliente, uma linha de produto vendida a um perfil de cliente ou qualquer outra categorização que possa ser relevante para você (por exemplo, os consultores podem pensar no trabalho da área de F&A). Agora, faça a si mesmo duas perguntas simples:

- *Você enfrenta um principal concorrente diferente nessa parte do negócio do que no resto?* Em caso positivo, então, essa parte do negócio é um segmento competitivo separado (ou, para simplificar, apenas "segmento").

Se você é pressionado por um concorrente, sua lucratividade dependerá da interação de seus produtos e serviços com os dele. Quais os consumidores preferem? E qual é seu custo total para entregar o produto ou serviço, em relação ao do seu concorrente? Sua lucratividade será muito mais determinada por seu concorrente do que por qualquer outro fator.

Sendo assim, é sensato refletir separadamente sobre essa área de seu negócio, para determinar uma estratégia para derrotar (ou minimizar) seu concorrente. Também é sensato analisar a lucratividade dessa área em separado: talvez você tenha uma surpresa.

Mas, caso a parte do seu negócio que você está analisando tenha o mesmo concorrente de outra (por exemplo, seu principal competidor com o Produto A é o mesmo com o Produto B), então, será preciso que você se faça outra pergunta.

- *Você e seu concorrente têm a mesma proporção de vendas ou fatia de mercado nas duas áreas ou ele é relativamente mais forte em uma área e você é relativamente mais forte em outra?*

Por exemplo, você tem 20% de participação no mercado com o produto A e o principal concorrente tem 40% (portanto, é duas vezes maior do que você) e essa proporção é a mesma no produto B: seu competidor é duas vezes maior do que você? Se você tem 15% de fatia de mercado com o produto B, mas seu concorrente tem somente 10%, então, existe uma relação competitiva entre os dois produtos.

Haverá razões reais para isso. Os consumidores podem preferir sua marca no produto B, mas a marca do seu concorrente no produto A. Possivelmente, o competidor não se importa muito com o que acontece com o produto B. Talvez você seja eficiente e competitivo em preço no produto B, enquanto o oposto é verdade para o produto A. Por enquanto, você não precisa saber os motivos. Tudo o que deve fazer é observar que, embora você enfrente o mesmo concorrente, o equilíbrio de vantagens é diferente nas duas áreas. Dessa forma, são segmentos separados e provavelmente exibirão lucratividades diferentes.

Pensar na concorrência leva você direto à divisão-chave do negócio

Em vez de começar com uma divisão convencional do negócio, como por produtos ou pelos resultados das diferentes áreas da organização, essa reflexão sobre os segmentos competitivos leva você diretamente à maneira mais importante de categorizar e pensar sobre seu negócio.

Na empresa de instrumentos eletrônicos apresentada anteriormente, os administradores simplesmente não conseguiam concordar sobre como analisá-la. Alguns consideravam que os produtos eram a dimensão-chave. Outros achavam que a divisão mais importante era entre os clientes que estavam no setor de oleodutos (majoritariamente, companhias de petróleo) ou nas indústrias de processo contínuo (como manufaturas de alimentos). Uma terceira facção defendia que os negócios realizados domesticamente eram muito diferentes das exportações. Como eles partiam de pressupostos diferentes, todos válidos em certo grau, ficava difícil avançar na organização do negócio ou na comunicação entre eles.

Dividir a empresa em segmentos competitivos destruiu esses argumentos. A regra é simples: se você não enfrenta diferentes concorrentes ou tem posições competitivas relativas diferentes, aquilo não é um segmento separado. Nós rapidamente chegamos a um – embora deselegante, bastante claro – conjunto de segmentos que todos podiam entender.

Para começar, ficou bem evidente que os competidores eram bem diferentes para a maioria dos produtos – mas não para todos. Onde os concorrentes eram os mesmos, com a mesma posição competitiva relativa, nós agrupamos os produtos. Na maioria dos casos, nós mantivemos os produtos separados.

Então, questionamos se as posições competitivas eram diferentes para os clientes de oleodutos assim como para os clientes da indústria de processo contínuo. Para todos – exceto um produto – a resposta foi "não". Mas naquele produto, densitômetro de líquidos, os principais concorrentes eram diferentes. Dessa forma, estabelecemos dois segmentos aqui: densitômetro de líquidos para oleodutos e densitômetro de líquidos para processo contínuo.

Finalmente, perguntamos se os competidores ou posições competitivas eram diferentes em cada segmento nos Estados Unidos e nas exportações. Na maioria dos casos a resposta foi "sim". Caso os negócios internacionais fossem suficientemente significativos, perguntaríamos o mesmo para diferentes países: era o mesmo concorrente no Reino Unido, na França ou na Ásia? Onde os concorrentes fossem diferentes, subdividiríamos o negócio em segmentos separados.

Terminamos essa etapa com uma colcha de retalhos formada por quinze segmentos (os muito pequenos foram reagrupados para evitar trabalho desnecessário), geralmente definidos por produto e região geográfica, mas houve um caso por produto e tipo de cliente (era o dos densitômetros de líquidos, no qual os segmentos eram densitômetros para oleodutos no mundo e densitômetro para processos contínuos no mundo). Cada segmento tinha diferentes concorrentes ou diferentes posições competitivas. Analisamos, então, a distribuição de vendas e lucros para cada um dos segmentos, como está mostrado nas Figuras 24 e 25.

$000			
Segmento	Vendas	Lucros	Retorno sobre vendas (%)
1	2.250	1.030	45,8
2	3.020	1.310	43,4
3	5.370	2.298	42,8
4	2.000	798	39,9
5	1.750	532	30,4
6	17.000	5.110	30,1
7	3.040	610	25,1
8	7.845	1.334	17,0

9	4.224	546	12,9
10	13.000	1.300	10,0
11	21.900	1.927	8,8
12	18.100	779	4,3
13	10.841	(364)	(3,4)
14	5.030	(820)	(15,5)
15	4.000	(3.010)	(75,3)
Total	119.370	13.380	11,2

Figura 24 – Tabela de lucratividade por segmento da Electronic Instruments Inc.

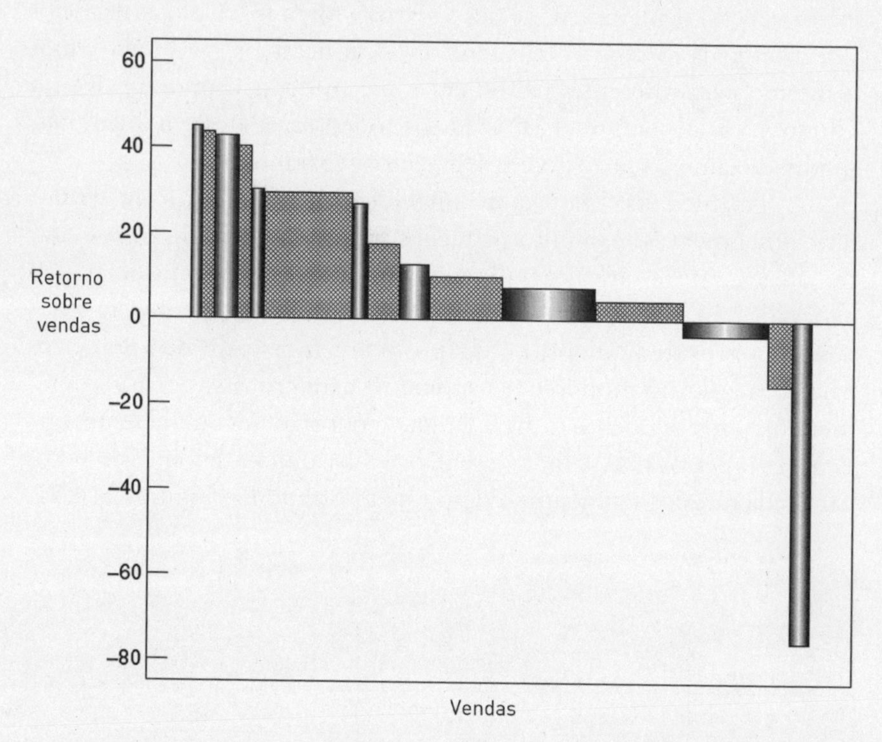

Figura 25 – Gráfico de lucratividade por segmento da Electronic Instruments Inc.

Para explicitar o desequilíbrio entre as receitas de vendas e os lucros, podemos novamente construir uma Tabela 80/20 (Figura 26) e um Gráfico 80/20 (Figura 27).

Por essas figuras, podemos verificar que os seis principais segmentos abrangem somente 26,3% do total das vendas, mas representam 82,9% dos lucros: portanto, temos aqui uma regra 83/26.

O que fez a empresa de instrumentos eletrônicos para impulsionar os lucros?

As Figuras 26 e 27 nos fizeram dar atenção a três tipos de negócios. A primeira parte mais lucrativa formada pelos segmentos de 1 a 6 foi classificada inicialmente como os negócios prioridade A, que deveriam ser desenvolvidos de modo mais agressivo. Mais de 80% dos lucros derivavam desses segmentos, embora recebessem apenas uma quantidade média de tempo de gerenciamento adequada ao seu faturamento em vendas. Foi tomada a decisão de passar a investir nesses negócios dois terços do tempo total. A força de vendas focou nas tentativas de comercializar mais desses produtos para clientes novos e já existentes. Verificou-se que a empresa tinha recursos para oferecer serviços extras ou baixar levemente os preços e ainda assim manter retornos muito bons.

O segundo conjunto abrangeu os segmentos de 7 a 12. Somados, respondiam por 57% do faturamento em vendas e por 49% do total de lucros; em outras palavras, ligeiramente abaixo da lucratividade média. Esses segmentos foram classificados como prioridade B, embora alguns segmentos nessa categoria (como o 7 e o 8) fossem mais interessantes que outros (como o 11 e o 12). A prioridade a ser atribuída a esses segmentos também dependia das respostas às duas perguntas colocadas no início desse capítulo, isto é, se cada segmento estava em um bom mercado e quão bem a empresa estava posicionada em cada segmento. As respostas para essas questões estão apresentadas no final deste capítulo.

Segmento	Porcentagem das vendas		Porcentagem dos lucros	
	Tipo	Cumulativo	Tipo	Cumulativo
1	1,9	1,9	7,7	7,7
2	2,5	4,4	9,8	17,5
3	4,5	8,9	17,2	34,7
4	1,7	10,6	6,0	40,7
5	1,5	12,1	4,0	44,7
6	14,2	26,3	38,2	82,9
7	2,5	28,8	4,6	87,5
8	6,6	35,4	10,0	97,5
9	3,5	38,9	4,1	101,6

10	10,9	49,8	9,7	111,3
11	18,3	68,1	14,4	125,7
12	15,2	83,3	5,8	131,5
13	9,1	92,4	-2,7	128,8
14	4,2	96,6	-6,0	122,6
15	3,4	100,0	-22,6	100,0

Figura 26 – Tabela de vendas e lucros por segmento da Electronic Instruments Inc.

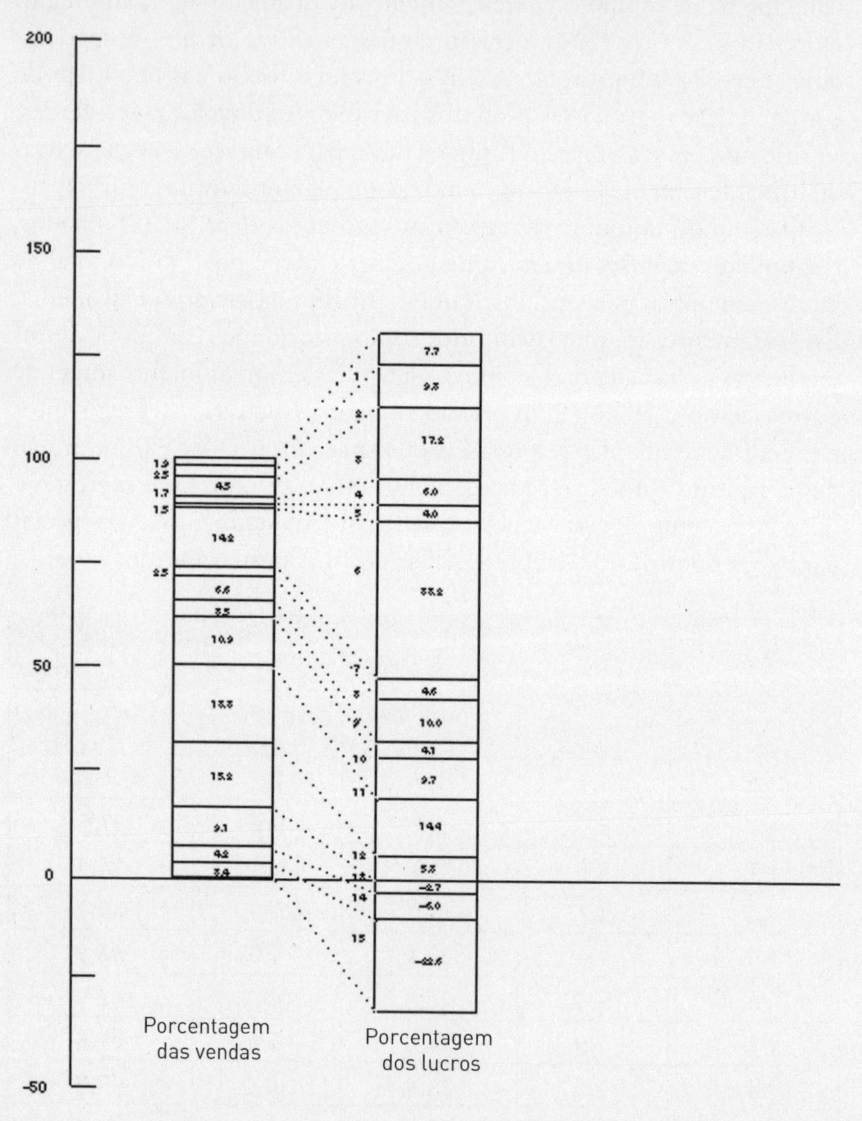

Figura 27 – Gráfico de lucratividade por segmento da Electronic Instruments Inc.

Nesse ponto da análise, foi tomada a decisão de cortar o tempo de gestão investido nos segmentos prioridade B de 60% para cerca da metade disso. Os preços de alguns segmentos menos lucrativos também foram elevados.

A terceira categoria, denominada prioridade X, agrupava os segmentos de 13 a 15, que causavam perdas. Uma decisão sobre o que fazer nesses segmentos foi adiada, como no caso da categoria B, até a conclusão da análise da atratividade do mercado e da força do posicionamento da empresa em cada segmento.

Provisoriamente, porém, foi possível definir prioridades de acordo com o que está apresentado na Figura 28.

Prioridade	Segmentos de vendas	Porcentagem de lucros	Porcentagem	Ações
A	1-6	26,3	82,9	Aumentar esforço de vendas; Aumentar tempo de gestão; Flexibilidade no preço.
B	7-12	57,0	48,5	Reduzir tempo de gestão; Reduzir esforço de vendas; Elevar alguns preços.
X	13-15	16,7	(31,4)	Rever viabilidade.
Total		100,0	100,0	

Figura 28 – Resultado da Análise 80/20 da Electronic Instruments Inc.

Antes de chegar às decisões finais em cada segmento, no entanto, o grupo de líderes da administração examinou, além da lucratividade, as duas outras questões-chave para determinar a estratégia:

- O segmento está em um mercado atrativo para a empresa permanecer?
- Quão bom é o posicionamento da empresa em cada segmento?

A Figura 29 apresenta as conclusões estratégicas finais para a Electronic Instruments Inc.

Segmento	Mercado atrativo?	Empresa bem posicionada?	Lucratividade
1	Sim	Sim	Muito alta
2	Sim	Sim	Muito alta
3	Sim	Sim	Muito alta
4	Sim	Sim	Muito alta
5	Sim	Sim	Alta
6	Sim	Sim	Alta
7	Sim	Moderadamente	Alta
8	Sim	Moderadamente	Razoavelmente alta
9	Sim	Não	OK
10	Nem tanto	Sim	OK
11	Nem tanto	Sim	OK
12	Não	Moderadamente	Baixa
13	Sim	Melhorando	Prejuízo
14	Não	Moderadamente	Prejuízo
15	Não	Não	Prejuízo

Figura 29 – Diagnóstico estratégico da Electronic Instruments Inc.

Quais providências foram tomadas após o diagnóstico?

Todos os segmentos lucrativos da prioridade A também estavam em mercados atrativos: estavam em crescimento, havia fortes barreiras de entrada para novos concorrentes, a demanda era maior do que a capacidade, não existiam ameaças de tecnologias concorrentes e era alto o poder de barganha diante de clientes e de fornecedores de componentes. Como resultado, naqueles mercados, todos os concorrentes estavam ganhando um bom dinheiro.

Meu cliente também estava bem posicionado em cada segmento, o que significava dizer que havia conquistado uma boa fatia de mercado e era um dos três maiores fornecedores. Sua tecnologia era acima da média e sua posição em custos melhor do que a média (ou seja, tinha custos mais baixos) em comparação aos seus concorrentes.

Como esses eram também os segmentos mais lucrativos, a análise confirmou as implicações da comparação 80/20 dos lucros. Sendo assim, os segmentos de 1 a 6 permaneceram como prioridade A: os esforços foram concentrados para manter todos os negócios existentes e ganhar participação de mercado, aumentando as vendas para os clientes atuais, além de conquistar novos.

A estratégia agora podia ser refinada para os segmentos da categoria B. O segmento 9 era interessante. A lucratividade estava moderada, mas não porque o mercado não fosse atraente: ao contrário, era altamente atraente, com a maioria dos outros competidores alcançando bons lucros. Meu cliente, no entanto, tinha uma pequena fatia de mercado e uma alta posição em custos nesse segmento, principalmente porque estava usando tecnologia defasada.

A atualização da tecnologia custaria um esforço terrível e seria bastante dispendiosa. Assim, uma decisão foi tomada para fazermos "a colheita" nesse segmento, ou seja: reduzir os esforços para proteger o negócio e elevar o preço. O resultado esperado era uma perda em vendas, mas, por um período, haveria lucros mais altos. De fato, o corte dos esforços e a elevação dos preços aumentaram as margens, mas derrubaram muito pouco as vendas no curto prazo. Ocorreu que os clientes também estavam cativos da antiga tecnologia e tinham pouca opção de fornecedores enquanto não mudassem para a nova tecnologia. Para meu cliente, a lucratividade saltou de 12,9% para mais de 20%, embora fosse preciso reconhecer que aquele era um estímulo temporário.

Nos segmentos 10 e 11, a Electronic Instruments Inc. tinha liderança, mas se tratava de mercados estruturalmente não atrativos. O tamanho do mercado estava em declínio, havia excesso de capacidade produtiva e os clientes tinham todas as cartas na mão e conseguiam barganhar nos preços. Apesar do fato de ser líder, meu cliente decidiu tirar a ênfase desses segmentos e todos os novos investimentos foram cancelados.

Embora por diferentes razões, a mesma decisão foi aplicada ao segmento 12. O mercado estava ainda menos atrativo e a empresa tinha somente uma fatia moderada de participação nele. Todos os programas de marketing e os investimentos foram abandonados.

E o que dizer da categoria X, onde estavam os segmentos causadores de prejuízos? Ali se descobriu que dois dos três segmentos, o 14 e o 15, estavam em mercados profundamente não atrativos, nos quais meu cliente era apenas um participante marginal. Foi tomada a decisão de sair dos dois segmentos, sendo que, em um dos casos, parte de uma fábrica foi vendida a um concorrente. O preço alcançado foi baixo, mas, pelo menos, houve alguma entrada de dinheiro e alguns empregos foram preservados, além de os prejuízos terem sido estancados. No outro caso, as operações tiveram que ser completamente encerradas.

O segmento 13, também da categoria X, teve um destino diferente. Apesar de a empresa perder dinheiro naquele negócio, o mercado era estruturalmente atrativo: crescimento anual de 10% e a maioria dos concorrentes estava alcançando retornos altos. De fato, embora meu cliente estivesse realizando prejuízos depois de alocar todos os custos, a margem bruta no segmento era bem alta. O problema é que só havia entrado no mercado no ano anterior e havia a necessidade de fazer fortes investimentos em tecnologia e em esforço de vendas. No entanto, estava conquistando participação de mercado e, caso mantivesse aquela taxa de expansão, a expectativa era de que se tornasse um dos maiores fornecedores nos próximos três anos. Futuramente, com um volume maior de vendas para diluir os custos, esperava-se que conseguisse obter altos retornos. Foi decidido, então, investir ainda mais recursos no segmento 13 para a empresa se transformar em um "fornecedor em escala" (isto é, operar com o tamanho mínimo necessário para ser lucrativo) o mais depressa possível.

Não use a Análise 80/20 para tirar conclusões simplistas

O segmento 13 do exemplo anterior ajuda a ilustrar por que a Análise 80/20 da lucratividade não oferece todas as respostas corretas. Ela é formatada para ser uma fotografia instantânea em um ponto do tempo e não pode (em primeiro lugar) oferecer um cenário da tendência do mercado ou das forças capazes de mudar a lucratividade. Uma análise desse tipo é necessária, mas não condição suficiente para traçar uma boa estratégia.

Por outro lado, é indubitável que a melhor maneira de ganhar dinheiro é parar de perder dinheiro. Observe que, com exceção do segmento 13, a simples Análise 80/20 dos lucros ofereceu mais ou menos a resposta adequada em 14 dos 15 segmentos, abrangendo mais de 90% das receitas de vendas. Isso não quer dizer que a reflexão estratégica deva parar na Análise 80/20, mas que é recomendável começar por esse ponto. Para obter respostas mais completas, você precisa analisar também a atratividade de cada segmento e qual o posicionamento competitivo da empresa em cada um. As ações adotadas pela Electronic Instruments Inc. estão resumidas na Figura 30.

Segmentos	Prioridade	Características	Ações
1-6	A	Mercados atrativos Boas fatias de mercado Alta lucratividade	Grande foco da gestão Esforço de vendas ampliado Flexibilidade para vender mais
7-8	B	Mercados atrativos Fatias moderadas Alta lucratividade	Manter posição Sem iniciativas especiais
9	C	Mercado atrativo Tecnologia defasada Fatia pequena	Colheita (baixar custos, elevar preços)
10-11	C	Mercados não atrativos Boas fatias Lucratividade OK	Menos esforço
12	C-	Mercado não atrativo Fatia moderada Baixa lucratividade	Muito menos esforço
13	A	Mercado atrativo Abaixo da escala, mas melhorando posição Com prejuízo	Conquistar fatia rapidamente
14-15	Z	Mercados não atrativos Fatias moderada/baixa Com prejuízo	Vender/fechar

Figura 30 – Providências adotadas depois da Análise 80/20 pela Electronic Instruments Inc.

O Princípio 80/20 como guia para o futuro: transforme sua empresa em um animal diferente

Esse ponto conclui a revisão estratégica dos segmentos de negócios existentes e a recomendação é começar pela Análise 80/20 da lucratividade. Como foi visto, essas análises são indispensáveis para se determinar a estratégia por segmento. Mas, de maneira alguma, já esgotamos a aplicação do Princípio 80/20 na estratégia do negócio. O princípio também é de enorme valor para identificar os próximos saltos da sua empresa.

Temos a tendência de assumir que nossas organizações e setores estão desempenhando o melhor que podem. Gostamos de pensar que nosso universo de negócios é altamente competitivo e alcançou algum tipo de equilíbrio ou chegou ao fim do jogo. Nada pode estar mais distante da realidade!

Seria muito melhor partir do pressuposto de que sua empresa está toda encrencada e poderia ser muito mais bem estruturada para oferecer, com mais eficácia, o que querem os clientes. E, no que se refere à sua organização, sua ambição deveria ser transformá-la dentro da próxima década. De tal forma que, daqui a dez anos, quando as pessoas olharem para o passado, balançarão pesarosamente a cabeça e dirão umas às outras: "Não posso acreditar que fazíamos isso assim. Acho que éramos loucos!".

Inovação é o nome do jogo: é absolutamente crucial para a futura vantagem competitiva. Geralmente, consideramos difícil inovar, mas com a aplicação criativa do Princípio 80/20, a inovação pode se tornar fácil e divertida! Pense, por exemplo, nas seguintes ideias:

- Oitenta por cento do total de lucros gerado por todas as indústrias é resultante da atividade de 20% delas. Faça uma lista das indústrias mais lucrativas que você conhece, como a farmacêutica ou as de consultoria, e se pergunte por que a sua não pode ser mais parecida com elas.
- Oitenta por cento dos lucros gerados em qualquer setor resultam de 20% das empresas. Se a sua não está nesses 20%, o que elas estão fazendo certo e você não?
- Oitenta por cento do valor percebido pelos clientes refere-se a 20% do que uma organização faz. No seu caso, quais são esses 20%? O que o impede de fazer mais disso? Quais são os obstáculos para você fazer uma versão ainda mais extrema daqueles 20%?
- Oitenta por cento do que faz uma empresa rendem não mais do que 20% de benefícios para seus clientes. Quais são esses 80%? Por que não aboli-los? Por exemplo, se você é um banqueiro, por que mantém as agências? Se é para prestar serviços, por que não viabilizá-los cada vez mais por caixas eletrônicos e internet? Onde seria melhor oferecer o autoatendimento? O cliente pode ser estimulado a realizar alguns serviços por si mesmo.

- Oitenta por cento dos benefícios de um produto ou serviço podem ser oferecidos por 20% do custo. Muitos consumidores comprariam um produto bem simplificado com preço mais barato. No seu setor, há alguma empresa fazendo isso?
- Oitenta por cento dos lucros de um setor derivam de 20% de seus clientes. Você já tem uma fatia desproporcional desses clientes? Em caso negativo, o que precisa fazer para conseguir isso?

Por que você precisa das pessoas?

Alguns exemplos da transformação dos setores podem ajudar. Minha avó tinha um armazém de esquina na cidade em que morávamos. Ela recebia os pedidos, separava os produtos e eu (ou um garoto mais confiável) ia entregar de bicicleta. Então, abriu um supermercado na cidade. E conseguiu fazer com que os clientes pegassem seus próprios produtos nas prateleiras e os levassem para casa. Em troca, o supermercado tinha uma oferta maior de produtos, preços mais baixos e estacionamento para os carros. Logo, os clientes da minha avó estavam aderindo ao supermercado.

Alguns setores, como as redes de postos de gasolina, logo entraram em acordo com o autoatendimento. Outros, como o varejo de móveis ou os bancos, acharam inicialmente que aquilo não era para eles. A cada ano, novos fornecedores provam que existe vida nova para aquela antiga ideia do autoatendimento.

Promover descontos também é uma estratégia perene de transformação: oferecer menos opções, menos recursos agregados, menos serviços e ter preços mais baixos. Como 80% das vendas estão concentradas em 20% dos produtos, só tenha esses em estoque. Outro cliente que atendi, um comerciante de vinhos, mantinha em estoque 30% dos rótulos. Quem precisava de todas essas opções? Sua empresa foi comprada por uma cadeia de lojas, e agora uma casa de vinhos abriu ali perto.

Quem pensaria há cinquenta anos que as pessoas iriam querer lanchonetes *fast-food*? E, atualmente, quem percebe que os megarrestaurantes acessíveis, daquele tipo que oferece um menu limitado e previsível em bairros atraentes por preços razoáveis, mas insistem que o cliente libere a mesa em 90 minutos, constituem uma ameaça mortal para os donos de restaurantes tradicionais?

Por que teimamos em usar pessoas para realizar tarefas que as máquinas fazem de forma muito mais barata? Quando as companhias aéreas passarão a usar robôs em vez de aeromoças? A maioria prefere humanos, mas as máquinas são mais confiáveis e muito mais baratas. As máquinas oferecem 80% dos benefícios por 20% dos custos. Em alguns casos, como nos caixas eletrônicos dos bancos, é possível oferecer um serviço melhor, muito mais rápido e por uma fração do custo. Um dia, muito em breve, apenas os velhos ranzinzas como eu vão preferir lidar com seres humanos, e até eu mesmo tenho dúvidas a esse respeito.

Os carpetes ficaram obsoletos?

Quero deixar que você use sua imaginação. Para tanto, vou apresentar apenas mais um exemplo final sobre como o uso do Princípio 80/20 foi capaz de transformar o destino de uma empresa e possivelmente causou uma mudança em todo um setor.

Considere a Interface Corporation, da Geórgia, uma fornecedora de carpetes que vale 800 milhões de dólares. A empresa costumava vender carpetes, agora ela os aluga. Instala carpetes em placas em vez de fazer a cobertura do piso com uma peça única. A Interface deu-se conta de que 20% de qualquer carpete tinha 80% de seu uso. Normalmente, a forração é trocada quando a maior parte dele ainda está perfeitamente boa. Sob o sistema de aluguel da Interface, os carpetes são inspecionados regularmente, e qualquer ponto de desgaste ou estrago tem as placas substituídas. Isso reduz os custos para a Interface e para os clientes. Uma observação trivial do Princípio 80/20 transformou uma empresa e pode conduzir a amplas mudanças do setor no futuro.

Conclusão

O Princípio 80/20 sugere que sua estratégia está errada. Se você faz a maior parte do seu dinheiro com a menor parte de sua atividade, deveria virar sua empresa de cabeça para baixo e concentrar seus esforços na multiplicação da menor parte. No entanto, esse é apenas um aspecto da resposta. Por trás da necessidade de foco, esconde-se uma verdade ainda mais poderosa dos negócios, e será isso que vamos abordar a seguir.

CAPÍTULO 5: O SIMPLES É BOM

Meu esforço é na direção da simplicidade.
Em geral, as pessoas têm muito pouco, e custa muito pagar
até mesmo pelas necessidades básicas (quanto mais pelos
luxos que acredito que todo mundo mereça) porque quase
tudo que fazemos é muito mais complexo do que precisaria ser.
Nossas roupas, nossos alimentos, os móveis de nossa casa,
tudo isso poderia ser bem mais simples do que é
agora e ainda assim ser mais bonito.

Henry Ford[39]

Vimos no capítulo anterior que, em praticamente todas as empresas, a lucratividade varia muito nos diferentes segmentos do negócio. O Princípio 80/20 sugere algo bastante chocante como hipótese de trabalho: aquele um quinto das receitas típicas de uma companhia representam quatro quintos de seus lucros e dinheiro líquido. De forma recíproca, quatro quintos das receitas geram somente um quinto dos lucros e do dinheiro líquido. Essa é uma hipótese bizarra. Para o Princípio 80/20 estar correto, temos de considerar que uma empresa com faturamento de 100 milhões tem 5 milhões de lucro, sendo que 20 milhões das vendas produzirão 4 milhões do total do lucro, um retorno sobre vendas de 20%. Enquanto isso, os outros 80% das vendas produzirão apenas 1 milhão de lucro, um retorno sobre vendas de somente 1,25%. Ou seja, aquele um quinto no topo dos negócios é *16* vezes mais lucrativo do que o resto da empresa.

O mais extraordinário é que, quando essa hipótese é testada, ela se revela correta ou não muito distante do alvo.

Como isso pode ser verdade? É intuitivamente óbvio que alguns segmentos da empresa podem ser consideravelmente mais lucrativos do que outros. Mas 16 vezes mais? É quase inacreditável. Quase sempre, executivos que pagam comissões sobre a lucratividade de linhas de produtos recusam-se a acreditar nesse resultado quando são apresentados a ele pela primeira vez. Mesmo depois que verificam as premissas e a análise, continuam perplexos.

O próximo estágio dos administradores é recusar a eliminação daqueles 80% do negócio que não são lucrativos, alegando o motivo aparentemente razoável de que aqueles 80% dão uma grande contribuição para os custos fixos indiretos. Remover aqueles 80%, eles dizem, reduziria os lucros porque você simplesmente não consegue eliminar 80% de seus custos fixos indiretos em um período razoável de tempo.

Quando colocados diante dessas objeções, os estrategistas corporativos ou os consultores costumam ceder aos administradores. Somente os negócios que dão prejuízos terríveis são eliminados. E pouco esforço é redirecionado para aumentar os negócios extremamente lucrativos.

No entanto, tudo isso é uma combinação pavorosa e se baseia em um equívoco. Poucas pessoas param para questionar *por que* o negócio não lucrativo vai tão mal. Menos ainda, refletem se poderia haver, na prática ou até mesmo em teoria, uma empresa que fosse composta somente das partes mais lucrativas, livrando-se dos 80% dos custos fixos indiretos.

A verdade é que o negócio não lucrativo dá tanto prejuízo *porque* requer os custos indiretos e porque a existência de tantos segmentos diferentes torna a empresa terrivelmente complicada. É também verdadeiro que a parte lucrativa do negócio não requer os custos indiretos ou apenas uma pequena parcela deles. Você *poderia* ter uma empresa composta exclusivamente pelos negócios lucrativos e *poderia* obter absolutamente o mesmo retorno, desde que organizasse tudo de maneira diferente.

E por que isso? A razão é a mesma. É que o simples é bom. Os administradores parecem amar a complexidade. Tão logo uma empresa se torna bem-sucedida, seus executivos dedicam enormes doses de energia para transformá-la em algo bem mais complicado. Mas os negócios abominam a complexidade. Conforme a empresa se torna mais complicada, seus retornos caem dramaticamente. Isso não ocorre apenas porque mais negócios marginais vão sendo realizados. É também porque o ato de tornar uma empresa mais complexa deprime os retornos de maneira mais eficaz do que qualquer outro meio conhecido pela humanidade.

Acontece que esse processo pode ser revertido. Um negócio complexo pode ser tornado mais simples para fazer os retornos decolarem. Tudo que é necessário é compreender os custos da complexidade (ou o valor da simplicidade) e estimular a eliminação de pelo menos quatro quintos daqueles letais custos indiretos da administração.

O simples é bom, o complexo é ruim

Aqueles que, como nós, acreditam no Princípio 80/20, nunca conseguirão transformar a indústria até que consigam demonstrar como e por que o simples é bom. A menos que as pessoas compreendam isso, elas não vão querer abrir mão de 80% de seus atuais negócios e dos custos indiretos.

Portanto, temos que retornar ao básico e rever o senso comum em relação às raízes de um negócio bem-sucedido. Para fazer isso, teremos que nos envolver na controvérsia se o tamanho do negócio é um fator favorável ou um obstáculo. Ao resolver essa disputa, seremos capazes de mostrar por que o simples é ótimo.

Algo realmente interessante e sem precedente está ocorrendo em nossa estrutura industrial. Desde a Revolução Industrial, as companhias têm se tornado cada vez maiores e mais diversificadas. Até o final do século XIX, quase todas as empresas eram nacionais ou regionais, sendo grande parte do faturamento restrita a seu país de origem, e a ampla maioria atuava apenas em uma área de negócios. O século XX trouxe uma série de transformações, mudando tanto a natureza dos negócios quanto a nossa vida cotidiana. Primeiro, graças grandemente ao esforço bem-sucedido de Henry Ford para "democratizar" o automóvel, houve a força crescente das linhas de montagem, multiplicando a receita média das empresas, criando bens de consumo de massa com marca pela primeira vez na história, reduzindo drasticamente o custo real desses produtos e dando mais e mais poder às grandes corporações. Em seguida, surgiram as chamadas multinacionais, inicialmente nos Estados Unidos e na Europa, adotando, depois, o mundo inteiro como cenário. Mais tarde, vieram os conglomerados que se recusavam a se restringir a uma única linha de negócios e rapidamente estenderam seus tentáculos por muitos setores industriais, gerando uma miríade de produtos. A seguir, a invenção das sofisticadas aquisições hostis, igualmente alimentada pela ambição dos administradores e pelo impulso das alavancagens financeiras, deu novo ímpeto ao tamanho dos negócios. Depois, nos últimos trinta anos do século XX, a determinação dos administradores industriais, principalmente do Japão, tornou prioritária a liderança global e a conquista da maior fatia de mercado possível, o que reforçou o culto do tamanho das corporações.

Sendo assim, por diversas razões, os primeiros 75 anos do século XX testemunharam uma progressiva e aparentemente irrefreável expansão do tamanho das empresas industriais e, depois, na proporção da atividade do negócio assumida pelas maiores companhias. Entretanto, nas últimas décadas do século XX, essa tendência se reverteu repentina e dramaticamente. Em 1979, as 500 maiores empresas dos Estados Unidos do ranking da *Fortune* representavam cerca de 60% do PIB do país; mas, a partir do início da década de 1990, esse número já havia desabado para 40%.

Isso quer dizer que menor é melhor?

Não. Sem a menor dúvida, essa é a resposta errada. Não há absolutamente nada equivocado com a crença dos estrategistas e dos líderes empresariais de que a escala e a participação de mercado são valiosas. Os ganhos de escala aumentam o volume de produtos pelos quais se podem dissolver os custos, especialmente os custos fixos, que representam a maior fatia deles (agora que as fábricas se tornaram tão eficientes). A participação no mercado também ajuda a elevar os preços. A empresa mais popular, aquela com a maior fatia de mercado, a melhor reputação, marcas mais conhecidas e que desfruta da maior lealdade dos consumidores, comanda os preços *premium,* e não aquelas que têm fatias menores.

Sendo assim, por que essas companhias maiores estão perdendo participação de mercado para as menores? E por que, na prática, ao contrário do que diz a teoria, as vantagens da escala e da fatia de mercado estão deixando de ser traduzidas em maior lucratividade? E por que será que essas empresas sempre veem as vendas explodirem, embora o retorno e o capital declinem em vez de subir como prevê a teoria?

O custo da complexidade

A resposta mais importante é o custo da complexidade. O problema não é o ganho de escala, mas a complexidade adicional.

A escala adicional, sem o acréscimo de mais complexidade, sempre resultará em custo unitário mais baixo. Entregar ao consumidor mais de um produto ou serviço, desde que se defina que seja exatamente o mesmo, sempre elevará os retornos.

No entanto, raramente a escala adicional é mais do mesmo. Mesmo que o cliente seja igual, o volume extra geralmente resulta de adaptações do produto existente, desenvolvimento de um novo serviço e/ou o acréscimo de mais serviços. Isso exige altos custos indiretos que, embora fiquem escondidos, são sempre bem reais. E, caso novos consumidores estejam envolvidos, a equação fica bem pior. Existem altos custos iniciais no recrutamento de novos clientes e, em geral, eles têm necessidades diferentes dos consumidores já existentes, gerando ainda mais custos e complexidade.

A complexidade interna tem altos custos escondidos

Quando os novos negócios são diferentes dos já existentes, mesmo que a diferença seja sutil, os custos tendem a subir, não apenas proporcionalmente ao aumento de volume, mas bem acima disso. É porque a complexidade desacelera os sistemas simples e exige a intervenção dos administradores para lidar com as novas exigências. O custo de parar e recomeçar, da comunicação (e dos erros de comunicação) entre as pessoas novas e, acima de tudo, o custo das lacunas de tempo entre as pessoas (quando o trabalho é parcialmente completado, é preciso aguardar a intervenção de alguém e dali a pouco enfrentar novo intervalo de atividade) são terríveis e, além do mais, são os mais insidiosos porque são geralmente invisíveis. Se a comunicação tiver de capilarizar por diferentes divisões, instalações ou países, então o resultado será ainda pior.

A Figura 31 mostra como isso funciona. O concorrente B é maior do que o concorrente A, apesar de ter custos mais altos. Isso não ocorre porque a curva de escala (volume adicional é igual a custos mais baixos) está incorreta. Isso ocorre porque o volume extra do concorrente B está sendo comprado pelo custo da alta complexidade. Esse efeito é massivo e muito maior do que o custo adicional que é visível para o concorrente A. A curva de escala funciona, mas seu benefício é dissipado pela complexidade extra.

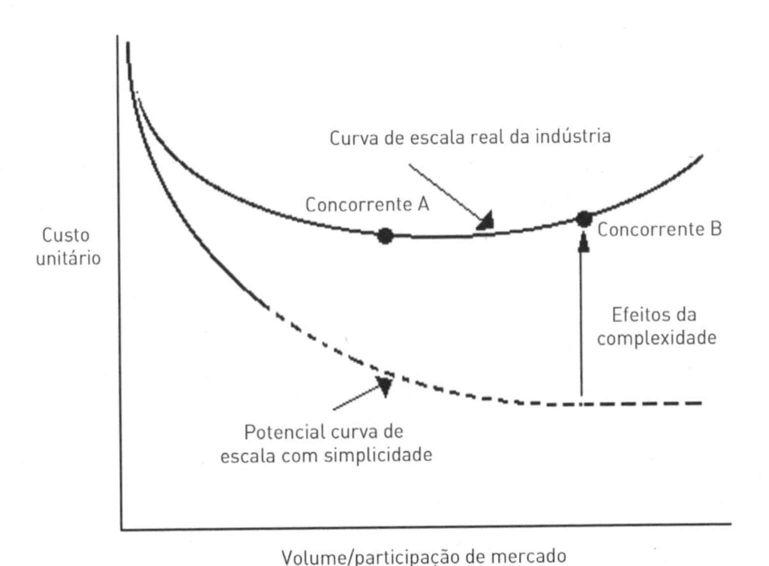

Figura 31 – O custo da complexidade

O "simples é bom" explica o Princípio 80/20

Compreender o custo da complexidade nos possibilita dar um grande salto adiante no debate sobre o tamanho das organizações. Não é que o pequeno seja bom. Se tudo se mantivesse igual, o grande seria o melhor. Mas nada se mantém igual. O grande só é ruim e dispendioso porque é complexo. O grande pode ser bom. Mas é o simples que é *sempre* bom.

Até mesmo os cientistas da administração estão tardiamente percebendo o valor da simplicidade. Um estudo cuidadosamente conduzido por Gunter Rommel[40] com 39 empresas alemãs de médio porte descobriu que somente uma característica diferencia as empresas vencedoras das demais: a simplicidade. As indústrias mais bem-sucedidas vendem uma gama menor de produtos para menos consumidores e têm também menos fornecedores. O estudo conclui que uma organização simples é melhor até para comercializar produtos complicados.

Essa ruptura mental ajuda a explicar por que e como o aparentemente chocante Princípio 80/20, aplicado à lucratividade da empresa, pode ser verdadeiro. Um quinto das receitas pode gerar quatro quintos dos lucros. Os melhores 20% das receitas podem ser 16 vezes mais lucrativos dos que os piores 20% (ou, nas empresas em que os piores 20% dão prejuízos, infinitamente mais lucrativos!). A vantagem do simples explica em grande parte por que o Princípio 80/20 funciona:

- A pura e simples participação de mercado é muito mais valiosa do que se reconhecia anteriormente. O retorno do ganho de escala foi obscurecido pelo custo da complexidade associada à escala impura. E diferentes segmentos do negócio têm, em geral, diferentes concorrentes e diferentes forças relativas diante desses competidores. Onde um negócio é dominante em seu nicho estreitamente definido, é provável que obtenha muitas vezes o retorno alcançado em nichos onde enfrenta um concorrente dominante (a imagem no espelho).
- As parcelas do negócio que estão maduras e são simples podem ser incrivelmente lucrativas. Reduzir o número de produtos, de consumidores e fornecedores geralmente conduz ao aumento dos lucros. Isso ocorre em parte porque você se dá ao luxo de focar nas atividades e clientes mais lucrativos, mas em parte também porque os custos da complexidade, na forma de custos fixos indiretos e de administração, podem ser reduzidos.

- Em produtos diferentes, as empresas têm sempre diferentes níveis de produtos e serviços que podem comprar fora, ou, no jargão da área, terceirizar. A terceirização é uma maneira fantástica de cortar a complexidade e seus custos. A melhor abordagem é decidir em que parte da cadeia de agregação de valor (P&D, manufatura, distribuição, vendas, marketing ou serviços) sua empresa conta com a maior vantagem competitiva e, então, sem dó nem piedade, terceirizar todo o restante. Essa medida elimina a maior parte dos custos da complexidade e possibilita reduções drásticas no número de funcionários, assim como acelera o tempo em que você lança um produto no mercado. Resultado: custos muito mais baixos e, quase sempre, preços mais altos também.
- Isso permite eliminar todas as funções e custos centrais. Caso a empresa atue em uma única linha de negócio, você não precisará de matriz, filiais regionais e escritórios funcionais. A abolição da matriz pode ter um efeito positivo sobre os lucros. O problema-chave com a matriz não é o custo, é a maneira como sua existência retira a verdadeira responsabilidade e iniciativa de quem realiza o trabalho e agrega valor aos clientes. Pela primeira vez, as corporações podem se concentrar em torno das necessidades dos clientes em vez de focar na hierarquia administrativa. Antes de a matriz ser eliminada, os diferentes segmentos do negócio atraem parcelas dos custos e da interferência administrativa. Os produtos e serviços mais lucrativos são geralmente aqueles deixados em paz sem muita "ajuda" da gestão central. É por essa razão que, quando o exercício da lucratividade 80/20 é realizado, os executivos sempre se mostram surpresos por perceber que as áreas mais negligenciadas da empresa são as mais lucrativas. Não é por acaso (às vezes, um infeliz subproduto da Análise 80/20 é que os segmentos mais lucrativos passam a receber mais atenção dos altos executivos da empresa. Como resultado, podem se tornar menos lucrativos).
- Finalmente, as parcelas mais simples do negócio são provavelmente as mais próximas do cliente. Há menos administradores no meio do caminho. Os clientes podem ser ouvidos e sentem que são importantes. As pessoas não se importam de pagar mais por isso. Para os clientes, a busca por se sentir importante é tão relevante quanto a busca por valor. A simplicidade eleva os preços assim como derruba os custos.

Contribuição para custos indiretos: uma das desculpas mais esfarrapadas para a inércia

Frequentemente, os administradores, confrontados com os resultados da Análise 80/20, alegam que não podem apenas focar nos segmentos mais lucrativos da empresa, pois até aqueles que dão prejuízo fazem uma contribuição positiva para os custos indiretos. Essa é uma das desculpas mais esfarrapadas e egoístas já inventadas.

Se você der foco aos segmentos mais lucrativos, poderá fazê-los crescer surpreendentemente depressa, sempre por volta de 20% ao ano e, de vez em quando, até mais rápido do que isso. Lembre-se de que, nesses segmentos, a posição inicial e a lealdade do cliente são fortes, e assim fica muito mais fácil do que aumentar o negócio como um todo. A necessidade da proteção dos segmentos não lucrativos contra os custos indiretos pode desaparecer muito rapidamente.

Dessa forma, a verdade é que você não precisa esperar. "Se seus olhos o ofendem, arranque-os!". Apenas elimine aqueles custos indiretos ofensivos. Se sua vontade for firme, você conseguirá fazer isso. Os segmentos menos lucrativos em algum momento podem ser vendidos, com ou sem seus custos indiretos, e há sempre a alternativa de fechá-los. (Não dê ouvidos aos contadores que ficam berrando sobre os "custos de saída"; grande parte disso são apenas números em uma planilha sem custos em dinheiro. Mesmo quando há algum custo em dinheiro, normalmente o retorno será bem rápido por causa do valor da simplicidade; tão rápido que os "contadores de feijões" nem dirão a você). A terceira opção, frequentemente a mais lucrativa, é fazer a colheita nesses segmentos, perdendo participação de mercado de forma deliberada. Você deixa para lá os clientes e os produtos menos lucrativos, reduz o suporte e os esforços de vendas, eleva os preços e deixa que o faturamento decline entre 5% e 20%, enquanto caminha sorridente para o banco.

Dê foco nos 20% mais simples

O que é mais simples e padronizado é muito mais produtivo e efetivo em custos do que aquilo que é complexo. As mensagens mais simples são as mais atraentes e universais para colegas, clientes e fornecedores. As estruturas e os fluxos de processos mais simples são os mais atrativos e têm os menores custos. Proporcionar todas as formas de autosserviço gera opções, economia, rapidez e vendas.

Tente sempre identificar os 20% mais simples da gama de produtos, processos, mensagens de marketing, canais de venda, design, manufatura ou mecanismo de entrega de serviço ou feedback dos clientes. Cultive os 20% mais simples. Refine-os até torná-los o mais simples possível. Padronize e generalize ao máximo a entrega de um produto ou serviço. Dispense rodeios e floreios. Faça os 20% mais simples terem a mais alta qualidade e consistência. Toda vez que algo for se tornando complexo, simplifique; se não puder, elimine.

Reduzindo a complexidade na Corning

Como um negócio que enfrenta dificuldades pode utilizar o Princípio 80/20 para reduzir a complexidade e elevar os lucros? Um excelente estudo de caso é oferecido pela Corning, que produz substrato cerâmico para sistemas de escapamento de carros. A empresa tem unidades em Greenville (Ohio) e em Kaiserslautern (Alemanha).[41]

Em 1992, a unidade dos Estados Unidos não estava indo muito bem e, no ano seguinte, o mercado alemão caiu drasticamente. Em vez de entrar em pânico, os executivos da Corning observaram longa e profundamente a lucratividade de todos os seus produtos.

Como em quase todas as empresas do mundo, os executivos da Corning utilizam uma abordagem padrão de custos para decidir o que produzir. Mas esse sistema padronizado é uma das razões para o Princípio 80/20 ter tanto a acrescentar: a abordagem padrão de custos torna impossível saber a verdadeira lucratividade dos produtos, em grande parte porque não diferencia os produtos de alto e baixo volume. Quando os custos variáveis, como horas extras, treinamento, modificações em equipamentos ou inatividade, foram integralmente alocados na Corning, os resultados causaram espanto.

Tomemos como exemplo dois produtos fabricados em Kaiserslautern: um deles, chamado lá de R10, era de alto volume e simples na forma de substrato cerâmico moldado simetricamente; o outro era o R5, um produto de baixo volume e moldado de forma peculiar. O custo padrão do R5 era 20% maior do que o do R10. Mas quando o trabalho extra de engenharia e de chão de fábrica foi integralmente alocado, o produto revelou ter um custo incrível em torno de 500.000% maior do que o R10!

Seguindo com a reflexão, é preciso acreditar nos dados. O R10 praticamente defendeu a si mesmo. O R5 exigia engenheiros caros em torno dele para garantir que mantivesse as especificações. Sendo assim, se apenas o R10 fosse produzido, haveria necessidade de menos engenheiros. Foi o que aconteceu. Ao eliminar os produtos de baixo volume e pouco lucrativos, que contribuíam pouco para o faturamento e davam até prejuízo, a equipe de engenharia pôde ser reduzida em 25%.

O Princípio 50/5

A análise realizada na Corning gravita em torno de um primo muito útil do Princípio 80/20, o Princípio 50/5.

Esse conceito afirma que, normalmente, 50% dos clientes, produtos, componentes e fornecedores de uma empresa vão adicionar menos de 5% às receitas e aos lucros. Manter distância dos itens de baixo volume (e valor negativo) é crítico para reduzir a complexidade.

O princípio 50/5 funcionou na Corning. Dos 450 produtos fabricados em Greenville, metade gerava 96,3% das receitas; os outros 50% eram responsáveis por apenas 3,7%. Dependendo do período analisado, a planta da Alemanha mostrava que os 50% dos produtos de baixo volume representavam apenas de 2 a 5% das vendas. Nas duas unidades, a metade pior dos produtos estava causando prejuízos.

Mais é pior

A estrada para o inferno é pavimentada na busca por volume. Isso resulta em produtos e clientes marginais e em um grande aumento da complexidade administrativa. Como essa situação interessa e recompensa os administradores, a complexidade costuma ser tolerada e encorajada até que seus custos não possam mais ser suportados. A solução é cortar o número de produtos em mais da metade. Em vez de lidar com mil fornecedores, os insumos devem ser adquiridos daqueles duzentos que representam 95% do total das compras (um princípio 95/20). A organização estará simplificada e com a estrutura mais leve.

Em meio à turbulência do mercado, a Corning estava dispensando negócios. Pode parecer perverso, mas funcionou. A operação menor e mais simples rapidamente recuperou a lucratividade. Menos é mais.

Os executivos adoram a complexidade

A essa altura, vale a pena perguntar: por que supostamente para maximizar a lucratividade as organizações se tornam complexas, quando isso claramente destrói valor?

Uma resposta a ser considerada, infelizmente, é que os executivos adoram a complexidade. É estimulante e intelectualmente desafiador, alivia o aborrecimento da rotina e cria atividades excitantes. Algumas pessoas acreditam que a complexidade surge quando ninguém está olhando, não há dúvida, mas é também incentivada pelos executivos, assim ela os apoia e os suporta. A maioria das organizações, até mesmo as mais ostensivamente comerciais e capitalistas, forma uma conspiração contra os interesses dos clientes, dos investidores e do mundo exterior em geral. A menos que a companhia enfrente uma crise econômica ou tenha um líder raro que favoreça os investidores e os clientes, em vez de seus próprios executivos, o excesso de atividade administrativa estará praticamente garantido. Tudo isso em defesa dos interesses da classe administrativa.[42]

Redução de custos pela simplicidade

Existe uma tendência natural das empresas, assim como da vida de uma maneira geral, de se tornarem mais complexas. Todas as organizações, em especial as grandes e complexas, são inerentemente ineficientes e desperdiçadoras. Não focam no que deveriam estar fazendo. Deveriam estar agregando valor para os clientes atuais e os potenciais. Qualquer atividade que não atenda a esse objetivo é improdutiva. Sendo assim, a maioria das grandes organizações envolve-se em uma prodigiosa quantidade de atividades dispendiosas e improdutivas.

Toda pessoa e toda organização são resultado de uma coalização, e as forças internas estão sempre em guerra. Essa batalha é travada entre os muitos triviais e os poucos vitais. Os muitos triviais incluem a inércia e a ineficácia dominantes. Os poucos vitais abrangem aqueles momentos de eficácia, brilho e bom desempenho. A maior parte das atividades resulta em pouco valor e pouca mudança. Poucas intervenções têm impacto massivo. Essa guerra é de difícil observação: é a mesma pessoa ou a mesma unidade ou a mesma organização que produz uma quantidade enorme de atividades fracas (ou negativas) e algumas migalhas altamente valiosas. Tudo o que conseguimos ver é o resultado geral; deixamos de perceber o lixo e as pedras preciosas.

Como resultado, qualquer empresa sempre tem um enorme potencial para reduzir custos e entregar mais valor para os clientes: basta simplificar o que faz e eliminar as atividades de baixo (ou negativo) valor.

Esteja consciente do seguinte:

- O desperdício se desenvolve na complexidade; a eficácia exige simplicidade.
- A maior parte das atividades sempre será inútil, pobremente concebida, mal direcionada, executada com desperdícios e, em grande medida, irrelevante para os clientes.
- Uma pequena parte das atividades sempre será incrivelmente eficaz e valiosa para os clientes; é provavelmente algo que você não acredita que seja; está opaca e enfiada dentro de uma cesta misturada com atividades menos eficazes.
- Todas as organizações são uma combinação de forças produtivas e improdutivas: pessoas, relacionamentos e ativos.
- O mau desempenho é sempre endêmico, escondido e auxiliado por uma pequena porção de atividades com excelente desempenho.
- Grandes melhorias sempre são possíveis atuando de maneira diferente e realizando menos.

Lembre-se sempre do Princípio 80/20: se você analisar o resultado obtido por sua empresa, é mais provável que entre um quarto e um quinto das atividades sejam responsáveis por três quartos ou quatro quintos dos lucros. Multiplique esse um quarto ou um quinto. Multiplique a eficácia do resto ou elimine.

Redução de custos pelo Princípio 80/20

Todas as técnicas eficazes para reduzir custos utilizam três conceitos 80/20: *simplificação*, pela eliminação das atividades não lucrativas; *foco* em alguns poucos pontos-chave de melhoria; e *comparação de desempenho*. Os dois últimos merecem alguma elaboração.

Não enfrente tudo com o mesmo esforço. A redução de custos é uma atividade cara!

Identifique as áreas (talvez somente uns 20% de todo o negócio) que tenham o maior potencial para reduzir custos. Concentre 80% de seus esforços aqui.

> Você não quer ficar atolado na microanálise. Aplicar a regra 80/20 pode ajudar. Pergunte quais são os maiores consumidores de

> tempo que você poderia cortar, onde estão os 80% dos atrasos e dos custos dos seus atuais processos? Identifique, compreenda e dê foco ao ataque.[43]
>
> Para ser bem-sucedido, é preciso conseguir mensurar o que realmente vale a pena... na maioria das organizações, a regra de Pareto funciona: 80% do que é importante é suportado por 20% dos custos. Por exemplo, um estudo realizado no centro de pagamentos da Pacific Bell verificou que 25% do trabalho realizado era para processar 0,1% dos pagamentos recebidos dos clientes. Um terço desses pagamentos era processado duas vezes e ocasionalmente várias vezes.[44]

Ao reduzir custos ou elevar a qualidade dos produtos ou serviços, lembre-se de que, acima de tudo, custos iguais não levam à mesma satisfação dos clientes. Uma pequena parte dos custos é tremendamente produtiva, mas a maior parcela pouco tem a ver ou nem se relaciona com o valor percebido pelo cliente. Identifique, cultive e multiplique os custos produtivos; e mantenha distância do resto.

Usando a Análise 80/20 para identificar as áreas de melhoria

A Análise 80/20 pode estabelecer por que surgem determinados problemas e focar a atenção nas áreas-chave para melhoria. Para dar um exemplo simples, imagine que você está à frente de uma editora de livros e que seus custos de produção gráfica estão 30% acima do orçamento. Seu gerente de produtos lhe disse que existem 1.001 razões para esse estouro: às vezes, o autor atrasa o original; em outras, os revisores ou redatores de índices levam mais tempo do que o planejado; em muitos casos, o livro acaba sendo mais longo do que o planejado; os gráficos e as tabelas com frequência precisam de correção e existem muitas outras causas especiais.

Uma providência que você pode adotar é considerar um determinado período de tempo, vamos dizer três meses, e monitorar cuidadosamente as causas dos estouros nos custos de produção gráfica. Você deve registrar o principal motivo de cada custo a mais e também o valor dessa consequência financeira.

A Figura 32 mostra as causas em uma tabela, classificando as mais frequentes de cima para baixo.

	Causas	Número	Porcentagem	Porcentagem acumulada
1	Autor atrasa as correções	45	30,0	30,0
2	Autor atrasa o manuscrito	37	24,7	54,7
3	Autor faz muitas correções	34	22,7	77,4
4	Ilustrações precisam de correção	13	8,6	86,0
5	Livro mais longo do que o planejado	6	4,0	90,0
6	Revisor atrasa	3	2,0	92,0
7	Redator do índice atrasa	3	2,0	94,0
8	Atraso nas autorizações	2	1,3	95,3
9	Falha na computação gráfica	1	0,67	96,0
10	Correção dos erros da computação	1	0,67	96,6
11	Cronograma alterado pelo editor	1	0,67	97,3
12	Cronograma alterado pelo marketing	1	0,67	98,0
13	Cronograma alterado pela gráfica	1	0,67	98,7
14	Demissão do diagramador	1	0,67	99,3
15	Disputa legal com o diagramador	1	0,67	100,0
	Total	150	100	100

Figura 32 – Causas do estouro no orçamento da editora

A Figura 33 converte essas informações em um gráfico. Para construí-lo, faça a barra das causas em ordem decrescente de importância, coloque a frequência das causas no eixo vertical esquerdo e a porcentagem acumulada no eixo vertical direito. Esse gráfico é fácil de fazer e a síntese visual dos dados fica bastante eficaz.

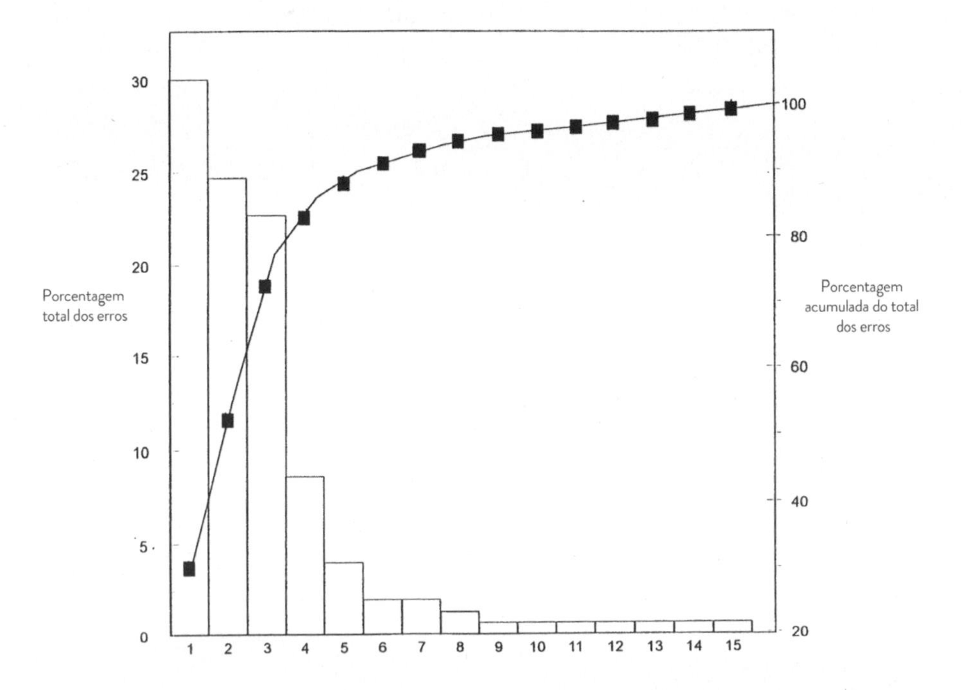

Figura 33 – Gráfico 80/20 das causas dos estouros de orçamento na editora

Podemos ver pela Figura 33 que três dos 15 problemas (exatamente 20%) provocam cerca de 80% dos estouros de orçamento. A linha do acumulado estabiliza rapidamente depois das cinco primeiras falhas, indicando que você está chegando às "muitas causas triviais".

As três principais causas relacionam-se aos autores. A editora pode resolver esse problema incluindo no contrato uma cláusula que responsabiliza os autores pelos custos extras de composição gráfica quando eles atrasam ou fazem muitas correções. Uma pequena mudança desse tipo eliminaria mais de 80% dos problemas.

Às vezes, é mais útil traçar um gráfico 80/20 com base no impacto financeiro do problema (ou oportunidade) em vez de no número de causas. O método é exatamente o mesmo.

Comparação de desempenho

O Princípio 80/20 afirma que sempre existem poucos segmentos de alta produtividade e muitos com baixa. Todas as mais eficazes técnicas de redução de custos, aplicadas ao longo das últimas décadas, utilizam esse conceito (frequentemente com um tributo consciente prestado ao Princípio 80/20) para comparar desempenhos. Para elevar o desempenho ao seu melhor nível, o ônus é colocado na maioria de retardatários (às vezes abrangendo 90%, às vezes, 75%, em geral dentro desse espectro) ou, então, são convidados a se retirar graciosamente da batalha.

Esse não é o momento para abrir espaço e falar sobre redução de custo e técnicas de agregação de valor como *benchmarking*, mais bem demonstradas na prática ou na reengenharia. Tudo isso são expansões sistemáticas do Princípio 80/20, e todas elas, se (SE maiúsculo!) perseguidas incansavelmente, podem agregar tremendo valor para os clientes. Com muita frequência, no entanto, essas técnicas se tornam o mais recente e fugaz modismo gerencial ou são adotadas em programas isolados. Teriam muito mais chance de sucesso se implementadas dentro do contexto do Princípio 80/20, que deve direcionar todas as ações radicais:

- A menor parte das atividades da empresa é útil.
- O valor entregue aos clientes raramente é mensurado e é sempre desigual.
- Grandes saltos adiante exigem mensuração e comparação do valor entregue aos clientes e quanto eles irão pagar por isso.

Conclusão: o poder da simplicidade

Como a empresa costuma desperdiçar, e a complexidade e o desperdício alimentam um ao outro, um negócio simples sempre será melhor do que um complexo. Como a escala normalmente é valiosa em qualquer grau de complexidade, é melhor ter um grande negócio. Maior e mais simples é melhor.

A maneira de ter algo ótimo é criar algo simples. Qualquer um que seja sério em relação à proposta de entregar mais valor aos clientes pode facilmente fazer isso com a redução da complexidade. Todo grande negócio está completamente lotado de passageiros, como produtos não lucrativos, processos, fornecedores, clientes e, os mais pesados de todos, os administradores. Os passageiros obstruem a evolução do comércio. O progresso requer simplicidade, e a simplicidade exige que sejamos implacáveis. Isso ajuda a explicar por que o simples é tão raro quanto bom.

CAPÍTULO 6: ATRAINDO OS CLIENTES CERTOS

Aqueles que analisam as razões de seu sucesso sabem que a regra 80/20 se aplica. Oitenta por cento do crescimento, lucratividade e satisfação resulta de 20% de seus clientes. No mínimo, as empresas deveriam identificar os 20% do topo para ter um quadro nítido dos clientes potenciais desejáveis para o futuro crescimento.

Vin Manaktala[45]

O Princípio 80/20 é essencial para a empresa realizar o tipo certo de comercialização e de marketing, em sintonia com a estratégia do negócio como um todo, incluindo o processo de produzir e entregar bens e serviços. Nós vamos mostrar aqui o Princípio 80/20 com esse objetivo, mas, antes, temos a obrigação de esclarecer muitas ideias pseudointelectuais sobre industrialização e marketing. Por exemplo: é dito com frequência que vivemos em um mundo pós-industrial, que as empresas não devem estar focadas na produção e que, em vez disso, precisam focar no marketing e nos clientes. Na melhor das hipóteses, essas afirmações são meias verdades. Uma breve incursão histórica é necessária para explicar os porquês disso.

No início, a maioria dos empreendimentos concentrava-se em seus mercados – nos clientes importantes – com pouca ou nenhuma reflexão sobre isso. O marketing como uma função ou atividade separada não era necessário, até porque os pequenos negócios tinham certeza de estar cuidando de seus clientes.

Veio então a Revolução Industrial, que criou os grandes negócios, a especialização (o exemplo de Adam Smith para uma fábrica de alfinetes), e, por fim, a linha de produção. A tendência natural de uma grande empresa era subordinar as necessidades do cliente às exigências de uma produção de massa de baixo custo. Ficou célebre a afirmação de Henry Ford de que os clientes poderiam ter o Modelo T de "qualquer cor, desde que fosse preto". Até o final da década de 1950, os grandes negócios em todo o mundo eram predominantemente voltados à produção.

É fácil para os marqueteiros e homens de negócios sofisticados de hoje zombarem do primitivismo da abordagem voltada para a produção. De fato, a abordagem fordista era a correta para a época; a missão de simplificar produtos e baixar seus custos, enquanto os tornava mais atraentes, é a fundação da nossa rica e atual sociedade de consumo. As fábricas de baixo custo produziram progressivamente mais mercadorias em categorias cada vez mais elevadas, disponibilizando-as (ou, naquela expressão medonha, tornando-as "acessíveis") a consumidores que antes estavam excluídos do mercado. A criação do mercado de massa também gerou a força do consumo que não existia anteriormente, levando a um círculo virtuoso da produção de baixo custo para o aumento do consumo, geração de mais empregos, aumento do poder de compra, ampliação do volume produzido, redução do custo unitário, elevação do consumo... e assim por diante, em uma espiral progressiva que se amplia sem ruptura.

Visto por essa perspectiva, Henry Ford não era um troglodita focado na produção: ele foi um gênio criativo que prestou um serviço relevante aos cidadãos comuns. Em 1909, disse que sua missão era "democratizar o automóvel". Naquela época, esse objetivo parecia risível, pois somente as pessoas ricas tinham carro, mas, com certeza, o Modelo T produzido em massa, vendido por uma fração do preço dos primeiros automóveis, colocou a bola em jogo. Para o bem e para o mal, e, claro, muito mais para o bem, nós desfrutamos da "cornucópia da abundância"[46] proporcionada pelo mundo fordista.

A produção em massa e a inovação não pararam com os automóveis. Muitos produtos, dos refrigeradores aos computadores, passando pelo walkman e o CD-ROM, até os atuais smartphones, não podem ser creditados à pesquisa de mercado. Ninguém no século XIX teria desejado comida congelada, porque não havia freezers para mantê-las. Todos os avanços da invenção, do fogo ao câmbio automático progressivo, foram triunfos da produção, que depois criou seus próprios mercados. E é bobagem dizer que vivemos em um mundo pós-industrial. Os serviços estão sendo industrializados agora da mesma maneira que ocorreu com os produtos físicos na chamada era industrial. O varejo, a agricultura, a produção de flores, a linguagem, o entretenimento, a educação, a limpeza, a hotelaria e até a arte da restauração gastronômica, tudo isso costumava ser domínio exclusivo de fornecedores individuais de serviços, sem industrialização e sem exportação. Agora, todas essas áreas estão sendo rapidamente industrializadas e, em alguns casos, globalizadas.[47]

A década de 1960 redescobriu o marketing e a de 1990 redescobriu os clientes

O sucesso da abordagem direcionada à produção, com seu foco na manufatura, na expansão do volume e na redução dos custos, acabou por fim por revelar suas próprias deficiências. No início da década de 1960, os professores de Administração, como Theodore Levitt, disseram aos executivos que eles deveriam se voltar para o marketing. Seu artigo legendário, "Miopia em Marketing", publicado em 1960 na *Harvard Business Review*, encorajava os industriais a "satisfazer os clientes", em vez de "produzir mercadorias". O novo evangelho foi eletrizante. Os homens de negócios correram efusivamente para conquistar os corações e as mentes dos clientes; um campo, de certa maneira, novo de estudos, a pesquisa de mercado, passou por uma enorme expansão com o objetivo de descobrir quais novos produtos os consumidores queriam. O marketing passou a ser o tema mais quente das faculdades de administração, e os profissionais da área derrubaram os executivos com experiência em produção, tornando-se a nova geração de CEOs. O mercado de massa estava morto; a segmentação de produtos e de clientes tornou-se a palavra de ordem dos sábios. Depois, a partir das décadas de 1980 e 1990, a satisfação do cliente, o foco no cliente, o encantamento do cliente e a obsessão com o cliente passaram a ser os objetivos declarados das mais iluminadas e bem-sucedidas corporações, como a Apple e a Amazon.

A abordagem do foco no cliente está certa mas é igualmente perigosa

Não há dúvidas de que é correto ser guiado pelo marketing e pelo foco no cliente. Mas essa abordagem também tem efeitos colaterais perigosos e potencialmente letais. Se a gama de produtos é estendida para muitas áreas ou se a obsessão pelo cliente leva ao recrutamento de cada vez mais consumidores marginais, o custo unitário sobe e o retorno cai. Com uma gama adicional de produtos, os custos indiretos sobem de forma expressiva como resultado do preço da complexidade. Os custos da manufatura atualmente são mais baixos que antes, e costumam representar menos de 10% do preço de venda do produto. A maior parte dos custos das empresas está fora do chão de fábrica. Esses custos podem ser elevados, caso a gama de produtos fique muito ampla.

De maneira similar, a busca por mais clientes pode elevar os custos de vendas e de marketing, levar ao aumento dos custos de logística e, com bastante frequência, e mais perigoso de tudo, baixar permanentemente os preços prevalentes de venda, não apenas para os novos clientes, mas também para os antigos.

O Princípio 80/20 é essencial aqui, pois pode oferecer uma síntese das abordagens focadas na produção e no marketing; assim, você pode se concentrar apenas naquilo que é lucrativo em marketing e lucrativo para o foco no cliente (em oposição à pouco lucrativa centralização no cliente).

O evangelho 80/20 do marketing

A empresa tem que dar foco nos mercados e nos clientes corretos, em geral, uma pequena parte daqueles que são mantidos ativos. A sabedoria tradicional de que as empresas devem ser voltadas para o marketing e centradas no cliente está somente 20% certa.

Existem três regras de ouro:

1. A área de marketing e a empresa como um todo deveriam focar a entrega de produtos e serviços fantásticos em 20% da gama existente, ou seja, aquela pequena parte que gera 80% dos lucros, depois de alocados integralmente todos os custos.
2. A área de marketing e a empresa como um todo deveriam devotar seus esforços mais extraordinários para encantar, manter para sempre e expandir as vendas para aqueles 20% dos clientes que representam 80% do faturamento e/ou dos lucros da empresa.
3. Não existe um conflito real entre produção e marketing. Você só será bem-sucedido em marketing se o que está oferecendo for diferente e, para o seu público-alvo, não puder ser obtido em nenhum outro lugar, ou se o pacote de produto/serviço/preço tiver muito mais valor do que pode ser comprado em outro lugar. É pouco provável que seja possível aplicar essas condições em mais de 20% da sua atual linha de produtos; e é provável que você tire mais de 80% de seus lucros reais desses 20%. Caso essas condições se apliquem a quase nenhuma de suas linhas de produção, a sua única esperança é a inovação. Nesse momento, os marqueteiros mais criativos devem se voltar para o produto. Toda inovação é necessariamente conduzida pelo produto. Você não consegue inovar sem um novo produto ou serviço.

Dê foco em marketing naqueles poucos segmentos lucrativos

Os produtos responsáveis por 20% de suas receitas representarão provavelmente 80% de seus lucros assim que você alocar todos os custos, incluindo os indiretos, associados a cada um. É ainda mais provável que 20% dos seus produtos gerem 80% dos seus lucros. Bill Roatch, comprador de cosméticos para a Raley's, uma rede varejista de Sacramento (Califórnia), comenta:

> Oitenta por cento do lucro deriva de 20% dos produtos. A pergunta [para um varejista] é: quanto dos 80% você consegue cortar [sem perder relevância no setor de cosméticos]... Faça a pergunta aos franqueadores de cosméticos e eles dirão que isso dói. Faça a pergunta aos varejistas e eles dirão que é possível cortar algo.[48]

A atitude lógica a adotar é expandir a área devotada aos 20% mais lucrativos e mais bem vendidos batons, e tirar da lista os produtos com o volume mais baixo de vendas. Podem ser realizadas mais promoções dentro das lojas para esses 20% mais lucrativos em cooperação com os fornecedores desses produtos top de linha. Observe que, aparentemente, sempre haverá boas razões alardeadas para explicar por que você precisa manter aqueles 80% dos produtos não lucrativos. Nesse caso, a justificativa é o medo de "perder relevância" por oferecer uma linha de produtos mais restrita. Desculpas como essa se apoiam na estranha visão de que os compradores gostam de ver muitos produtos que não têm a intenção de adquirir, distraindo-os daqueles que pretendem comprar. De qualquer forma que esse raciocínio tenha sido testado, a resposta, em 99% dos casos, é que o corte dos produtos marginais impulsiona os lucros e não prejudica a percepção do cliente nem uma vírgula.

Um fabricante de produtos de limpeza para automóveis, como ceras, polidores e outros acessórios de limpeza, vendia sua linha também nos lava-rápidos. Teoricamente, isso era lógico, já que os donos dos lava-rápidos teriam um lucro a mais com cada venda dos produtos de limpeza, simplesmente colocando um display em um espaço que não serviria a outra função. A ideia é que eles reservariam um espaço *premium* para os produtos e fariam algum esforço para vendê-los.

Mas quando a empresa de produtos de limpeza para carros foi vendida e assumiu uma nova equipe de gestão, foi conduzida uma ampla análise das vendas. Eles descobriram que "a clássica regra 80/20 se aplicava, ou seja, 80% das receitas da empresa estavam sendo realizadas em 20% dos locais de venda".[49] Quando o novo CEO verificou os 50 lava-rápidos que geravam as vendas mínimas, descobriu displays escondidos em cantos ou em outros locais ruins, que estavam maltratando e estocando mal os produtos.

O CEO passou um sermão nos donos dos lava-rápidos que não estavam vendendo bem. Disse que eles deviam arregaçar as mangas e cuidar adequadamente dos displays e dos produtos. Não adiantou nada. Em vez disso, deveria ter concentrado seus esforços naqueles 20% dos lava-rápidos que estavam vendendo melhor. O que estavam fazendo certo? Podiam fazer mais daquilo? O que tinham em comum? Como mais desses lava-rápidos poderiam ser encontrados? Como os lava-rápidos que vendiam melhor faziam parte de grandes cadeias administradas profissionalmente, ele poderia cultivar esses relacionamentos em vez de tentar melhorar o desempenho dos pequenos proprietários.

Foco apenas nos clientes certos

Por mais importante que seja dar foco nos melhores produtos, isso ainda é menos relevante do que se voltar para seus poucos melhores clientes. Muitos profissionais de marketing bem-sucedidos aprenderam essa lição. Alguns poucos casos podem ser citados. No setor de telecomunicações:

> Dirija sua atenção para onde estão as reais ameaças dos concorrentes. Na maioria das vezes, a regra 80/20 se aplica: 80% das receitas vêm de 20% dos clientes. Saiba quem são os clientes que mais geram receita e tenha certeza de estar atendendo às suas necessidades.[50]

Em gestão de contratos:

> Lembre-se da velha regra 80/20. Mantenha contato próximo com aqueles 20% dos seus clientes que representam 80% do seu negócio. Todo domingo à noite, acesse seus arquivos e mande uma mensagem, envie um cartão ou anote um lembrete para telefonar para alguém com quem não tem mantido contato faz tempo.[51]

Tradicionalmente, a American Express realiza muitas campanhas para fortalecer o relacionamento com varejistas e consumidores que geram seus volumes mais altos de transações. Carlos Viera, diretor de vendas da American Express no sul da Flórida, explica:

> É a velha regra 80/20: o filão do seu negócio está em 20% do seu mercado. Essa campanha é mais do que uma ação de relações públicas para incentivar as pessoas a jantarem mais em restaurantes.[52]

O marketing bem-sucedido não é nada além do que dar foco naquele relativamente pequeno número de clientes mais ativos ao consumir seu produto ou serviço. Alguns clientes compram muito, enquanto um grande número compra bem pouco. Os últimos podem ser ignorados. É o grupo pequeno dos bons compradores que importa: aqueles que consomem bastante e com frequência. Por exemplo: a Emmis Broadcasting, dona das estações WQHT e WRKS, realizou campanhas de marketing bem-sucedidas junto a seus maiores ouvintes para aumentar ainda mais o tempo que passavam sintonizados nas rádios:

> Em vez de passar 12 horas por semana ouvindo sua estação favorita, agora eles ouvem a rádio 25 horas por semana... Nós demos foco na regra 80/20 de consumo em todas as nossas estações... conquistamos cada ouvinte possível em nosso público alvo e a cada 15 minutos nós tiramos o melhor deles.[53]

Dar foco em 20% dos seus clientes é um grande negócio; muito mais fácil do que focar em 100% deles. Fazer a empresa atuar voltada para todos os seus consumidores é uma missão quase impossível. No entanto, dar atenção a 20% dos que mais consomem é, além de factível, bastante recompensador.

Quatro passos para se agarrar aos seus principais clientes

Você não consegue focar nos vinte por cento-chave até que saiba quem são esses clientes. As empresas com uma base finita de consumidores podem trabalhar individualmente essa identificação. Já as que vendem para centenas de milhares ou milhões de clientes precisam saber quem compõe o segmento-chave (pode ser que sejam canais de distribuição) e também o perfil de quem consome mais e com maior frequência.

Em segundo lugar, você tem de oferecer serviços excepcionais e até "chocantes" para eles. Para criar a supercorretora de seguros do futuro, o consultor Dan Sullivan aconselhou:

> Você deve construir 20 relacionamentos e atendê-los como se fosse vencer uma maratona. Não bastam serviços regulares ou bons. A prestação de serviços deve ser sensacional. Você deve se antecipar às necessidades sempre que puder e correr como os policiais da SWAT quando pedirem para que faça algo mais.[54]

A verdadeira chave é oferecer serviços surpreendentes, muito acima e além da obrigação e dos padrões dominantes no setor. Isso pode ter um custo de curto prazo, mas valerá a pena no longo prazo.

O terceiro ponto é desenhar produtos e serviços para os 20% dos principais clientes, desenvolvendo-os somente para esse grupo. Para aumentar a participação de mercado, tente, acima de tudo, vender mais para os clientes-chave já existentes. Não se trata de puro exercício de vendas, nem tampouco se trata de vender mais dos produtos já existentes para eles, embora os programas promocionais com os consumidores de alta frequência quase sempre tragam bons resultados de curto e de longo prazos.

Porém, muito mais importante do que tudo isso é aprimorar os produtos já existentes ou desenvolver outros totalmente novos, em cocriação com esse grupo de consumidores para entregar os recursos que eles querem. A inovação deve ser cultivada no relacionamento com esse público-alvo.

Finalmente, seu objetivo deve ser manter seus principais clientes para sempre. Eles são como o dinheiro no banco. Quando algum deles vai embora, sua lucratividade sofre. Segue-se a isso que todos os grandes esforços para manter os clientes-chave, como se a rentabilidade do negócio estivesse em queda, são destinados a aumentá-la substancialmente, em qualquer período de tempo. A qualidade excepcional dos serviços pode aumentar os lucros até mesmo no curto prazo, encorajando os clientes certos a comprar mais. No entanto, a lucratividade é somente um indicador que oferece uma mensuração posterior sobre a saúde do negócio. A verdadeira medida da saúde de uma empresa está na força, na profundidade e na duração de seu relacionamento com os clientes-chave.

A lealdade dos consumidores é o fator básico que conduz à lucratividade em todas as circunstâncias. Se você começar a perder os principais clientes, o negócio estará se desfazendo sob seus pés, não importa como aja para segurar a rentabilidade no curto prazo. Quando os consumidores-chave estiverem desertando, venda o negócio o mais depressa possível ou demita os gestores, ou demita a si mesmo se for o chefe, e adote todas as medidas drásticas necessárias para recuperá-los ou, pelo menos, deter a perda. Contrariamente, caso os clientes-chave estejam satisfeitos, a expansão do negócio no longo prazo estará assegurada.

Servir os 20% de clientes-chave deve ser uma obsessão da empresa inteira

Somente o foco nos 20% dos clientes-chave pode tornar o marketing um processo essencial nas empresas. Começamos essa seção tratando da mudança da abordagem da produção para o marketing. Observamos, então, que os ditos "excessos da abordagem" no marketing são resultado do foco em 100% dos clientes em vez de naqueles 20% que são chave. Para esse grupo fundamental, nenhum excesso seria exagerado demais. Você pode investir acima dos limites da sua liquidez e da sua energia, e saberá que vai obter um excelente retorno.

Sua empresa não pode focar em 100% dos consumidores; ela deve se voltar apenas para aqueles 20% essenciais. Estar centrado nesse grupo é a principal atribuição de um profissional de marketing. Esse tipo de marketing também é o principal trabalho de todos os funcionários da empresa. O cliente formará sua percepção e fará sua avaliação de acordo com os esforços de todos os funcionários, aqueles que são vistos e os que não são vistos. Nesse sentido, o Princípio 80/20 abre uma nova fronteira. Isso é central para o marketing, e torna o marketing central para a empresa, mas também faz com que o marketing seja responsabilidade de todos dentro da companhia. E, para todos os funcionários da empresa, fazer marketing significa oferecer os mais altos graus de encantamento para os 20% de clientes-chave.

Vendas

A área de vendas é a prima em primeiro grau do marketing: é a atividade de linha de frente que se comunica e – muito importante – que ouve os consumidores. O Pensamento 80/20, como veremos a seguir, é tão crucial para as vendas quanto para o marketing.

A chave para um desempenho superior em vendas é parar de pensar em termos de média e passar a aplicar o Pensamento 80/20. A ideia de *média* em vendas é bastante enganadora. Alguns vendedores ganham muito por ano, enquanto a grande maioria mal recebe poucos salários mínimos por mês. Um desempenho médio significa pouco para esses profissionais ou para seus empregadores.

Escolha qualquer força de vendas e aplique a Análise 80/20. É muito provável que você vá encontrar uma relação desequilibrada entre vendas e vendedores. A maioria dos estudos aponta que os 20% melhores vendedores geram entre 70% e 80% das vendas.[55] Para aqueles que não percebem a prevalência da relação 80/20 na vida, esse é um resultado notável. Mas para qualquer pessoa da área de negócios, essa ideia contém uma chave importante para elevar os lucros rapidamente. No longo prazo, os lucros estão vinculados com mais força a vendas do que a qualquer outra variável. Por que o Princípio 80/20 se aplica a vendas e o que podemos fazer em relação a isso?

Existem dois conjuntos de razões para as vendas variarem tanto por vendedor. O primeiro refere-se a questões diretas de desempenho da força de vendas; o segundo, a questões estruturais relacionadas ao foco no cliente.

Desempenho da força de vendas

Vamos supor que sua análise reproduziu um de nossos exemplos recentes e você descobriu que 20% do pessoal de sua força de vendas está gerando 73% do total dos resultados. O que você deveria fazer a respeito?

Um imperativo óbvio, mas negligenciado frequentemente, é *agarre-se aos vendedores de alto desempenho.* Você não deve seguir o ditado: "Em time que está ganhando não se mexe". Ao contrário, você deve garantir que o time vai continuar ganhando. A melhor atitude depois de ficar próximo de seus melhores clientes é ficar próximo de seus melhores vendedores. Mantenha-os satisfeitos, e isso não deve ser feito exclusivamente com dinheiro.

A seguir, *contrate mais profissionais de vendas com o mesmo perfil.* Isso não significa recrutar mais pessoas com as mesmas qualificações. A personalidade e a atitude podem ser muito mais importantes. Coloque suas estrelas em vendas em uma sala e trabalhe para identificar o que têm em comum. Melhor ainda, peça que o ajudem a contratar mais pessoas como eles.

Em terceiro lugar, *tente diagnosticar quando os profissionais vendem mais e o que eles fazem de diferente nesse período.* O Princípio 80/20 se aplica ao tempo tão bem quanto às pessoas: 80% dos negócios de cada um de seus vendedores são realizados provavelmente em 20% do período de trabalho deles. Tente identificar os "picos de sorte" e por que eles acontecem. Um especialista definiu muito bem esse ponto:

> Se trabalha com vendas, pense nos melhores picos de sucesso que você já teve. O que você fez de diferente naquela semana? Não sei se jogadores de futebol ou vendedores são muito supersticiosos... porém, os bem-sucedidos em cada área tendem a observar as

condições de seus períodos de melhor desempenho e tentam, tentam, tentam mantê-las imutáveis. Diferente do jogador de futebol, porém, se você é de vendas, quando estiver em um momento quente, melhor continuar trocando a roupa íntima.[56]

Em quarto lugar, *faça todo mundo adotar o método que apresenta a maior proporção de vendas por total de iniciativas*. Por vezes, é a propaganda; por vezes, visitas pessoais do vendedor; de vez em quando, uma mensagem bem focada dá certo; em outras vezes, é melhor um contato telefônico. Faça mais do que representa o seu melhor investimento de tempo e dinheiro. Você pode decidir fazer uma análise disso, mas é mais rápido e mais barato simplesmente observar como seus melhores vendedores investem o tempo.

Em quinto, *troque um time bem-sucedido de uma área por outro não tão bom de outra área*. Faça isso com uma experiência genuína: você logo vai descobrir se o time dos melhores vendedores vai conseguir superar as dificuldades estruturais ou vice-versa. Se os bons vendedores estiverem enfrentando os problemas mas a outra equipe estiver afundando as vendas, pergunte aos primeiros o que deve ser feito: a resposta pode estar em dividir e misturar as duas equipes. Assim, alguns vendedores com melhor desempenho estarão nas duas áreas.

Em uma determinada época, um dos meus clientes estava tendo um sucesso incrível nas vendas internacionais, mas o time local estava desmotivado e perdendo participação de mercado. Eu sugeri a troca das equipes. O CEO reclamou, pois o time dos negócios internacionais possuía competências de línguas que seriam desperdiçadas no trabalho local. Por fim, concordou em liberar um profissional da equipe internacional, demitiu o diretor de vendas locais e colocou o jovem vindo do exterior no lugar dele. Repentinamente, a irrefreável perda de participação de mercado foi revertida. Nem todas as histórias terão um final feliz; em vendas, porém, geralmente é verdade que nada é uma falha tão grande quanto o fracasso, e vice-versa.

Finalmente, o que falar sobre *treinamento da força de vendas*? Vale a pena investir para treinar aqueles 80% piores para elevar o grau de desempenho deles ou isso será um desperdício de tempo porque muitos estão destinados ao baixo desempenho, apesar do treinamento de vendas?[57] Como em qualquer outro tema, pergunte a si mesmo qual resposta o Princípio 80/20 lhe apresenta. Minha resposta:

- Treine somente aqueles que você tem uma razoável certeza de que planejam permanecer na empresa por vários anos.

- Coloque os melhores vendedores para dar esse treinamento e os recompense pelo futuro bom desempenho dos profissionais treinados.
- Invista a maior parte do treinamento naqueles que já melhoraram o desempenho logo após o primeiro ciclo de capacitação. Pegue os melhores 20% dos treinandos e invista neles 80% dos esforços de capacitação.

Grande parte da variação de desempenho em vendas realmente origina-se nas habilidades do profissional, mas muitas outras não. Os fatores estruturais também devem ser analisados em termos do Pensamento 80/20.

Vender não é só uma questão de boas técnicas

A Análise 80/20 pode identificar razões estruturais muito além das competências individuais. Esses fatores estruturais são, em geral, muito mais fáceis de encaminhar, e até mais recompensadores do que as questões de mérito individual. Grande parte depende dos produtos que são comercializados e dos clientes que são atendidos:

> Observe a força de vendas. Descobrimos, por exemplo, que 20% de nossos vendedores geravam 73% de nossos negócios; 16% de nossos produtos eram responsáveis por 80% das vendas; e, além disso, 22% de nossos clientes estavam produzindo 77% de nossas vendas... Olhando mais detalhadamente a força de vendas, descobrimos que Black tinha 100 contas ativas, sendo que 20 delas geravam 80% das vendas dele. Green cobria 100 áreas e descobrimos que 80% dos clientes estavam concentrados em apenas 24. White vendia 30 diferentes produtos, sendo que seis representavam 81% das vendas dela.[58]

Nós já destacamos as aplicações do Princípio 80/20 para produtos e clientes na seção dedicada ao marketing. Aos profissionais que atuam na área de vendas cabe o seguinte:

- Direcione todos os esforços dos vendedores para aqueles 20% dos produtos que geram 80% dos negócios. Certifique-se de que a venda dos produtos mais lucrativos seja quatro vezes mais recompensadora que a de qualquer um dos produtos menos lucrativos. A força de vendas deve ser premiada por vender os mais, e não os menos, lucrativos.
- Faça os vendedores colocarem foco nos 20% dos clientes que geram 80% das vendas e 80% dos lucros. Ensine a força de

vendas a classificar os clientes por vendas e lucratividade. Insista para que invistam 80% do tempo de trabalho nos melhores 20% dos clientes, mesmo que tenham de negligenciar alguns dos consumidores menos importantes.

- Gastar mais tempo com uma minoria de clientes de alto volume resultará em vendas maiores para eles. Se as oportunidades para vender mais dos produtos já existentes se esgotarem, os vendedores devem se concentrar em oferecer serviços de alta qualidade para proteger o negócio e identificar novos produtos que os consumidores desejem.
- Organize as contas de maior volume e lucratividade sob a gestão de um vendedor ou de uma equipe, não importa a geografia. Tenha mais contas nacionais e menos regionais. As contas nacionais costumam ficar vinculadas a um comprador único que tem a responsabilidade de adquirir aquele produto, não importa onde será utilizado. Por isso, é crítico ter esse comprador importante atendido de perto por um executivo nacional de vendas. Cada vez mais, as grandes contas devem ser atendidas nacionalmente por um profissional ou time dedicado, mesmo quando houver muitos pontos de compra locais. Rich Chiarello, vice-presidente sênior de vendas nos Estados Unidos da C.A. Technologies, comenta:

  > Entre as 20% maiores organizações, eu costumo fazer 80% das minhas receitas. Por isso, trato essas companhias como contas nacionais. Não me importo se um representante voa o país inteiro; ele terá a conta e nós vamos identificar cada profissional naquela organização e colocar em ação um plano para lhes vender nossos produtos.

- Reduza os custos e use o e-mail ou o telefone para as contas menos importantes. Uma reclamação frequente dos vendedores é que a redução das equipes ou o investimento de mais tempo em grandes contas resulta em áreas de responsabilidade com o dobro de clientes do que seria razoável atender. Uma solução pode ser abrir mão de algumas contas, mas isso só deve ser feito como último recurso. Com bastante frequência, uma opção melhor é centralizar 80% das pequenas contas e providenciar um serviço de telemarketing passivo. Isso oferecerá um serviço mais eficiente e mais barato do que a venda face a face.

- Finalmente, faça a força de vendas revisitar antigos clientes que já realizaram bons negócios no passado. Isso pode significar bater em velhas portas e ressuscitar antigos contatos.

  Essa é uma técnica de venda incrivelmente bem-sucedida e bastante esquecida. É bem provável que um antigo cliente satisfeito volte a comprar de você. Bill Bain, o fundador da consultoria de estratégia Bain & Company, costumava vender bíblias de porta em porta no interior do sul dos Estados Unidos. Ele conta a história de um período difícil, de quando marchava de cidade em cidade sem vender mais bíblias, até que teve uma visão ofuscante do óbvio. Ele voltou ao último cliente que havia comprado uma bíblia e vendeu mais uma para ele! Outro profissional que seguia a mesma técnica foi um dos maiores corretores de imóveis dos Estados Unidos, Nicholas Barsan, um imigrante romeno. Ele ganhava 1 milhão de dólares de comissões pessoais por ano, sendo um terço delas resultado de vendas repetidas para o mesmo cliente. Literalmente, Barsan batia em velhas portas e perguntava aos proprietários (que já eram clientes dele) se estavam prontos para vender.

Fazer uso dessas influências estruturais do tipo 80/20 pode transformar vendedores medíocres em bons profissionais, e os bons, em superestrelas. O impacto de uma força de vendas melhor nos resultados de uma empresa é imediato. Mais importante, porém, é o impacto a longo prazo na participação de mercado e no encantamento do consumidor, resultantes de uma equipe de vendas motivada, com energia e confiança, determinada a entregar o melhor ao grupo de clientes vitais, mas ainda assim com a capacidade de ouvir o que eles querem realmente.

Os poucos clientes vitais

Alguns clientes são essenciais. A maioria não é. Alguns esforços de vendas são maravilhosamente produtivos. A maioria é ineficiente. Alguns vão desperdiçar seu dinheiro.

Canalize o marketing e os esforços de vendas para onde você pode oferecer a uma minoria de clientes potenciais algo que seja exclusivo, melhor, ou que tenha mais valor do que eles poderiam obter em qualquer outro lugar; tenha certeza de que esse processo aumentará sua lucratividade. Toda empresa bem-sucedida aplica esse princípio simples e simplificador.

CAPÍTULO 7: OS DEZ MELHORES USOS DO PRINCÍPIO 80/20

A versatilidade do Princípio 80/20 é consenso: pode ser aplicado em quase qualquer área ou função para direcionar a estratégia do negócio ou melhorar os resultados financeiros. Sendo assim, a tabela com meus dez melhores usos do Princípio 80/20, mostrada na Figura 34, representa inevitavelmente uma escolha arbitrária. Ao compilar a lista, levei em conta a amplitude da aplicação histórica do conceito no mundo dos negócios, mas também minha própria opinião de seu valor potencial e ainda inexplorado.

Nos capítulos anteriores, já foram abordadas as seis aplicações mais relevantes para mim: estratégia nos Capítulos 4 e 5; qualidade e tecnologia da informação no Capítulo 3; redução de custos e melhoria dos serviços no Capítulo 5, e marketing e vendas no Capítulo 6. Agora, neste capítulo, vamos apresentar uma síntese dos outros quatro usos do Princípio 80/20 que estão na minha lista de melhores.

1	Estratégia
2	Qualidade
3	Redução de custos e melhoria dos serviços
4	Marketing
5	Vendas
6	Tecnologia da informação
7	Processo decisório e análise
8	Administração de estoque
9	Gestão de projetos
10	Negociação

Figura 34 – Os dez melhores usos do Princípio 80/20

Processo decisório e análise

Os negócios exigem que decisões sejam tomadas com frequência e rapidez. Por isso, nem sempre se tem muita ideia se as decisões são as certas ou as erradas. Desde a década de 1950, as empresas têm sido cada vez mais abençoadas – ou, se você preferir, amaldiçoadas – com cientistas em administração e gestores analíticos aninhados em faculdades e empresas de consultoria e contabilidade, capazes de gerar análises (em geral, dependentes de longa e dispendiosa coleta de dados) para mergulhar em qualquer assunto. Esse tipo de serviço é, provavelmente, um dos que mais cresceram nos Estados Unidos nos últimos cinquenta anos, sendo que essas análises foram instrumentais para alguns dos maiores triunfos norte-americanos, entre eles, a chegada do homem à Lua.

Os grandes negócios anglo-saxões levaram a análise longe demais

A análise, porém, tem seu lado sombrio: o crescimento das equipes corporativas que estão sendo apenas recentemente desmontadas de modo adequado; o entusiasmo com os últimos modismos divulgados por consultores altamente remunerados; a obsessão do mercado de ações com as análises cada vez mais sofisticadas de ganhos de curto prazo, apesar do fato de capturarem apenas uma pequena parte do valor real de uma companhia; e a aposentadoria da confiança intuitiva dos executivos na linha de frente de tantos negócios. Esta última levou não apenas à realidade tão difundida do clichê, "a análise paralisa", mas também à mudança para pior do perfil daqueles que estão à frente das grandes corporações ocidentais. A análise tem direcionado nossa visão, mas também tem expulsado os visionários do posto de CEO.

Em resumo, você pode ter demais de algo muito bom, e não há dúvida de que os Estados Unidos e o Reino Unido exibem uma estranha má distribuição da análise: o setor privado tem muito mais do que precisa e o setor público, muito pouco. Nossos grandes negócios necessitam de muito menos em quantidade, mas muito mais em análises úteis.

O Princípio 80/20 é analítico, mas coloca a análise em seu lugar

Lembre-se dos principais fundamentos do Princípio 80/20:

- A doutrina dos poucos vitais e dos muitos triviais: existem somente alguns poucos fatores que produzem resultados importantes.

- A maioria dos esforços não chega aos resultados pretendidos.
- O que você vê, em geral, não é o que existe: há forças subterrâneas em ação.
- Em geral, é complicado e enfadonho trabalhar com o que está acontecendo, mas isso é também desnecessário: tudo o que você precisa saber é se algo está funcionando ou não e mudar a combinação de recursos até que esteja; então, mantenha a combinação constante até que pare de funcionar.
- A maioria dos bons eventos acontece por causa de uma minoria de forças altamente produtivas; a maioria dos maus eventos ocorre por causa de uma minoria de forças altamente destrutivas.
- A maioria das atividades, em conjunto e individualmente, é um desperdício de tempo. Não dará contribuição material para alcançar os resultados desejados.

Cinco regras para tomar decisões com o Princípio 80/20

A primeira regra afirma que *poucas decisões são muito importantes*. Antes de tomar qualquer decisão, imagine-se diante de duas bandejas, como aquelas colocadas sobre as mesas para entrada e saída de documentos. Em uma das suas bandejas imaginárias vai estar marcado "Decisões importantes" e na outra, "Decisões sem importância". Mentalmente, faça a classificação, lembrando-se que somente uma em vinte provavelmente irá para a bandeja das "Decisões importantes". Não sofra em relação às decisões sem importância e, acima de tudo, não invista tempo e dinheiro em análises. Se possível, delegue todas elas. Se não for possível, tome as decisões que têm 51% de chance de estar certas. Se não for possível tomar as decisões tão rapidamente, jogue uma moeda para cima.

A segunda regra define que *as decisões mais importantes frequentemente são aquelas tomadas para corrigir omissões*, porque os sinais chegaram e foram embora sem ser percebidos. Por exemplo, seus líderes de vendas se demitiram porque você não esteve bastante próximo deles para perceber e corrigir a insatisfação. Ou seus concorrentes desenvolveram um novo produto que você considera malconcebido, e por isso acha que nunca será uma ameaça. Ou você perdeu a posição de líder em participação de mercado sem perceber, porque os canais de distribuição mudaram. Ou você inventou um ótimo produto e alcançou um sucesso modesto, enquanto alguém chegou também e ganhou milhões produzindo loucamente algo parecido. Ou o nerd que trabalhava para você em Pesquisa & Desenvolvimento cansou e foi embora fundar o novo Facebook ou Google, ou o seu maior concorrente na área.

Quando esse tipo de situação acontece, não há dados e análises que possam ajudar você a perceber o problema ou a oportunidade. O que você precisa é de intuição e de visão: é preciso fazer as perguntas certas em vez de buscar as respostas corretas para as perguntas erradas. A única maneira com uma chance razoável para detectar os sinais críticos de virada de uma situação é se colocar acima de todos os dados e análises uma vez por mês e se fazer perguntas como:

- Que oportunidades e problemas desconhecidos, que podem potencialmente ter consequências drásticas, estão se formando sem que eu perceba?
- O que está funcionando bem quando não deveria ou, pelo menos, não se previu que fosse assim? O que nós oferecemos despropositadamente aos clientes, mas por alguma razão eles estão gostando muito?
- Há algo que está mal encaminhado e achamos que conhecemos a razão, mas podemos estar totalmente errados?
- Já que algo sempre está acontecendo sob a superfície, sem que ninguém perceba, o que pode ser dessa vez?

A terceira regra é para as decisões importantes: *Reúna 80% das informações e realize 80% das análises relevantes em 20% do tempo disponível; então, tome uma decisão 100% do tempo e aja decididamente, como se tivesse 100% de certeza de que aquela é a decisão correta.* Se ajudar a memorizar, chame essa regra de 80/20/100/100 do processo decisório.

A quarta é a seguinte: *Se o que você decidiu não está funcionando, mude de ideia logo e não tarde demais.* O mercado, em seu sentido mais amplo – o que funciona na prática –, é um indicador muito mais confiável do que toneladas de análises. Portanto, não tenha medo de experimentar e não insista com soluções fracassadas. Não brigue com o mercado.

Finalmente, *quando algo estiver dando certo, dobre e redobre a aposta.* Você pode não saber por que aquela iniciativa está funcionando bem, mas pise no acelerador enquanto as forças do universo estão abençoando seu caminho. Os investidores em participações de capital sabem disso. A maioria dos investimentos de suas carteiras não corresponde às expectativas, mas eles são redimidos por alguns poucos que vão além de seus sonhos mais loucos. Quando uma empresa desempenha abaixo do orçamento, você pode ter certeza de que tem nas mãos um negócio modesto.

Quando o desempenho supera consistentemente as expectativas orçadas, existe pelo menos uma boa chance de que o negócio possa ser multiplicado por dez ou até por cem vezes. Nessas circunstâncias, a maioria das pessoas se contenta com um crescimento modesto. Aqueles que agarram a chance tornam-se extremamente ricos.

Administração de estoque

Vimos no Capítulo 5 que a simplicidade exige poucos produtos. A administração de estoque é outra disciplina-chave que se beneficia do Princípio 80/20. A boa gestão do inventário, de acordo com esse conceito, é vital para a lucratividade e para a liquidez; também é uma forma excelente de verificar se um negócio está buscando a simplicidade ou a complexidade.

Praticamente todas as empresas têm muito estoque, em parte porque oferecem muitos produtos e em parte porque contam com muitas variantes de cada produto. A medida utilizada aqui é a Unidade de Quantificação de Estoques (UQE), com uma unidade para cada variante.

Quase sempre os estoques seguem algum tipo de distribuição 80/20, ou seja, cerca de 80% do estoque só contribui para 20% do volume ou das receitas. Isso significa que os produtos que demoram mais para serem usados ou vendidos são muito dispendiosos e drenam a liquidez, envolvendo, além disso, provavelmente os produtos já menos lucrativos.

Posso mencionar dois exemplos recentes de revisão de estoque. Em um deles, chegou-se ao seguinte:

> Após analisar os dados, a regra 80/20 de Pareto mostrou-se perto do real: 20% das UQEs escolhidas representaram 76% do volume diário. Essas amostras eram basicamente caixas cheias e, em geral, havia necessidade de várias caixas para formar uma UQE. Os restantes 80% das UQEs eram responsáveis por somente 25% do volume diário. Essas amostras representaram apenas umas poucas peças de UQE por dia.[59]

São aqueles 20% muito lucrativos e aqueles 80% não lucrativos. Outro exemplo vem de um armazém de produtos eletrônicos; antes de adotar a iniciativa, foi decidido avaliar em primeiro lugar se o estoque existente estava correto: um estudo preliminar demonstrou que a regra

80/20 não se aplicava. Em vez de 20% das UQEs serem responsáveis por 80% da atividade do armazém, somente 0,5% (apenas 144 UQEs) respondiam por 70% da atividade.[60]

De novo, embora eu não saiba nada sobre os produtos, é uma aposta segura afirmar que aqueles 0,5% máximos de UQEs por volume são muitos mais lucrativos do que os restantes 95,5%.

Um exemplo que foi muito importante para mim, pois corrigi-lo me fez ganhar muito dinheiro, ocorreu na Filofax.[61] Meu sócio naquela época, Robin Field, é quem conta o caso:

> Embora o design e os recursos da Filofax tenham permanecido estáticos [no final da década de 1980], a linha de produtos havia se expandido além do controle. O mesmo fichário básico estava disponível em uma atordoante variedade de tamanhos e com uma ampla diversidade de revestimentos, a maioria exótica. Diga o nome de um animal e a Filofax teria encomendado milhares de fichários com esse tipo de couro. Tudo orgulhosamente incluído no catálogo e escondido no estoque. Não sei o que é um karung,[62] mas herdei uma enorme quantidade dessa pele em 1990. Da mesma maneira, escolha um tema: pontes, xadrez, fotografia, observação de pássaros, windsurf... A Filofax havia encomendado várias divisórias especializadas e tinha dezenas de milhares delas impressas e guardadas no estoque... O resultado foi, claro, um enorme excesso de estoque sem valor, que não apenas sobrecarregava a área administrativa com sua complexidade, mas criava uma enorme confusão com os varejistas.[63]

Embora a administração do estoque seja vital, existem apenas quatro pontos-chave para fazer isso. A questão mais estratégica – elimine radicalmente seus produtos não lucrativos – já foi abordada no Capítulo 3.

Para qualquer número dado de produtos, você deve reduzir a quantidade de variantes, começando pelas que mais demoram a sair do estoque. Simplesmente, corte-as da gama de produtos, como fez a Filofax. Não ouça ninguém que lhe diga que os produtos que demoram a sair são realmente necessários. Se fosse assim, eles sairiam muito mais depressa.

Tente repassar o problema e o custo da administração do estoque para outros segmentos da cadeia de valor, para seus fornecedores ou para seus consumidores. A solução ideal é que os estoques nunca fiquem próximos às suas instalações. Com a moderna tecnologia da informação, isso se torna cada vez mais possível e pode elevar o padrão do serviço, enquanto reduz custos simultaneamente.

Finalmente, se você tem mesmo de manter uma determinada quantidade de estoque, existem algumas táticas para aplicar o Princípio 80/20 para cortar custos e acelerar a logística:

> A regra 80/20 é confiável em muitas aplicações, o que significa dizer que 80% das atividades envolvem somente cerca de 20% do estoque. As áreas antes divididas por tamanho e peso podem agora ser divididas pelo número das peças e distribuídas por alta e baixa atividade. Em geral, os itens que entram e saem mais depressa devem ficar armazenados próximo à região dos ombros ao quadril para minimizar o movimento do operador e reduzir a fadiga.[64]

Administração de estoque no futuro

Apesar daquela imagem histórica do profissional com avental e da sala empoeirada, a administração de estoques é uma área interessante que está evoluindo depressa. "O estoque virtual", com pedidos de processamento on-line, está se disseminando, o que reduz os custos e também melhora a prestação de serviço para distribuidores e consumidores. Empresas inovadoras como a Amazon e a Baxter International na área de abastecimento de hospitais estão sendo muito bem-sucedidas com sistemas que têm "intimidade" com o estoque dos clientes. Em todos esses casos, a evolução está sendo direcionada pelo foco: foco nos clientes mais importantes, foco em uma linha mais simples de produtos, simples de administrar e simples de entregar.

O Princípio 80/20 também está muito bem e vivo no componente cada vez mais importante da criação de valor corporativo: a gestão de projetos.

Gestão de projetos

As estruturas administrativas estão sendo expostas como inadequadas e prejudiciais; em geral, mais destroem do que agregam valor. Uma maneira de eliminar ou deter as estruturas, e assim criar valor para clientes importantes, é o projeto. Muitas das pessoas mais energizadas dos negócios, do presidente executivo para baixo, não têm realmente uma tarefa: em vez disso, eles coordenam projetos.

A gestão de projeto é uma atividade peculiar. Por um lado, um projeto envolve um time: é um arranjo cooperativo e não hierárquico. Mas, por outro lado, os integrantes da equipe não sabem integralmente o que fazer, pois o projeto exige inovação e arranjos com propósitos temporários específicos (*ad hoc*). A arte do gestor de projetos é conseguir focar todos os membros da equipe nas poucas ações que realmente interessam.

Simplifique o objetivo

Primeiro, simplifique a tarefa. Um projeto não é apenas um projeto: quase invariavelmente, um projeto é um conjunto de projetos. Talvez haja um tema e várias questões satélite. Por outro lado, pode haver três ou quatro temas empacotados em um mesmo projeto. Pense em qualquer projeto com o qual esteja familiarizado e você vai entender meu argumento.

Os projetos obedecem à lei da complexidade organizacional. Quanto maior o número de objetivos de um projeto, maior o esforço para atingi-los satisfatoriamente, e essa relação é geométrica, não proporcional. Oitenta por cento do valor de qualquer projeto resultará de 20% das atividades realizadas; e as outras 80% serão realizadas em favor da desnecessária complexidade. Dessa forma, não dê início ao seu projeto antes de dissecá-lo em partes para definir um único objetivo. Abandone as malas.

Imponha um cronograma impossível

Isso vai assegurar que a equipe do projeto realize apenas as atividades de alto valor:

> Diante de um cronograma impossível, os integrantes do time irão identificar e implementar aqueles 20% das atividades que entregam 80% dos benefícios. Novamente, é a inclusão de diferenciais "bons de ter" que transformam projetos potencialmente positivos em catástrofes desastrosas.[65]
>
> Imponha metas de superação. Situações desesperadas inspiram soluções criativas. Peça um protótipo em quatro semanas. Demande um produto piloto em três meses. Isso fará com que a equipe de desenvolvimento aplique a regra 80/20 e realmente faça acontecer. Assuma riscos calculados.[66]

Planeje antes de agir

Quanto menos tempo for deixado para o projeto, maior deve ser a proporção de horas dedicadas ao detalhamento do planejamento e à reflexão prévia. Quando eu era sócio na consultoria de gestão Bain & Company, nós conseguimos provar conclusivamente que os melhores projetos que realizamos – aqueles com o mais alto grau de satisfação do cliente e dos consultores, com o menor tempo investido e as margens mais altas – foram os que tiveram a maior proporção de tempo para o planejamento em relação às horas de execução.

Na fase do planejamento, escreva todas as questões críticas que você está tentando resolver (se houver mais que sete, corte as menos importantes). Construa hipóteses para as respostas, mesmo que sejam pura adivinhação (mas faça suas melhores adivinhações). Reúna as informações de que necessita ou conclua os processos de que precisa para resolver se suas adivinhações estavam certas ou erradas. Decida quem vai fazer o quê e quando. Depois de intervalos curtos, replaneje com base no seu novo conhecimento e nas divergências com suas adivinhações prévias.

Estruture antes de implementar

Se o projeto envolver especialmente a estruturação de um produto ou serviço, assegure-se de que tem a melhor resposta possível na fase de design antes de começar a implementação. Outra regra 80/20 diz que 20% dos problemas com um projeto de design causam 80% dos custos ou excedentes; e 80% desses problemas críticos surgem na fase de design, sendo bastante dispendiosos para corrigir mais tarde, exigindo gigantesco retrabalho e, em alguns casos, inclusive, a reformulação de ferramentas.

Negociação

A área de negociação completa a minha lista com os dez melhores usos do Princípio 80/20 nos negócios. Não é surpresa que a negociação seja muito estudada. O Princípio 80/20 acrescenta somente dois pontos, mas podem ser cruciais.

Poucos pontos realmente importam em uma negociação

Vinte por cento ou menos das questões em discussão vão representar 80% do valor de uma disputa de território. Talvez você ache que isso será óbvio para os dois lados, mas as pessoas gostam de ganhar pontos, mesmo que sejam completamente desimportantes. Da mesma forma, elas reagem às concessões, mesmo as mais triviais.

Sendo assim, logo no início de uma negociação, faça uma longa lista com suas preocupações e exigências mais espúrias, fazendo com que pareçam ser muito importantes. Esses pontos, no entanto, devem ser inerentemente não razoáveis ou, pelo menos, difíceis de conceder, sem que a outra parte realmente sinta-se atingida (de outra maneira, vai ganhar crédito por ser flexível e conceder naquelas questões). Então, na fase final da negociação, você pode conceder pontos desimportantes para você em troca de mais uma parcela de questões relevantes.

Por exemplo, imagine que você está negociando com um único fornecedor o preço dos cem componentes de um produto-chave que você fabrica. Oitenta por cento do custo de qualquer produto está em 20% de suas partes. Você deveria se preocupar, na verdade, apenas com o preço de 20% dos componentes. Mas se você ceder ao preço pedido pelos outros 80% das partes muito cedo na negociação, vai perder fichas de barganha valiosas. Portanto, você deve construir razões para negociar os preços de alguns dos oitenta componentes desimportantes, talvez exagerando o número de unidades de seu provável futuro consumo.

Não chegue ao máximo muito cedo

Em segundo lugar, geralmente, observa-se que as negociações são uma falsa guerra que só se torna séria realmente quando o prazo se aproxima do final:

> Também parece ser verdade que, por conta da incrível pressão que o tempo pode colocar em uma negociação, 80% das concessões vão ocorrer nos últimos 20% do tempo disponível. Se as exigências forem apresentadas muito cedo, nenhum dos lados pode estar disposto a ceder, e a transação inteira pode fracassar. Mas se as demandas ou problemas adicionais surgirem nos 20% finais do tempo disponível da negociação, então as duas partes vão se mostrar mais flexíveis.[67]

Pessoas impacientes não fazem boas negociações.

Como garantir um aumento de salário

Orten Skinner dá um exemplo interessante de como se beneficiar do Princípio 80/20:

> Oitenta por cento das concessões serão feitas nos últimos 20% do tempo da negociação. Se sua reunião para pedir um aumento longamente adiado está marcada para as 9 da manhã e você sabe que seu

supervisor tem outro compromisso às 10, espere até os momentos críticos por volta das 9h50. Mantenha seu ritmo de acordo com essa ideia. Não faça o pedido de aumento cedo demais, permitindo que seu supervisor aja com complacência cortês.[68]

Além dos 10 melhores usos

A essa altura, você já deve ter percebido que o Princípio 80/20 se encaixa em qualquer assunto. Esse conceito deriva da vívida realidade por trás das pessoas e dos negócios, porque está por trás do mundo em que as empresas operam. O Princípio 80/20 é tão constante porque é um reflexo das forças mais profundas que regulam nossa existência. Está na hora de unificar essas duas vertentes.

O Princípio 80/20 oferece a você um radar e um piloto automático. O radar lhe dá a consciência da visão: ajuda a identificar as oportunidades e os perigos. O piloto automático permite que você circule por sua arena de negócios, conversando com os clientes e todas as pessoas que possam ser importantes, com a tranquilidade de ainda estar no controle do próprio destino.

A lógica do Princípio 80/20, com seus poucos e simples pontos, deve ser apoderada e internalizada; assim, podemos pensar e agir 80/20 em qualquer situação.

A minoria é sempre mais importante que a maioria

Embora de início seja difícil de acreditar, isso é invariavelmente verdade. A menos que tenhamos os números ou o Pensamento 80/20 para nos guiar, a maioria das questões sempre parecerá mais importante do que aquela minoria que realmente tem relevância. Mesmo que esse ponto seja aceito por nossa mente, é difícil dar o próximo salto focado na ação. Mantenha os "poucos vitais" em primeiro plano no seu cérebro, e esteja sempre revendo se investe mais tempo e esforço nos poucos vitais do que nos muitos triviais.

O progresso significa realocar os recursos para os usos de alto valor

Como os empreendedores individuais, os mercados livres trocam os recursos das áreas de baixa produtividade para aquelas com alta produtividade e rentabilidade. Mas nem os mercados e nem os empreendedores, para não mencionar as ultracomplexas burocracias corporativas e governamentais, fazem isso muito bem. Existe sempre um rastro de desperdício, em geral, um rastro bem longo, no qual 80% dos recursos acabam produzindo 20% do valor. Isso sempre cria oportunidades de arbitragem para os empreendedores genuínos. O escopo da arbitragem empresarial é sempre subestimado.

Poucas pessoas adicionam a maior parte do valor

As melhores pessoas – ou seja, aquelas que se ajustam melhor ao que fazem e fazem o que gera mais dinheiro – produzem enormes excedentes, em geral, bem maiores do que podem receber como recompensa. Normalmente, existem bem poucas pessoas assim. A maioria acrescenta pouco mais do que pode receber. A grande minoria (com frequência, ainda a maioria) retira mais do que contribui. Essa alocação equivocada dos recursos é enorme nas grandes e mais diversificadas empresas.

Qualquer negócio gigante possui uma conspiração organizada para atribuir recompensas erroneamente. Quanto maior e mais complexa a empresa, mais amplo o sucesso dessa conspiração. Quem trabalha nas grandes empresas ou tem uma longa relação com esse tipo de estrutura, sabe que alguns poucos funcionários são valiosos. Eles agregam valor muito além do que custam. Muitos empregados são passageiros, adicionando menos valor do que custam. Alguns, talvez entre 10 e 20%, subtraem valor, até ignorando sua remuneração.

Há muitas razões para que isso aconteça: a dificuldade de mensurar o desempenho real, a habilidade política – ou falta dela – dos executivos, a dificuldade de erradicar a tendência de favorecer a quem gostamos, a ridícula mas dominante ideia de que o cargo deve contar tanto ou mais que o desempenho individual, e a simples tendência humana ao igualitarismo, com frequência sustentada no legítimo desejo de estimular o trabalho do grupo. O desperdício e a ociosidade gravitam onde a complexidade e a democracia se encontram.

Certa vez, sugeri ao gestor de um banco de investimentos como dividir sua extremamente grande cota de bônus anual. Meu cliente, um empresário muito rico que se fez sozinho, tinha como fonte de prazer e de sucesso a capacidade de identificar e explorar as imperfeições do mercado. Ele acreditava apaixonadamente no mercado. Também sabia que dois profissionais entre as centenas que estavam na cota do bônus foram responsáveis por mais de 50% de todo dinheiro ganho pelo negócio naquele último ano; na sua área de atuação isso era fácil de medir. Mas quando sugeri dar mais da metade da cota de bônus para aquelas duas pessoas, ele ficou horrorizado.

A seguir, discutimos o caso de um executivo que nós dois sabíamos que estava subtraindo valor em vez de agregar (mas era muito querido e agia de forma extremamente política e astuta dentro do banco). "Por que não cortar todo o bônus dele?", eu sugeri. De novo, meu amigo nem queria pensar nisso: "Puxa, Richard, eu já reduzi o bônus dele a um terço do que foi no ano anterior e não ouso cortar mais". Embora, naquele caso, o executivo devesse estar pagando para trabalhar no banco, felizmente a conversa teve efeito: o bônus foi cortado a zero. O executivo, então, foi transferido para uma função na qual passou a agregar valor.

Os sistemas contábeis são o inimigo das remunerações justas porque são absolutamente brilhantes para esconder onde o dinheiro está sendo realmente gerado. É por isso – fragilidade humana à parte – que o desequilíbrio entre desempenho e recompensa é maior nas empresas grandes e complexas do que nos pequenos negócios. O empreendedor com quatro empregados sabe quem está fazendo dinheiro para a empresa e quanto; não precisa de um departamento financeiro para fazer o cálculo. Nas grandes companhias, o CEO precisa confiar nos dados equivocados da contabilidade e no filtro oferecido pelo gestor da área de recursos humanos; não surpreende que ali os profissionais com o melhor desempenho recebam menos do que deveriam, e a maioria dos gerentes medíocres terminem com mais do que merecem nas mãos.

As margens variam amplamente

As margens – entre valor e custo, entre esforço e recompensa – são sempre amplamente variáveis. As atividades com margem alta constituem uma pequena parte, mas são a maioria do total de margens. Se nós não interferirmos na alocação natural dos recursos, esse desequilíbrio vai se tornar ainda mais acentuado. Mas enterramos nossa cabeça na areia, e, de modo conveniente, os sistemas contábeis oferecem infinitas praias especificamente com esse propósito. Nós nos recusamos a admitir a realidade de que a maioria do que fazemos (nós e nossa empresa) vale muito menos do que a minoria das atividades com alta margem.

Os recursos são sempre mal alocados

Nós também investimos muitos recursos em atividades de baixa margem e poucos em atividades com alta margem. Assim, apesar de nossos melhores esforços, as atividades com alta margem continuam florescendo, enquanto as atividades subsidiadas falham ao gerar seu próprio pico de desempenho. Quando há recursos disponíveis, por causa da boa situação criada pelas atividades de alta margem, aquelas com baixa margem consumirão mais e mais insumos, enquanto contribuem pouco, zero ou geram excedentes negativos para reinvestimento.

Ficamos continuamente surpresos por ver como as melhores atividades mostram bom desempenho e como as áreas problemáticas demoram a reverter a situação. Em geral, as últimas nunca chegam a essa reversão. Quase sempre demoramos tempo demais para perceber isso e apenas a intervenção de um novo chefe, uma crise ou um consultor de gestão consegue fazer com que tomemos a iniciativa que já deveria ter sido adotada no passado.

O sucesso é subestimado e pouco celebrado

O sucesso é desvalorizado, pouco celebrado e pouco compreendido. Geralmente, é encarado como um lance de sorte. Mas a sorte, assim como os acidentes, não ocorre com a frequência que imaginamos. “Sorte” é a palavra que usamos para o sucesso que não compreendemos. Por trás da sorte existe sempre um mecanismo altamente eficaz gerando excedentes, apesar de não conseguirmos notá-lo. Como não acreditamos na nossa “sorte”, falhamos em multiplicá-la, deixando de nos beneficiar do valor criado pelos círculos virtuosos.

O equilíbrio é ilusório

Nada dura para sempre e nada se mantém em equilíbrio. A inovação é a única constante. Sempre existem resistências e adiamentos, mas a inovação quase nunca é extinta. A inovação bem-sucedida é altamente mais produtiva do que o *status quo*, que existe para ser superado. A partir de um determinado ponto, o *momentum*[69] da inovação eficaz se torna irreversível. O sucesso pessoal, corporativo e nacional não reside na invenção ou na criação da inovação comercializável, mas na identificação do ponto em que a inovação está prestes a se tornar irreversível e, então, na capacidade de surfar nela com todo seu valor.

As mudanças são necessárias para a sobrevivência. As mudanças construtivas exigem visão daquilo que é mais eficaz e foco na trajetória vencedora.

Todos os grandes vencedores começam pequeno

Finalmente, tudo o que é grande sempre deriva de algo que começou pequeno. Pequenas causas, pequenos produtos, pequenas empresas, pequenos mercados, pequenos sistemas: com frequência, tudo isso é o início de algo grande, embora seja raro vermos dessa forma. Em geral, nossa atenção é atraída pela massa já existente, não pela tendência evidente dos pequenos fenômenos. Costumamos notar algo apenas depois que já se tornou grande, quando o crescimento já está desacelerando. As fortunas são feitas por aquelas poucas pessoas que conseguem descobrir o crescimento quando ainda é pequeno e está em aceleração. Mesmo quem está vivenciando o crescimento raramente consegue perceber seu significado ou o potencial para enriquecer.

Pare de pensar 50/50

Nós precisamos de um programa gigantesco de reeducação para pararmos de pensar 50/50 e começarmos a pensar 80/20. O quadro a seguir contém algumas dicas:

- Pense de modo estranho. Suponha que 20% é igual a 80%. Suponha que 80% é igual a 20%.
- Busque o inesperado. Imagine que 20% leva a 80% e que 80% resulta em 20%.
- Espere que tudo – seu tempo, sua organização, seu mercado e cada pessoa ou negócio com que se deparar – tem qualidade em 20%: a essência, a força, o valor, uma pequena parte substancialmente boa escondida na massa de mediocridade. Busque esses 20% poderosos.
- Busque os 20% subterrâneos e invisíveis. Eles estão lá, então encontre-os. Sucessos inesperados são uma dádiva. Se uma atividade empresarial for bem-sucedida além das expectativas, esse é um resultado do tipo 20%, e há muito mais a explorar.
- Vislumbre que os 20% de amanhã serão diferentes dos 20% de hoje. Onde está o germe, a semente dos 20% de amanhã? Onde está o 1% que crescerá até 20% e que valerá 80%? Onde estão os 3% que no último ano foram 1%?
- Desenvolva uma estrutura mental para bloquear os 80%: a resposta fácil, a realidade óbvia, a massa evidente, o responsável

atual, a sabedoria tradicional, o consenso prevalente. Nada disso é o que parece ou vale seu peso no vil metal. Esses 80% são borrões enormes na superfície, que impedem você de ver os 20% submersos. Olhe em volta dessas manchas horrorosas, olhe por cima, por baixo e através delas. Apesar de fazer isso, ignore-as, finja que não existem. Liberte sua visão para buscar aqueles esquivos 20%.

Figura 35 – Como pensar 80/20

Os psicólogos nos dizem que os pensamentos e as atitudes podem ser mudados com a ação apropriada e vice-versa. Assim, a melhor maneira de começar a pensar 80/20 é começar a agir 80/20, da mesma forma que a melhor maneira de começar a agir 80/20 é começar a pensar 80/20. Você deve tentar pensar e agir em conjunto. O quadro da Figura 36 contém dicas de como agir 80/20.

- Toda vez que identificar uma atividade 20%, corra, abra os braços para ela, mergulhe, patenteie, torne-se um especialista, um adorador, um pastor, um sócio, um criador, um propagandista e um aliado indispensável. Tire o máximo disso. Se o máximo parecer mais do que pode imaginar, multiplique sua imaginação.
- Use todos os recursos à sua disposição – talento, dinheiro, amigos, parceiros de negócios, força de persuasão, crédito, estrutura, tudo o que tenha ou precise se apropriar – para apreender, ampliar e explorar qualquer desses 20% que passem pela sua frente.
- Faça alianças intensivamente com outras pessoas, mas só seja aliado das pessoas 20% e daqueles 20% que serão aliados poderosos. Depois, tente aliar a sua aliança a outras pessoas e oportunidades 20%.
- Explore a arbitragem. Sempre que puder, transfira recursos das atividades 80% para aquelas que são 20%. O lucro derivado disso é enorme porque é arbitragem altamente alavancada. Você usa o que não é muito valioso para produzir algo que é enormemente valioso, ganhando nas duas pontas da transação. Existem dois meios principais para essa arbitragem: pessoas e

dinheiro ou ativos que representem dinheiro ou possam ser transformados em dinheiro. Mova 20% das pessoas (inclusive você mesmo) para longe das atividades 80% e as coloque para realizar aquelas 20% lucrativas. Mova o dinheiro para longe das atividades 80% e o coloque naquelas 20%. Se possível e se não for muito arriscado, use alavancagem (financiamento) no processo. Caso esteja realmente transferindo 80% para as atividades 20%, o risco é muito mais baixo do que aquele geralmente percebido. Há duas maneiras de alavancar dinheiro. Uma é emprestando e a outra é usando o dinheiro de outras pessoas, mas na forma de participação e não de financiamento. O dinheiro dos outros, usado para atividades 80%, é viciante, perigoso e muito arriscado. Já o dinheiro dos outros, quando aplicado nas atividades 20%, cria vencedores e, de forma justa, torna você o maior deles.

- Inove nas atividades 20%. Roube ideias 20% de tudo que puder: outras pessoas, outros produtos, outros setores, outras esferas intelectuais, outros países. Aplique-as no seu próprio quintal 20%.
- Corte impiedosamente as atividades 80%. O tempo 80% expulsa o 20%. Os aliados 80% ocupam espaço que deveria ser dos 20%. Os ativos 80% prejudicam os resultados dos fundos 20%. As relações de negócios 80% impedem as 20%. Estar em organizações e lugares 80% não deixa que você esteja naqueles 20%. Morar em um lugar 80% evita que você se mude para um 20%. A energia mental gasta em atividades 80% deixa de ser investida em projetos 20%.

Figura 36 – Como agir 80/20

Então, é isso: pense 80/20 e aja 80/20. Aqueles que ignoram o Princípio 80/20 estão condenados aos retornos médios. Aqueles que aplicam esse conceito recebem o bônus por suas conquistas excepcionais.

Na terceira parte

O Princípio 80/20 provou seu valor nos negócios, ajudando as empresas do Ocidente e da Ásia a alcançarem resultados surpreendentes. Mesmo aquelas pessoas que não gostam do universo corporativo ou nem conhecem esse conceito foram atingidas pelo progresso conquistado por quem aplica o Princípio 80/20.

É que se trata de um conceito tirado da vida e não dos negócios. Pode ser aplicado nas empresas porque reflete como o mundo funciona, não porque haja algo nos negócios que se ajuste particularmente ao Princípio 80/20. Em qualquer situação, o princípio é verdadeiro ou falso; sempre que foi testado – dentro ou fora da arena dos negócios – funcionou igualmente bem. No entanto, foi posto à prova com muito mais frequência nos domínios empresariais.

Está mais do que na hora de libertar a força do Princípio 80/20 e aplicá-lo além do mundo dos negócios. As empresas e o sistema capitalista são estimulantes e representam uma parte importante da vida, mas são basicamente procedimentos; o envelope da vida, mas não seu conteúdo. A parte mais preciosa está na vida interior e exterior dos indivíduos, nos relacionamentos pessoais e nas interações e valores da sociedade.

A Parte 3 busca relacionar o Princípio 80/20 com nossas próprias vidas, com nossas conquistas e felicidade. É mais especulativo e menos comprovado do que os pontos que abordamos até agora, mas é potencialmente até mesmo mais importante. O leitor é convidado a colaborar na expedição pelo desconhecido que estamos prontos para começar.

Parte 3

TRABALHE MENOS, GANHE MAIS E DIVIRTA-SE MAIS

CAPÍTULO 9: LIBERTE-SE

O Princípio 80/20, assim como a verdade, pode libertar você. É possível trabalhar menos. E, ao mesmo tempo, você poderá ganhar mais e se divertir mais. O único preço é que você tem de aplicar seriamente o Pensamento 80/20. Isso se desdobra em alguns pontos-chave, mas se você aplicá-los, poderão mudar a sua vida.

Essa mudança pode ocorrer sem a bagagem da religião, ideologia ou qualquer outra visão imposta externamente. A beleza do Pensamento 80/20 está no fato de que é pragmático, gerado internamente e centrado no indivíduo.

Há um pequeno truque. *Você* tem que agir de acordo com o pensamento. Deve absorver, digerir e elaborar o que está escrito aqui para os seus próprios propósitos. Mas isso não deve ser muito difícil.

As ideias derivadas do Pensamento 80/20 são poucas em número, mas muito poderosas. Nem todas elas se aplicam a todos os leitores. Então, quando achar que sua experiência é diferente, siga para a próxima ideia que combine mais com sua posição.

Torne-se um pensador 80/20 começando por sua própria vida

Minha ambição não é lhe oferecer algumas ideias do Pensamento 80/20 para que você as formate para aplicar em sua própria vida. Na verdade, eu sou muito mais ambicioso do que isso. Quero que você se aferre à natureza do Pensamento 80/20 e assim possa desenvolver suas próprias ideias – particulares e gerais – que não tenham sequer passado por minha cabeça. Quero alistar você no exército dos pensadores 80/20, multiplicando as ideias desse tipo em circulação no mundo.

Os atributos em comum do Pensamento 80/20 são os seguintes: reflexivos, não convencionais, hedonistas, estratégicos e não lineares e, além disso, combinam extrema ambição (no sentido do desejo de mudar tudo para melhor) com uma maneira confiante e tranquila de agir. Estão sempre em busca constante das hipóteses e visões do tipo 80/20. Algumas explicações nesta parte do livro oferecerão um indicador de como conduzir o Pensamento 80/20, e assim você saberá quando está no caminho certo.

O Pensamento 80/20 é reflexivo

O objetivo do Pensamento 80/20 é gerar ações que trarão melhorias precisas na sua vida e na dos outros. As ações do tipo desejado exigem uma visão incomum, isto é, precisam de reflexão e introspecção. Às vezes, a formação dessa visão consciente necessita da coleta de dados, e nós experimentaremos um pouco disso já que ela guarda relação com nossa própria vida. Com frequência, porém, a visão pode ser gerada puramente com a reflexão, sem a necessidade explícita de mais informações. O cérebro já tem muito mais dados do que podemos imaginar.

O Pensamento 80/20 é diferente das ideias correntes na atualidade, que são em geral apressadas, oportunistas, lineares (por exemplo, *x* é bom ou ruim, o que causou isso?) e incrementalistas. O tipo predominante de pensamento é forte aliado da ação imediata e, portanto, está muito empobrecido. A ação afasta o pensamento. Nosso objetivo como pensadores 80/20 é deixar a ação para trás, refletir, garimpar algumas pequenas ideias preciosas e, então, agir: seletivamente, com poucos objetivos em uma linha de frente estreita – decisiva e consistente – para produzir resultados excelentes com o mínimo possível de energia e recursos.

O Pensamento 80/20 não é convencional

O Pensamento 80/20 se diverte onde a sabedoria convencional erra, e, em geral, está errada. O progresso avança com a identificação do desperdício e da "condição abaixo do ótimo" inerente à vida. Vamos começar com nosso cotidiano e fazer algo a respeito disso. A sabedoria convencional não ajuda em nada aqui, a não ser como um contraindicador. Em primeiro lugar, é a sabedoria convencional que leva ao desperdício e à resignação com menos do que o ótimo. A força do Princípio 80/20 reside em fazer diferente com base na sabedoria não convencional. Isso exige que você tente entender por que a maioria das pessoas faz tudo de maneira errada ou usa apenas uma fração de seu potencial. Se suas visões conscientes não forem diferentes da sabedoria convencional, você não está pensando 80/20.

O Pensamento 80/20 é hedonista

O Pensamento 80/20 busca o prazer. Acredita que a vida deve ser desfrutada e que a maioria das conquistas é um subproduto do interesse, alegria e do desejo da felicidade futura. Parece não haver controvérsia aqui, mas a maioria das pessoas não faz aquilo que é simples e que as conduziria à felicidade – até mesmo quando sabem o que deveria ser feito.

A maioria das pessoas cai em uma ou mais das seguintes armadilhas: passam muito tempo com pessoas de quem não gostam muito; trabalham em empregos que não as entusiasmam; usam a maior parte do "tempo livre" (a propósito, um conceito anti-hedonista) em atividades das quais realmente não gostam. O inverso também é verdadeiro. Não passam muito tempo com as pessoas que mais amam; não perseguem a carreira que mais gostam; e não investem o tempo livre nas atividades que mais lhes dão prazer. Essas pessoas não são otimistas e, mesmo as que são, não fazem um planejamento cuidadoso para tornar suas vidas melhores no futuro.

Tudo isso é curioso. Alguém poderia dizer que é o triunfo da experiência sobre a esperança. No entanto, a "experiência" é algo que construímos para nós mesmos, utilizando muito mais nossas percepções da realidade externa do que os fatos objetivos em si mesmos. Talvez fosse melhor dizer que é o triunfo da culpa sobre a alegria, da genética sobre a inteligência ou da predestinação sobre a escolha e, em sentido real, da morte sobre a vida.

O "hedonismo" é frequentemente colocado em cena quando se trata de egoísmo, do descaso com os outros e da falta de ambição. Tudo isso é cortina de fumaça. O hedonismo é de fato uma condição necessária para ajudar os outros e para realizar conquistas. É muito difícil, e sempre ineficiente, tentar conquistar algo valioso sem prazer e alegria. Se mais pessoas fossem hedonistas, o mundo seria um lugar melhor e, em todos os sentidos, mais rico.

O Pensamento 80/20 acredita no progresso

Não há consenso sobre os últimos 3 mil anos, se houve progresso ou se a história do universo e a humanidade tiveram uma trajetória de altos e baixos ou se ocorreu algo com mais desesperança. Contra a ideia do progresso esteve Hesíodo (cerca de 800 a.C.), Platão (428-348 a.C.), Aristóteles (384-322 a.C.), Sêneca (4 a.C-54 d.C.), Horácio (8-65 d.C.), Santo Agostinho (354-430 d.C.) e a maioria dos filósofos e cientistas vivos. Em favor do progresso, perfilam quase todas as figuras do Iluminismo do final do XVII e do século XVIII, como Fontenelle e Condorcet e a maioria dos pensadores e cientistas do XIX, incluindo Darwin e Marx. O capitão do time a favor do progresso deve ter sido Edward Gibbon (1737-94), o historiador excêntrico, que escreveu *Declínio e Queda do Império Romano*:

> Não podemos ter certeza a que altura a espécie humana pode aspirar em seu avanço na direção da perfeição... Dessa forma, podemos consentir, com segurança, com a agradável conclusão de que a cada era o mundo evoluiu, e ainda evolui, em termos de riqueza real, felicidade, conhecimento e talvez até na virtude da raça humana.

Atualmente, com certeza, a evidência contra o progresso é muito mais forte do que nos tempos de Gibbon. Mas isso também é evidência do progresso. Esse debate pode nunca se resolver empiricamente. A crença no progresso tem que ser um ato de fé. O progresso é um dever.[70] Se você não acredita na possibilidade do progresso, jamais poderemos mudar o mundo para melhor. Os negócios entendem isso. Em conjunto, os negócios aliados à ciência ofereceram as melhores evidências do progresso. Logo que descobrimos que os recursos naturais não são inesgotáveis, as empresas e a ciência se juntaram e forneceram novas dimensões da inesgotabilidade não natural: espaço econômico, o microchip, novas tecnologias facilitadoras.[71] Mas para trazer ainda mais benefícios, o progresso não deve ficar confinado aos mundos da ciência, tecnologia e negócios. Precisamos aplicar progresso na qualidade de nossas vidas, individual e coletivamente.

O Pensamento 80/20 é inerentemente otimista porque – paradoxo que seja – revela situações que estão bem aquém do que poderiam ser, estão abaixo do ótimo. Somente 20% dos recursos realmente importam para as realizações. O resto, a vasta maioria, está marcando o tempo e fazendo contribuições simbólicas para o conjunto dos esforços. Sendo assim, estimule os 20% e leve os 80% a um grau razoável e você poderá multiplicar os resultados. O progresso conduz você a um novo nível muito mais alto. Mas, mesmo nesse nível, ainda haverá normalmente uma distribuição 80/20 dos insumos e dos produtos. Portanto, você poderá progredir novamente para um nível ainda mais alto.

O progresso dos negócios e da ciência justifica o Princípio 80/20. Construa um enorme computador que possa fazer cálculos muito mais depressa do que a máquina anterior. Exija que o computador seja menor, mais rápido e mais barato e depois várias vezes menor, mais rápido e ainda mais barato. Repita o processo. Repita novamente. Não há limite para esse tipo de progresso. Agora aplique a mesma ideia a outros domínios da vida. Se acreditarmos no progresso, o Princípio 80/20 pode nos ajudar a realizar isso. Podemos até mesmo provar que Edward Gibbon estava certo: riqueza real, felicidade, conhecimento e talvez até mesmo a virtude podem ser constantemente aumentados.

O Pensamento 80/20 é estratégico

Ser estratégico é se concentrar no que é importante, naqueles poucos objetivos que podem nos dar uma vantagem comparativa – no que é importante para nós e não para os outros –, e planejar e executar o plano resultante com determinação e firmeza.

O Pensamento 80/20 é não linear

O pensamento tradicional está envolto por um modelo mental poderoso, às vezes impreciso, mas bastante destrutivo. É linear. Acredita que *x* leva a *y*, que *y* causa *z* e que *b* é a inevitável consequência de *a*. Você me deixou chateado porque chegou atrasado. Minha má formação escolar me levou àquele emprego terrível. Tenho sucesso porque sou muito inteligente. Hitler causou a Segunda Guerra Mundial. Minha empresa não pode crescer porque o setor está em declínio. O desemprego é o preço que pagamos pela inflação baixa. Os altos impostos são necessários se você quer cuidar dos pobres, doentes e velhos. E por aí segue.

Todos esses são exemplos do pensamento linear. O pensamento linear é atraente porque é seco, direto e reto. O problema é que faz uma descrição pobre do mundo e se torna uma péssima preparação para mudá-lo. Os cientistas e os historiadores já abandonaram há muito tempo o pensamento linear. Por que você deveria se agarrar a ele?

O Pensamento 80/20 oferece a você um passeio pela vida. Nada deriva de uma única causa. Nada é inevitável. Nada está em equilíbrio ou é imutável. Nenhum estado indesejado de alguma situação precisa permanecer. Nada desejável tem que ser inalcançável. Poucas pessoas compreendem o que realmente está causando algo – o bom ou o ruim. As causas podem ter muita influência sem ser particularmente notáveis ou mesmo muito amplas. O equilíbrio das circunstâncias pode ser grandemente alterado por ações mínimas. Apenas algumas poucas decisões importam de verdade. Aquelas que importam têm grande relevância. As escolhas sempre podem ser exercidas.

O Pensamento 80/20 escapa da armadilha da lógica linear, apelando para a experiência, a introspecção e a imaginação. Se você se sente infeliz, não se preocupe com a causa mais próxima. Pense nas vezes em que se sentiu feliz e se coloque em situações similares. Quando sua carreira não chega a lugar nenhum, não fique dando voltas perto do precipício à procura de melhorias incrementais: um escritório maior, um carro novo, um título grande e sonoro, menos horas de trabalho, um chefe mais compreensivo. Pense nas poucas e mais importantes conquistas da sua vida e procure obter mais delas, se necessário mudando de emprego e até de carreira. Não procure por causas, especialmente não procure as causas do fracasso. Imagine, e então crie, as circunstâncias que farão você ser feliz e produtivo.

O Pensamento 80/20 combina extrema ambição com uma maneira de agir confiante e tranquila

Fomos condicionados a acreditar que muita ambição combina com hiperatividade agressiva, longas horas de dedicação, implacabilidade, o sacrifício de si mesmo e dos outros pela causa, e ocupação incansável. Em resumo, a corrida de ratos. Nós pagamos caro por essa associação de ideias. A combinação não é nem desejável nem necessária.

Uma associação muito mais atraente, e igualmente possível, é vincular a extrema ambição com confiança, tranquilidade e maneiras civilizadas. Esse é o ideal 80/20, que se baseia em fundamentos solidamente empíricos. A maioria das grandes conquistas é feita com a combinação de dedicação constante e visão inesperada. Lembre-se de Arquimedes na banheira ou de Newton sentado sob uma árvore quando uma maçã lhe caiu na cabeça. Essas visões extremamente importantes não teriam acontecido se Arquimedes não estivesse pensando no deslocamento dos corpos ou se Newton não estivesse refletindo sobre a gravidade, mas tampouco teriam ocorrido se Arquimedes estivesse preso à sua mesa de trabalho ou se Newton estivesse freneticamente à frente de uma equipe de cientistas.

A maioria de nossas conquistas, com qualquer grau sério de valor para nós e para os outros, acontece em uma proporção muito pequena em relação à nossa vida de trabalho. O Pensamento 80/20 e a observação tornam isso muito claro. Nós temos tempo mais do que o suficiente. Nós nos subestimamos por falta de ambição e por assumir que a ambição significa agitação e correria. As conquistas resultam da visão consciente e da ação seletiva. A voz calma e tranquila tem um lugar maior em nossas vidas do que admitimos. A visão surge quando você está se sentindo relaxado e de bem com o que é. A visão exige tempo – e tempo, apesar da sabedoria convencional, existe em abundância.

Visão 80/20 para indivíduos

O restante da terceira parte do livro vai abordar as aplicações da Visão 80/20 na sua vida pessoal, algumas das quais serão apresentadas aqui para você poder experimentar. Só é preciso entrar em ação direcionada por alguns conceitos para melhorar enormemente a qualidade da sua vida.

- Oitenta por cento das nossas conquistas e da nossa felicidade ocorrem em 20% de nosso tempo, e esses picos podem ser altamente expandidos.
- Nossas vidas são afetadas de modo profundo, para o bem e para o mal, por poucos eventos e poucas decisões. Essas poucas decisões frequentemente são tomadas por inércia, mais do que uma escolha consciente: nós deixamos a vida acontecer para nós, em vez de assumir as rédeas. Podemos melhorar muito nossas vidas reconhecendo os pontos de virada e tomando as decisões que nos farão felizes e produtivos.
- Existem sempre algumas poucas causas para o que acontece e elas não costumam ser as óbvias. Se as causas-chave forem identificadas e isoladas, podemos sempre exercer mais influência sobre elas do que acreditamos possível.
- Todo mundo pode alcançar algo significativo. A chave não é o esforço, mas sim descobrir qual é a conquista importante. Você é enormemente mais produtivo em algumas atividades do que em outras, mas dilui a eficácia disso realizando muitas outras tarefas nas quais sua habilidade nem chega perto de ótimo.

- Há sempre vencedores e perdedores, e sempre mais dos últimos. Podemos vencer ao escolher a competição certa, a equipe certa e os métodos certos para ganhar. Você tem mais chances de vencer quando coloca as probabilidades a seu favor (legítima e justamente) do que quando se esforça para melhorar seu desempenho. Você tem mais chances de ganhar onde já ganhou antes. Você tem mais chances de vencer quando seleciona as corridas que vai disputar.
- A maioria de nossos fracassos acontece em corridas em que os outros nos inscrevem. A maioria dos sucessos ocorre nas disputas que nós mesmos queremos entrar. Deixamos de vencer muitas corridas porque entramos muito nas erradas: entramos nas dos outros e não nas nossas.
- Poucas pessoas levam os objetivos realmente a sério. Colocam um esforço médio em muitas atividades em vez de oferecer reflexões e esforços superiores para alcançar metas importantes. As pessoas que atingem objetivos são seletivas e determinadas.
- A maioria das pessoas gasta a maior parte do tempo em atividades de pouco valor para elas e para os outros. O pensador 80/20 escapa dessa armadilha e consegue atingir muito mais objetivos valiosos sem esforços notáveis.
- Uma das mais importantes decisões que alguém toma na vida é a escolha de seus aliados. Pouco pode ser alcançado sem aliados. A maioria das pessoas não os escolhe com cuidado ou nem os escolhe. Os aliados simplesmente surgem. Esse é um caso sério de "deixe a vida acontecer". Acontece que a maioria das pessoas acaba tendo os aliados errados. Outros têm aliados demais e não os usam de forma adequada. Os pensadores 80/20 escolhem os aliados cuidadosamente e constroem alianças precisas para conquistar objetivos específicos.
- Um caso extremo de descuido na escolha de aliados é selecionar a sua "metade da laranja", ou parceiro de vida. A maioria das pessoas tem amigos demais e não desfruta de um pequeno círculo íntimo e forte. Muitas pessoas têm o parceiro de vida errado – e, além disso, não cultivam adequadamente uma parceria de vida.
- O dinheiro utilizado de forma correta pode ser uma fonte de oportunidade para mudar o estilo de vida para melhor. Poucas

pessoas sabem como multiplicar o dinheiro, mas os pensadores 80/20 sabem como fazer isso. Desde que o dinheiro esteja subordinado ao estilo de vida e à felicidade, essa habilidade não é danosa.

- Poucas pessoas investem tempo e reflexão para cultivar a própria felicidade. Buscam metas indiretas, como dinheiro ou promoção, que podem ser difíceis de alcançar e que se mostram fontes extremamente ineficientes de felicidade. A felicidade não somente não é dinheiro, como também nem parece com ele. O dinheiro que não é gasto pode ser poupado, investido e, através da mágica dos juros compostos, multiplicado. Mas a felicidade que não for vivida hoje não leva à felicidade de amanhã. A felicidade, como o cérebro, atrofia se não for exercitada. Os pensadores 80/20 sabem o que gera a felicidade deles e buscam isso consciente, alegre e inteligentemente. Usam a felicidade de hoje para construir e multiplicar a felicidade de amanhã.

À espera nas asas do tempo

O melhor tema para começar a praticar o Pensamento 80/20 aplicado às suas conquistas e felicidade é o tempo. A avaliação da nossa sociedade em relação à qualidade e à função do tempo é muito pobre. Intuitivamente, muitas pessoas compreendem isso e centenas de milhares de executivos já buscaram redenção nas técnicas de administração do tempo. Mas esses profissionais estão apenas se adaptando aos limites. Toda nossa atitude em relação ao tempo precisa ser transformada. Não precisamos de técnicas de administração do tempo. Precisamos de uma revolução.

CAPÍTULO 10: UMA REVOLUÇÃO DO TEMPO

Por trás de mim, eu sempre ouço
O tempo veloz em sua carruagem alada.
Enquanto bem diante de nós, o mundo cria
Os desertos da vasta eternidade.

Andrew Marvell[72]

Quase todo mundo, seja muito ocupado ou muito inativo, precisa de uma revolução do tempo. Não se trata de debater se você tem pouco tempo ou tempo de sobra. O problema está na maneira com que lidamos com o tempo e até mesmo como pensamos nele. Aqui está também uma oportunidade. Para quem ainda não experimentou fazer uma revolução do tempo, esse é o caminho mais rápido para dar um salto gigante na sua felicidade e eficácia.

O Princípio 80/20 e a revolução do tempo

O Princípio 80/20, quando aplicado ao uso do nosso tempo, parte das seguintes hipóteses:

- A maior parte das conquistas mais significativas das pessoas – o valor que alguém agrega em termos pessoais, profissionais, intelectuais, artísticos, culturais ou atléticos – é alcançada na menor parte de seu tempo. Existe um profundo desequilíbrio entre o que é criado e o tempo consumido para criar, seja o tempo medido em dias, semanas, meses, anos ou duração de uma vida.
- Da mesma forma, a maior parte da felicidade de uma pessoa ocorre durante períodos bem limitados de tempo. Se a felicidade pudesse ser precisamente medida, grande parte dela seria registrada em uma proporção bem pequena do total do tempo e isso se aplicaria à maior parte dos períodos, sejam medidos em um dia, uma semana, um mês, um ano ou uma vida inteira.

Nós podemos refazer esses raciocínios, tornando-os mais precisos e sintéticos com o Princípio 80/20:

- Oitenta por cento das conquistas são alcançadas em 20% do tempo disponível; inversamente, 80% do tempo resulta apenas em 20% do valor dos resultados.
- Oitenta por cento da felicidade é vivenciada em 20% da vida; e 80% do tempo contribui somente para 20% da felicidade.

Lembre-se de que essas são hipóteses que devem ser testadas diante de sua própria experiência; não são verdades que se comprovam por si mesmas ou o resultado de pesquisas exaustivas.

Onde essas hipóteses mostram-se verdadeiras (de fato, na maioria dos casos em que testei), elas têm quatro implicações bastante surpreendentes:

- A maior parte do que fazemos tem baixo valor.
- Alguns pequenos fragmentos de nosso tempo são muito mais valiosos do que todo o resto.
- Se puder fazer algo a respeito disso, seja radical: não há motivo para tentar se adaptar aos limites ou tornar o uso do tempo um pouco mais eficiente.
- Se nós fazemos bom uso de apenas 20% de nosso tempo, então, não há escassez de tempo!

Invista alguns minutos ou horas para refletir se o Princípio 80/20 opera para você em cada uma dessas esferas. Não importa a porcentagem exata, até porque é quase impossível medir com precisão. A questão-chave é se há um grande desequilíbrio entre o tempo gasto por um lado e as conquistas e a felicidade por outro. Aquele um quinto mais produtivo do seu tempo leva a quatro quintos de resultados valiosos? Aqueles quatro quintos mais felizes da sua vida estão concentrados em um quinto dos seus dias?

Essas são perguntas importantes e não devem ser respondidas levianamente. Pode ser uma boa ideia colocar esse livro um pouco de lado e sair para dar uma volta. Não retorne até ter decidido se o uso do seu tempo é desequilibrado ou não.

A questão *não* é administrar melhor o seu tempo!

Caso o uso do seu tempo seja desequilibrado, é preciso fazer uma revolução. Você não necessita de uma administração melhor ou tem que fazer uma realocação marginal das horas de cada dia; você precisa transformar a maneira como investe seu tempo. Provavelmente, também tem que mudar a sua maneira de pensar sobre o tempo.

O que você necessita, porém, não deve ser confundido com técnicas de administração do tempo, surgidas na Dinamarca para treinar ocupados executivos a trabalhar com mais eficácia e que se tornaram uma indústria de 1 bilhão de dólares, operando em todo mundo.

A característica-chave do setor de administração do tempo não é tanto o treinamento, mas sim a venda de "gestores do tempo", organizadores pessoais para executivos, tanto do tipo tradicional, em papel, quanto na versão eletrônica. Além disso, com frequência, a administração do tempo traz um viés religioso: a corporação que mais cresce no setor é a FranklinCovey, com profundas raízes mórmons.[73]

A administração do tempo não é um mito, já que seus adeptos, em geral, apreciam bastante o sistema e afirmam que sua produtividade aumentou entre 15% e 25% como resultado. Mas essas técnicas querem fazer um litro caber em uma caneca. Trata-se basicamente de acelerar. É dirigida especificamente a profissionais pressionados por muitas demandas simultâneas. A ideia é que um melhor planejamento de cada pequena parcela do dia ajudará o executivo a atuar de forma mais eficaz. A administração do tempo também defende a definição de prioridades claras para escapar da tirania dos eventos diários que, embora sejam urgentes, talvez não sejam tão importantes.

A administração do tempo assume implicitamente que nós sabemos quais são e quais não são os bons usos de nosso tempo. Se o Princípio 80/20 está valendo, essa não é uma suposição segura. Em todo caso, se soubéssemos o que é importante, já estaríamos fazendo isso.

Uma das técnicas da administração do tempo recomenda que a pessoa classifique a sua "Lista de Atividades" em prioridades A, B, C ou D. Na prática, a maioria acaba classificando grande parte da lista como atividades A ou B. Assim, as pessoas concluem que o que lhes falta mesmo é tempo. E é por isso que se interessam pela administração do tempo. Por fim, acabam com um planejamento melhor, mais horas de trabalho, profunda seriedade e, em geral, também com uma grande frustração. As pessoas se viciam na administração do tempo, mas as técnicas não mudam fundamentalmente o que fazem e nem reduzem de maneira significativa o grau de culpa que sentem por não fazerem o bastante.

A simples nomenclatura "administração do tempo" entrega o jogo. Isso implica que o tempo pode ser gerenciado mais eficazmente, que é um recurso escasso e valioso e que devemos dançar no seu ritmo. Devemos ser parcimoniosos com o tempo. Se tiver uma pequena chance, o tempo nos escapa. E o tempo perdido, dizem os pregadores da administração do tempo, nunca mais volta.

Vivemos agora uma era da ocupação frenética. A longamente prevista época do prazer ainda está por chegar, exceto para os desempregados. Vivemos agora a absurda situação observada por Charles Handy:[74] a quantidade de horas de trabalho dos executivos é crescente – 60 horas por semana não são raras – e, simultaneamente, agrava-se a escassez de trabalho agradável.

A sociedade está dividida entre aqueles que têm dinheiro, mas lhes falta tempo para desfrutar, e aqueles que têm tempo, mas não dinheiro. A popularidade da administração do tempo coexiste com uma ansiedade sem precedentes em relação ao uso adequado do tempo para dispor de horas suficientes para trabalhar de modo satisfatório.

A heresia do tempo 80/20

O Princípio 80/20 subverte a sabedoria tradicional em relação ao tempo. As implicações das análises 80/20 são bastante diferenciadas e, para aqueles que sofrem com a visão convencional do tempo, podem se tornar surpreendentemente libertadoras. O Princípio 80/20 afirma o seguinte:

- Nosso atual uso do tempo não é racional, portanto, não é válido buscar melhorias marginais do modo que gastamos nosso tempo. Nós temos que voltar ao quadro negro para subverter todas as suposições que temos sobre o tempo.
- O tempo não é escasso. De fato, estamos positivamente inundados dele. Só fazemos bom uso de 20% de nosso tempo e, para os indivíduos mais talentosos, é sempre uma pequena parcela que faz toda a diferença. O Princípio 80/20 diz que se dobrarmos o tempo investido naquelas atividades do tipo 20%, poderemos trabalhar dois dias por semana e receber 60% mais do que agora. Isso está a anos-luz do frenético mundo da administração do tempo.

- O Princípio 80/20 trata o tempo como um amigo, não como um inimigo. O tempo passado não é tempo perdido. O tempo sempre estará por perto novamente. É por isso que existem sete dias na semana, doze meses no ano e as estações voltam a acontecer. A visão consciente e o valor ocorrem com maior probabilidade quando estamos confortáveis, relaxados e em uma posição de colaboração em relação ao tempo. É o uso que fazemos do tempo, e não o tempo em si mesmo, que é o nosso inimigo.
- O Princípio 80/20 afirma que devemos agir menos. A ação afasta o pensamento. Como temos muito tempo, nós o desperdiçamos. O tempo mais produtivo investido em um projeto costuma ser os últimos 20%, simplesmente porque o trabalho tem que ser cumprido antes que o prazo se esgote. Na maioria dos projetos, a produtividade pode ser duplicada apenas cortando o prazo pela metade. Isso não é evidência de que o tempo é escasso.

O tempo é a ligação benigna entre passado, presente e futuro

Não é a escassez do tempo que deveria nos preocupar, mas a tendência de a maior parte dele ser gasto em atividades de baixa qualidade. Acelerar ou ser mais "eficiente" no uso do tempo não irá nos ajudar: em vez disso, essa maneira de pensar é mais o problema do que a solução.

O Pensamento 80/20 nos guia para uma visão mais "oriental" do tempo. Não deveríamos vê-lo como uma sequência, indo da esquerda para a direita, como está em quase toda representação gráfica que a cultura dos negócios nos impõe. É melhor ver o tempo como um dispositivo cíclico e sincronizado, como os inventores do relógio imaginaram. O tempo segue retornando, trazendo a oportunidade de aprender, de aprofundar alguns relacionamentos valiosos, de fabricar um produto ou de alcançar um resultado melhor e de adicionar valor à vida. Nós não existimos apenas no presente; descendemos do passado e temos um tesouro de associações; e nosso futuro, assim como o passado, é sempre imanente ao presente. Uma representação gráfica do tempo muito melhor do que o eixo da esquerda para a direita é uma série de triângulos intercalados, sempre maiores e mais altos, como a Figura 37 apresenta.

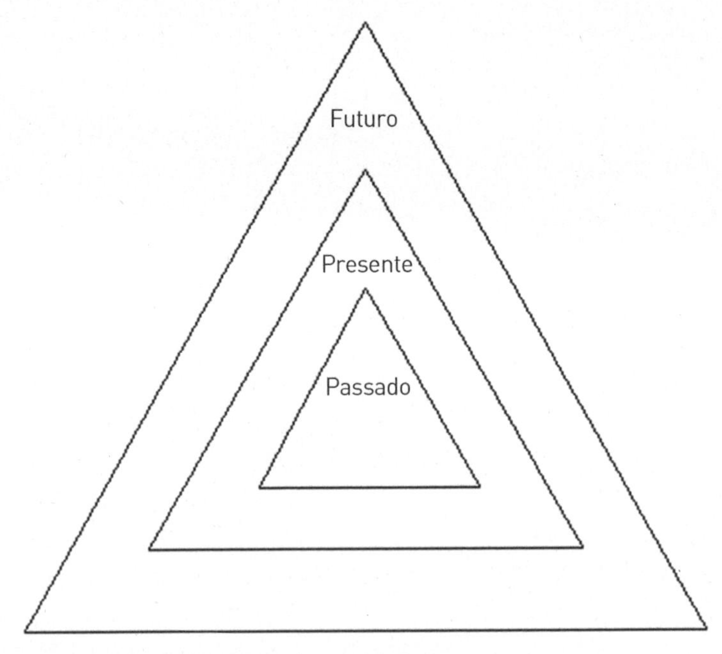

Figura 37 – A tríade do tempo

O efeito de pensar dessa maneira é que se destaca a necessidade de levar conosco, ao longo de nossas vidas, aqueles 20% mais preciosos e valiosos do que temos – nossa personalidade, habilidades, amizades e até nossos ativos físicos –, assegurando que sejam cultivados, desenvolvidos, ampliados e aprofundados para aumentar nossa eficácia, valor e felicidade. Isso só pode ser feito com relacionamentos consistentes e contínuos, baseados no otimismo de que o futuro será melhor do que o presente, porque podemos estender os melhores 20% do passado e do presente para criar aquele futuro melhor. Visto dessa maneira, o futuro não é um filme aleatório do qual já vimos a metade, cientes (e apavorados) de que o tempo voa para se tornar passado. Em vez disso, o futuro é uma dimensão do presente e do passado, que nos dá a oportunidade de criar algo melhor. O Pensamento 80/20 insiste que isso é sempre possível. Tudo o que temos a fazer é soltar as rédeas e dar melhor direcionamento aos nossos mais positivos 20%.

Um guia para os revolucionários do tempo

Aqui estão os sete passos para detonar uma revolução do tempo.

Dê o difícil salto mental de dissociar esforço e recompensa

A ética protestante em relação ao trabalho está tão profundamente arraigada em todos nós – em quem tem religião e em quem não tem –, que precisamos fazer um esforço consciente para extirpá-la. O problema é que realmente gostamos de trabalhar muito ou, pelo menos, apreciamos a sensação da virtude resultante. O que temos que fazer é implantar firmemente em nossa mente que essa não é a melhor maneira de alcançar o que queremos. Trabalho árduo leva a baixos retornos. Ser consciente e focar no que queremos é o que nos conduz aos retornos mais altos.

Escolha quem são os santos padroeiros da sua preguiça produtiva. Os meus são Ronald Reagan e Warren Buffett. Reagan progrediu sem esforço de ator de filmes B para queridinho da direita republicana até se tornar governador da Califórnia e, finalmente, um extremamente bem-sucedido presidente dos Estados Unidos.

O que Reagan tinha? Boa aparência, uma voz suave maravilhosa que ele usava instintivamente em todas as ocasiões certas (o ponto alto, sem dúvida, foram suas palavras para a esposa Nancy logo depois do atentado em 1981: "Querida, me esqueci de abaixar"), alguns coordenadores de campanha astutos, um jeito meio antiquado e uma visão à Disneylândia dos Estados Unidos e do mundo. A habilidade de Reagan para se dedicar era, no mínimo, limitada, sua compreensão da realidade convencional era ainda mais tênue, sua capacidade de inspirar os Estados Unidos e destruir o comunismo eram ainda mais apavorantes. Para maltratar a frase de Churchill, nunca tanto foi alcançado por tão poucos e com tão pouco esforço.

Warren Buffett tornou-se, por um período, o homem mais rico dos Estados Unidos, não trabalhando, mas investindo. Começou com um pequeno capital e conseguiu multiplicá-lo ao longo dos anos muito acima da valorização média do mercado de ações. Fez isso com um volume limitado de análises (ele começou antes de programas sofisticados de cálculo terem sido inventados), mas principalmente com algumas visões conscientes que aplicou com consistência.

Buffett deu início à sua montanha-russa de riqueza com uma Grande Ideia: o jornal local tinha um monopólio que se tornou o mais perfeito sistema de franquia. Essa ideia simples lhe valeu sua primeira fortuna e grande parte do dinheiro que ganhou a seguir deriva de ações de veículos de comunicação, um setor que ele entende.

Se não é preguiçoso, pode-se dizer que Buffett economiza bastante sua energia. Enquanto a maioria dos administradores de fundos compra e vende papéis com muita frequência, Buffett compra algumas ações e as mantêm por muito tempo. Isso significa que ele tem bem pouco trabalho a fazer. Ele despreza a visão convencional da diversificação da carteira de investimento, que apelidou de método da Arca de Noé: "A pessoa compra dois de qualquer coisa e termina com um zoológico". Sua própria filosofia de investimento é a seguinte: "fique quase letárgico".

Toda vez que fico tentado a fazer demais, eu me lembro de Reagan e Buffett. Você deve buscar seus próprios exemplos entre as pessoas que conhece pessoalmente ou aquelas que são públicas. Quem, em sua opinião, representa a inércia produtiva? Pense nessas pessoas com frequência.

Desista da culpa

Abrir mão da culpa está claramente relacionado ao perigo de trabalhar em excesso. Mas também se refere a fazer aquilo de que mais gosta. Não há nada errado com isso. Não há valor em fazer aquilo que não lhe dá prazer.

Faça o que gosta de fazer. Transforme isso no seu trabalho. Transforme seu trabalho nisso. Quase todo mundo que fica rico recebe o bônus adicional de enriquecer fazendo o que gosta. Essa ideia pode ser vista como mais um exemplo da perversidade 80/20 do universo.

Vinte por cento das pessoas não apenas detêm 80% da riqueza, como também monopolizam 80% da alegria de tê-la conquistado com um trabalho que apreciam: e elas são os mesmos 20%!

Aquele velho puritano rabugento John Kenneth Galbraith chamou a atenção para uma injustiça fundamental do mundo do trabalho. A classe média, além de ser mais bem paga, tem trabalhos mais interessantes e gosta mais do que faz. Essas pessoas têm assistentes, fazem viagens na primeira classe, ficam em hotéis luxuosos e têm vidas profissionais mais interessantes também. Na verdade, você precisaria ter uma grande fortuna particular para sustentar todas as mordomias que os executivos hoje oferecem a si mesmos.

Galbraith avançou com a ideia revolucionária de que aqueles que têm empregos menos interessantes deveriam receber mais do que os outros que se divertem no trabalho. Que desmancha-prazeres! Essas ideias deveriam soar provocativas, mas nenhuma boa vontade deriva daí. Como em tantos fenômenos 80/20, se você olhar além da superfície, vai identificar uma lógica mais profunda por trás da aparente injustiça.

Nesse caso, a lógica é muito simples. Aqueles que conquistam mais devem desfrutar o que realizaram. É somente com a autorrealização que algo extraordinariamente valioso pode ser criado. Pense, por exemplo, em um grande artista em qualquer esfera. A qualidade e a quantidade dos resultados são impressionantes. Van Gogh jamais parou. Picasso esteve à frente de um estúdio de arte muito antes de Andy Warhol, porque amava o que fazia.

Deleite-se com o prodigioso Michelangelo, sua orientação sexual e obras sublimes. Até mesmo o pouco que consigo lembrar – David, na Biblioteca Laurenciana, a Nova Sacristia, o teto da Capela Sistina, a Pietá na Basílica de São Pedro – é um milagre, como produção de um só artista. Michelangelo fez tudo isso, não porque era o seu trabalho, ou porque tivesse medo do Papa Júlio II, ou mesmo porque precisava ganhar dinheiro, mas porque amava suas criações e os homens jovens.

Talvez você não tenha esses mesmos focos, mas não criará nada de valor duradouro a menos que ame aquilo que realiza. Essa ideia se aplica tanto às questões pessoais quanto às profissionais.

Não estou defendendo a preguiça perpétua. O trabalho é uma atividade natural que satisfaz uma necessidade intrínseca, como descobrem rapidamente os desempregados, os aposentados e aqueles que fazem uma fortuna do dia para a noite. Todo mundo tem seu equilíbrio no ritmo entre trabalhar/descansar, e a maioria de nós sente naturalmente quando está sendo muito preguiçoso ou pouco diligente. O Pensamento 80/20 é muito bom para encorajar as pessoas a buscarem as atividades com alto valor/satisfação nos períodos de trabalho e de descanso, em vez de estimular a troca do trabalho pelo descanso. Suspeito, porém, que muitas pessoas tentam arduamente acertar nas atividades erradas. O mundo moderno iria se beneficiar muito se uma quantidade menor de trabalho levasse a uma profusão maior de criatividade e inteligência. Se muito mais trabalho beneficiasse os 20% dos indivíduos mais desocupados, muito menos trabalho beneficiaria os 20% mais trabalhadores; e esse tipo de arbitragem traria benefícios para a sociedade nas duas pontas. A quantidade de trabalho é muito menos importante do que sua qualidade; e a qualidade depende do autodirecionamento.

Liberte-se das obrigações impostas pelos outros

É uma aposta segura afirmar que, quando 80% do tempo representa 20% dos resultados, aqueles 80% foram realizados a mando dos outros.

É visível que a ideia de trabalhar diretamente para alguém, tendo um emprego estável e pouca discrição, é uma fase transitória (embora esteja durando dois séculos) na história do trabalho.[75] Mesmo que você trabalhe em uma grande corporação, deveria pensar em si mesmo como um negócio independente, apesar de estar na folha de pagamento da Monolito S/A.

O Princípio 80/20 mostra seguidamente que aqueles 20% de profissionais vencedores ou trabalham para si mesmos ou se comportam como se assim fosse.

A mesma ideia pode ser aplicada também à vida fora do trabalho. É muito difícil fazer bom uso do seu tempo se você não o controla (na verdade, já é bem difícil mesmo quando você controla seu tempo, porque sua mente é prisioneira da culpa, das convenções e de outras visões exteriores impostas no que se refere ao que você deveria fazer – mas, pelo menos, você tem a chance de reduzir tudo isso).

É impossível, e até mesmo indesejável, levar esse meu conselho muito longe. Você sempre terá algumas obrigações com os outros e, da sua perspectiva, isso pode ser muito útil. Nem mesmo os empreendedores são lobos solitários que não precisam responder a ninguém. Eles têm sócios, funcionários, parceiros e uma rede de contatos da qual nada pode se esperar, caso nada seja oferecido. O ponto-chave é escolher os parceiros e as obrigações de forma extremamente seletiva e com muito cuidado.

Seja anticonvencional e excêntrico no uso do seu tempo

É pouco provável que você passe aqueles 20% mais valiosos do seu tempo sendo um bom soldado, fazendo o que esperam de você, participando de todas as reuniões a que é chamado, fazendo o que a maioria dos seus colegas faz ou, em outras palavras, observando as convenções sociais do seu cargo. De fato, você deve questionar quais dessas ações são necessárias.

Você não escapará da tirania do 80/20 – a possibilidade de que 80% do seu tempo seja gasto em atividades de baixa prioridade – adotando comportamentos ou soluções convencionais.

Um bom exercício é procurar as formas mais anticonvencionais e excêntricas para investir seu tempo: quanto você consegue se desviar das normas sem pular fora do seu mundo? Nem toda maneira excêntrica de gastar o tempo vai multiplicar sua eficácia, mas algumas, ou pelo menos uma delas, têm essa força. Trace diversos cenários e adote aquele que possibilita a você passar a maior parte do tempo em atividades de alto valor que você gosta.

Quem entre seus conhecidos é simultaneamente eficaz e excêntrico? Descubra como essa pessoa investe o tempo e como ela se desvia da norma. Pode ser que você queira copiar algumas atitudes que ela assume – e outras, não.

Identifique os 20% que trazem a você os 80%

Cerca de um quinto do seu tempo provavelmente resultará em quatro quintos das suas conquistas ou quatro quintos da sua felicidade. Já que podem não ser os mesmos um quinto (embora, em geral, eles sejam sobrepostos), a primeira providência a tomar é esclarecer se o seu propósito em cada projeto é uma conquista ou a felicidade. Eu recomendo que você analise esses dois pontos separadamente.

Primeiramente, identifique sua *ilha da felicidade*: aqueles pequenos períodos de tempo ou os poucos anos que contribuíram de modo bastante desproporcional para o seu quinhão de felicidade. Pegue uma folha de papel em branco e escreva no topo "Ilha da Felicidade". Em seguida, liste todos os períodos em que se sentiu muito feliz e tente encontrar o que suas ilhas da felicidade têm em comum.

Repita o processo para suas *ilhas da infelicidade*. Em geral, elas não abrangem os restantes 80% do seu tempo, já que (para a maioria das pessoas) existe uma grande porção de "terra de ninguém" de felicidade moderada entre as ilhas da felicidade e da infelicidade. Mesmo assim, é importante identificar as causas mais significativas de infelicidade e o denominador comum entre elas.

Repita todo esse processo para o tema "conquistas". Identifique sua *ilha de conquistas*: aqueles períodos curtos em que você obteve uma proporção maior de valor do que no restante do dia, semana, mês, ano ou na vida. Escreva no alto de uma folha de papel, "Ilha de Conquistas" e liste o máximo que puder, se possível ao longo de toda a sua vida.

Tente identificar na *ilha de conquistas* as características em comum. Antes de encerrar essa análise, pode ser que você queira dar uma olhada na lista dos 10 Melhores Usos do Tempo. É uma lista genérica compilada a partir da experiência de muitas pessoas e pode ajudar a estimular a sua memória.

Faça uma lista separada com sua *ilha deserta de conquistas*. São aqueles períodos de grande esterilidade e da mais baixa produtividade. A lista com os 10 Usos do Tempo com Mais Baixo Valor está neste livro e pode dar uma ajuda. Mais uma vez, o que têm em comum?

Agora, aja de acordo com essas ideias.

Multiplique os 20% que trazem a você os 80%

Quando você consegue identificar suas ilhas de felicidade e de conquistas, tem mais chances de investir mais tempo nas atividades que geram esse resultado.

Ao explicar essa ideia, algumas pessoas dizem que há uma falha na minha lógica, porque investir mais tempo nas atividades 20% pode levar à diminuição do retorno dessa parcela. Dobrar o tempo nas atividades 20% pode não levar a outros 80% de resultados, talvez somente a mais 40%, 50%, 60% ou 70%.

Tenho duas respostas para essa questão. Primeiro, já que é impossível (pelo menos, por enquanto) medir a felicidade ou a eficácia, com um método preciso, a crítica pode estar correta em alguns casos. Mas quem se importa? Ainda assim haverá um aumento notável no suprimento do que é melhor.

Porém, minha segunda resposta é que não considero a crítica correta em termos gerais. Minha recomendação não é para que você reproduza *exatamente* o que está fazendo hoje para ter 20% rendendo 80%. A sugestão de examinar as características comuns das suas ilhas da felicidade e das conquistas é para que você identifique algo muito além do que simplesmente aconteceu: o objetivo é isolar o que você está programado para fazer melhor.

Pode muito bem ser que haja atividades que você deveria estar realizando (para alcançar todo o potencial de suas conquistas ou felicidade), mas que apenas começou a fazer ainda com algum grau de imperfeição. Ou pode até mesmo nem ter começado a realizá-las. Por exemplo, Dick Francis era um soberbo jóquei inglês, mas só publicou seu primeiro romance policial envolvendo turfe aos 40 anos de idade. Depois disso, o sucesso, o dinheiro e a possibilidade de satisfação pessoal da nova atividade excederam em muito o que ele já havia conquistado como jóquei. Richard Adams era um funcionário público de nível médio e meia-idade, insatisfeito, antes de escrever seu *best-seller A Longa Jornada*.

Não é raro, durante a análise das ilhas das conquistas e da felicidade, que as pessoas descubram aquilo em que são melhores e o que é melhor para elas. Podem, então, investir mais tempo em atividades totalmente novas, que recompensem seu tempo proporcionalmente muito melhor do que aquelas que estavam realizando antes. Dessa forma, pode haver aumento do retorno, assim como existe a possibilidade de diminuição. De fato, um ponto a considerar especificamente é uma mudança de carreira e/ou de estilo de vida.

O objetivo básico, quando você identifica as atividades específicas e genéricas que ocupam 20% do seu tempo mas rendem 80% de suas conquistas e felicidade, deve ser aumentar o máximo possível o investimento de tempo nessas ou em atividades semelhantes àquelas 20%.

Um objetivo de curto prazo, geralmente exequível, é tomar a decisão de aumentar de 20% para 40% o tempo investido nas atividades de alto valor dentro do prazo de um ano. Essa única iniciativa tenderá a elevar sua "produtividade" entre 60% e 80% (você terá dois lotes de 80% de resultados derivados de dois lotes de 20% do tempo e assim seu resultado total subirá de 100 para 160, mesmo que você falhe em realocar os prévios 20% das atividades de mais baixo valor para as de mais alto valor!).

A posição ideal é conseguir deslocar o tempo investido nas atividades de alto valor de 20% para 100%. Isso só é possível mudando de carreira e de estilo de vida. Nesse caso, faça um plano com prazos para definir como irá realizar essas mudanças.

Elimine ou reduza as atividades de baixo valor

Em relação aos 80% das atividades que lhe proporcionam apenas 20% dos resultados, o ideal é eliminá-las. Talvez seja necessário fazer isso antes de realocar mais tempo para as atividades de alto valor (embora frequentemente as pessoas achem que se lançar à realização das atividades de mais alto valor é uma maneira mais eficiente de se forçar a abandonar as atividades de baixo valor).

Em geral, as primeiras reações são achar que há pouco espaço para escapar das atividades de baixo valor. Elas costumam ser consideradas partes inevitáveis das relações com a família, a sociedade ou mesmo as obrigações do trabalho. Caso se pegue pensando assim, repense.

Normalmente, existe um grande escopo para realizar as atividades de maneira diferente, dentro das circunstâncias já existentes. Lembre-se do conselho anterior: seja anticonvencional e excêntrico na maneira de usar o tempo. Não siga a manada.

Tente essa nova política e veja o que acontece. Como há pouco valor nas atividades que você realiza, os outros podem nem perceber que você parou de fazê-las. Mesmo que notem, talvez não se importem o bastante para forçar você a realizá-las, caso sintam que isso vai exigir muito esforço da parte deles.

Porém, mesmo que o abandono das atividades de baixo valor exija uma mudança radical das circunstâncias – um novo emprego, uma nova carreira, novos amigos ou até mesmo um novo estilo de vida ou parceiro – trace um plano para concretizar as mudanças desejadas. A alternativa é jamais explorar todo o seu potencial de conquistas e felicidade.

Quatro ilustrações do uso excêntrico e eficaz do tempo

Minha primeira ilustração é William Ewart Gladstone, o estadista liberal da Inglaterra vitoriana que foi eleito quatro vezes como primeiro-ministro. Gladstone era excêntrico de várias maneiras; não apenas por suas tentativas espetacularmente fracassadas de tentar resgatar "mulheres caídas" da prostituição ou por seus ataques de autoflagelação, mas sua maior excentricidade estava no uso que fazia do tempo e é isso que vamos focar aqui.[76]

Gladstone não ficava restrito por causa de seus deveres políticos ou, ao contrário, era muito eficaz ao realizá-los porque investia grande parte do tempo no que lhe agradava, de várias maneiras surpreendentes. Era um turista inveterado, fosse nas ilhas britânicas ou além-mar, e, como primeiro-ministro, escapava com frequência para a França, Itália ou Alemanha para cuidar de negócios particulares.

Ele amava o teatro, teve casos com diversas mulheres (quase com certeza sem relacionamento físico), lia avidamente (cerca de 20 mil livros ao longo da vida), fazia discursos incrivelmente longos na Casa dos Comuns (que, apesar de longos, parece que eram impossíveis de deixar de ouvir) e praticamente inventou a moderna propaganda eleitoral na qual se envolvia com muito gosto e alegria. Toda vez que se sentia levemente adoentado, passava pelo menos um dia inteiro na cama, lendo e pensando. Sua enorme energia política e eficácia derivavam do uso excêntrico que fazia do tempo.

De todos os primeiros-ministros da Inglaterra que vieram a seguir, somente Lloyd George, Churchill e Thatcher chegaram a rivalizar com o uso excêntrico que Gladstone fazia do tempo; e todos os três eram extremamente eficazes.

Três consultores de administração altamente excêntricos

Os outros exemplos do uso anticonvencional do tempo vêm do sóbrio mundo dos consultores de administração. Esses profissionais são notórios pelas longas e frenéticas horas de trabalho. Meus três personagens, que conheço muito bem, quebram todas as convenções. Eles são também espetacularmente bem-sucedidos.

O primeiro, a quem chamarei de Fred, ganhou 10 milhões de dólares como consultor. Ele nunca se preocupou em fazer faculdade de Administração, mas conseguiu fundar uma das maiores empresas de consultoria, na qual quase todo mundo trabalhava 70 horas ou mais por semana. Fred visitava o escritório ocasionalmente e comparecia às reuniões mensais com seus sócios. Os parceiros de negócios de todo o mundo eram convidados a participar também dessas reuniões mensais, mas preferiam investir o tempo jogando tênis ou refletindo. Ele controlava a consultoria com punho de ferro, mas jamais ergueu a voz. Fred dirigia tudo a partir de uma aliança com seus cinco principais subordinados.

Meu segundo exemplo, que apelidei de Randy, era um desses cinco braços direitos. Além do fundador, ele era a única exceção da cultura *workaholic* da consultoria. Ele mesmo se escalou para um país distante, onde dirigia uma filial em rápida expansão, com uma equipe que também trabalhava inacreditavelmente duro, passando boa parte do tempo em sua casa. Ninguém sabia como Randy investia seu tempo ou quantas horas ele trabalhava, mas era incrivelmente tranquilo. Randy só participava de reuniões com os clientes mais importantes, delegava todo o resto para os funcionários mais juniores e, se necessário, inventava as desculpas mais bizarras para não ir ao escritório.

Embora fosse o líder da filial, Randy não dava nenhuma atenção aos assuntos administrativos. Toda sua energia era investida para aumentar a receita gerada pelos clientes mais importantes e, então, colocava em ação mecanismos para realizar isso com o menor esforço possível dos funcionários. Randy nunca tinha mais do que três prioridades e preferia manter apenas uma; todo o restante seguia seu próprio curso. Era uma frustração terrível trabalhar para ele, mas Randy era maravilhosamente eficaz.

Meu terceiro e último excêntrico usuário do tempo foi meu amigo e sócio: vou chamá-lo de Jim. Minha memória mais antiga dele é quando compartilhávamos um pequeno escritório com mais um grupo de colegas. O espaço era desconfortável, mas cheio de eletrizante atividade: pessoas falando ao telefone, correndo para terminar apresentações, gritando de uma ponta da sala para outra.

Mas lá estava Jim, um oásis de calma e inatividade, olhando fixamente para sua agenda, imaginando o que iria fazer. Ocasionalmente, levava alguns colegas para uma sala silenciosa e explicava o que queria que todos fizessem: não, uma vez, nem duas, mas três vezes em todos os mais tediosos detalhes possíveis. Fazia, então, todo mundo repetir o que iriam fazer. Jim era lento, lânguido e meio morto, mas era um líder sensacional. Investia todo seu tempo identificando as tarefas de alto valor e quem deveria realizá-las; e depois garantia que tudo se concretizasse.

Os dez piores usos do tempo

Você só consegue investir seu tempo em atividades de alto valor (seja para conquistas ou para felicidade), se tiver abandonado as atividades de baixo valor. Eu convido você a identificar essas atividades que sugam seu tempo. Para ter certeza de que você não vai se esquecer de nenhuma, a Figura 38 apresenta a lista de 10 dessas atividades mais comuns.

Seja implacável para eliminar essas atividades. Sob hipótese alguma, dê aos outros uma boa fatia do seu tempo. Acima de tudo, não faça nada apenas porque outra pessoa pediu ou porque você recebeu um telefonema ou e-mail. Siga o conselho (em outro contexto) de Nancy Reagan: "Apenas diga 'Não'!" – ou trate a questão como lorde George Brown recomendava: "Ignore solenemente".

1	Aquilo que as outras pessoas querem que você faça.
2	Aquilo que sempre foi feito dessa maneira.
3	Aquilo que geralmente você não faz muito bem.
4	Aquilo que você não se diverte fazendo.
5	Aquilo que sempre sofre interrupção.
6	Aquilo em que poucas pessoas estão interessadas.
7	Aquilo que já tomou duas vezes mais tempo do que você originalmente imaginava.
8	Aquilo em que seus colaboradores não são confiáveis ou fazem com baixa qualidade.
9	Aquilo que tem um ciclo previsível.
10	Atender o telefone.

Figura 38 – Os dez usos do tempo com mais baixo valor

Os dez melhores usos do tempo

A Figura 39 apresenta o outro lado da moeda.

1	Aquilo que estimula seu principal propósito na vida
2	Aquilo que você sempre quis fazer.
3	Aquilo que já está dentro da relação de tempo 80/20 em resultados.
4	Atividades inovadoras que prometem reduzir o tempo de execução e/ou aumentar a qualidade dos resultados.
5	Aquilo que as pessoas lhe disseram que não pode ser feito.
6	Aquilo que outras pessoas realizaram com sucesso em outra área.
7	Aquilo que usa a sua própria criatividade.
8	Aquilo que outras pessoas podem fazer por você com relativamente pouco esforço da sua parte.
9	Qualquer projeto com colaboradores de alta qualidade que já quebraram a regra 80/20 e que usam o tempo de maneira excêntrica e eficaz.
10	Aquilo que tem que acontecer agora ou nunca.

Figura 39 – Os 10 usos do tempo com mais alto valor

Ao refletir sobre algum uso potencial do tempo, faça duas perguntas:

- Isso é anticonvencional?
- Isso promete multiplicar a eficácia?

É pouco provável que seja um bom uso do tempo, a menos que as duas respostas sejam "sim".

Uma revolução do tempo é viável?

Muitos de vocês podem considerar que as minhas recomendações, além de bastante revolucionárias, são uma ilusão diante das circunstâncias reais. Os comentários e críticas que são feitos para mim incluem:

- Não posso escolher como usar meu tempo. Meus chefes não permitem isso.
- Teria que mudar de emprego para seguir seu conselho e não posso assumir esse risco.
- Esse conselho serve muito bem para os ricos, mas eu apenas não tenho esse grau de liberdade.
- Eu teria que me divorciar!
- Minha ambição é me tornar 25% mais eficaz, não, 250%. Simplesmente não acredito que isso possa ser feito.
- Se fosse tão fácil quanto você fala, todo mundo já agiria assim.

Caso você se pegue fazendo uma dessas afirmações, talvez a revolução do tempo não seja para você.

Não comece uma revolução do tempo a menos que queira ser um revolucionário

Eu posso resumir (ou, pelo menos, caricaturar) essas reações na seguinte frase: "Eu não sou um radical, muito menos um revolucionário, portanto, me deixe em paz. Basicamente, estou feliz com meus horizontes". Está certo. Uma revolução é uma revolução. É desconfortável, dolorosa e perigosa. Antes de dar início a ela, perceba que isso envolve grandes riscos e que o levará por territórios inexplorados.

Aqueles que querem fazer uma revolução do tempo devem ligar passado, presente e futuro como foi sugerido na Figura 37. Por trás da questão de como investimos nosso tempo, está escondida outra muito mais fundamental: o que pretendemos fazer de nossas vidas.

CAPÍTULO 11: VOCÊ SEMPRE PODE TER O QUE QUER

Aquilo que mais importa
Jamais pode ficar à mercê do que pouco importa.
Johann Wolfgang von Goethe

Descubra o que você quer da vida. Como naquela frase da década de 1980, "o alvo é ter tudo". Tudo o que você quer deve ser seu: o tipo de trabalho que quer; o relacionamento de que precisa; o estímulo social, mental e estético que o fará se sentir feliz e realizado; o dinheiro necessário para o estilo de vida apropriado a você; e qualquer exigência que você possa ter (ou não) para se realizar ou servir aos outros. Se você não tiver tudo isso como alvo, você nunca terá. Ter tudo isso como objetivo, porém, exige que você saiba o que quer.

A maioria de nós não descobre o que quer e, como resultado, a maioria de nós acaba com a vida desequilibrada. Podemos trabalhar certo e ter relacionamentos errados ou vice-versa. Podemos correr atrás de dinheiro e de conquistas, mas achar depois que foram conquistas vazias.

O Princípio 80/20 registra esse estado lastimável: 20% do que fazemos leva a 80% dos resultados; mas 80% do que fazemos leva a apenas 20%. Nós estamos desperdiçando 80% de nossos esforços em resultados de baixo valor. Vinte por cento de nosso tempo conduz a 80% do que valorizamos; e 80% do nosso tempo desaparece em atividades que resultam em pouco valor para nós. Vinte por cento do nosso tempo resulta em 80% da nossa felicidade; mas 80% do nosso tempo contabiliza muito pouca felicidade.

Mas o Princípio 80/20 nem sempre se aplica e não é obrigado a se aplicar. Está lá como um diagnóstico, para apontar uma situação insatisfatória e equivocada. Devemos desejar frustrar o Princípio 80/20 ou, pelo menos, traduzi-lo em um plano mais elevado no qual podemos ser mais felizes e muito mais eficazes. Lembre-se da promessa do Princípio 80/20: se nós o observarmos, poderemos trabalhar menos, ganhar mais, nos divertir mais e conquistar mais.

Para fazer isso, devemos começar a ter uma visão bem clara do que queremos. Este capítulo trata disso. Os Capítulos 12, 13 e 14 vão abordar com mais detalhes alguns dos aspectos – relacionamentos, carreira e dinheiro, respectivamente – até que, no Capítulo 15, chegaremos ao objetivo final: a felicidade.

Comece pelo estilo de vida

Você gosta da sua vida? Não uma pequena parte dela, mas a maior parcela: gosta de, pelo menos, 80% da sua vida? E se você já tem ou não, haveria um estilo de vida que combinaria melhor com você? Pergunte a si mesmo:

- Estou vivendo com a pessoa certa ou com as pessoas certas?
- Estou vivendo no lugar certo?
- Estou trabalhando a quantidade certa de horas, de acordo com meu ritmo de trabalho/descanso e isso se ajusta à minha família e às necessidades sociais?
- Eu me sinto no controle?
- Posso me exercitar ou meditar quando quero?
- Estou quase sempre relaxado e confortável com o que me cerca?
- Meu estilo de vida facilita meu cotidiano para que eu seja criativo e realize meu potencial?
- Tenho dinheiro suficiente, e meus negócios estão organizados para que não precise me preocupar com isso?
- Meu estilo facilita a contribuição que quero dar para enriquecer a vida das pessoas que quero ajudar?
- Vejo suficientemente meus amigos mais próximos?
- A quantidade de viagens está correta na minha vida, nem demais, nem muito pouco?
- É o estilo de vida correto também para meu parceiro e minha família?
- O que necessito está exatamente aqui: tenho tudo isso?

O que falar sobre trabalho?

O trabalho é um aspecto-chave da vida que não deve ser exagerado nem subestimado. Quase todo mundo precisa trabalhar, seja para pagar as contas, ou não. Por outro lado, ninguém deveria deixar o trabalho assumir o controle da vida, embora muitas pessoas aleguem que se divertem trabalhando. A quantidade de horas dedicada ao trabalho não deveria ser definida por convenção social. Aqui, o Princípio 80/20 pode oferecer uma boa medida e uma boa forma de verificar se você precisa trabalhar mais ou menos. É a ideia da arbitragem: se, em média, você está mais feliz fora do trabalho, deve trabalhar menos e/ou mudar de emprego. Se, ao contrário, você, em média, é mais feliz no trabalho do que fora dele, deve trabalhar mais e/ou mudar a sua vida fora do trabalho. Você não está correto até que consiga ser igualmente feliz dentro e fora do trabalho; isto é, até que seja feliz pelo menos 80% do tempo no trabalho e 80% do tempo fora do trabalho.

Alienação da carreira

Muitas pessoas não gostam muito do próprio trabalho. Não se encontram no que fazem. Mas acreditam que "têm que" fazer aquilo que garante a sua sobrevivência. Pode ser também que você conheça pessoas que, embora seja incorreto dizer que desgostam de seu trabalho, têm uma visão ambivalente dele: às vezes ou de algumas partes, elas gostam; e em outras ocasiões ou de outras partes, elas definitivamente detestam. Talvez a maioria das pessoas que você conhece preferisse estar trabalhando em outra atividade, caso ganhassem o mesmo salário do emprego atual.

A carreira não é uma caixa separada

A carreira que você e/ou seu parceiro seguem deve ser vista em termos da qualidade de vida integral que lhes possibilita: onde vocês moram, o tempo que passam juntos e com os amigos e a satisfação que têm ao trabalhar, assim como, se o salário, depois de descontados os impostos e encargos, sustenta o estilo de vida que levam.

Provavelmente, você tem mais escolhas do que imagina. Sua atual carreira pode estar certa e você a usa como referência. Mas pense criativamente se você não preferiria uma carreira e um estilo de vida diferentes. Construa diversas opções para seu estilo de vida atual e futuro.

Parta da premissa de que não precisa haver nenhum conflito entre sua vida profissional e aquilo que gosta de fazer fora do trabalho. "Trabalho" tem muitas alternativas, especialmente agora que o setor de lazer e entretenimento abrange uma grande fatia da economia.

Talvez seja possível trabalhar em uma área que seja seu hobby ou transformar seu hobby em trabalho. Lembre-se de que o entusiasmo pode levar ao sucesso. Com frequência, é mais fácil transformar o entusiasmo em uma carreira do que se entusiasmar com uma carreira imposta pelos outros.

Não importa o que você faça, seja claro em relação ao ponto ótimo a que pretende chegar e olhe para isso a partir da perspectiva do contexto geral da sua vida. É mais fácil falar do que fazer: os velhos hábitos são duros de eliminar e a importância do estilo de vida é facilmente relegada pelas demandas tradicionais em relação à carreira.

Por exemplo, quando dois colegas e eu criamos nosso negócio em consultoria de administração em 1983, estávamos conscientes dos efeitos negativos em nossas vidas das longas horas de trabalho e das muitas viagens antes exigidas por nossos chefes. Então, decidimos instaurar uma "abordagem do estilo de vida" em nosso novo negócio, enfatizando mais a qualidade de vida do que os ganhos. Mas, quando os clientes começaram a entrar, acabamos trabalhando as mesmas 80 horas por semana, e o que é pior, exigindo o mesmo de nossa equipe de profissionais (não consegui entender, de início, o que ele queria dizer quando um consultor angustiado acusou a mim e aos meus sócios de "arruinar a vida das pessoas"). Na busca por dinheiro, a abordagem do estilo de vida voou rapidamente pela janela.

Que tipo de carreira faria você mais feliz?

Será que estou defendendo aqui que você abandone a corrida de ratos? Não necessariamente. Talvez você esteja mais feliz na corrida de ratos; talvez, como eu, você seja basicamente um rato.

Com certeza, você deve ser claro a respeito do que gosta de fazer e tente incluir isso ao máximo na sua carreira. Mas "o que" você faz é somente um elemento na equação. Você também precisa considerar o contexto interno do trabalho e a importância das conquistas profissionais para você. Esses pontos podem ser também muito importantes para determinar sua felicidade no trabalho.

Você precisa ter bem claro onde pisa, em duas dimensões:

- Você tem um grande foco em conquistas e sucesso na carreira?
- Você seria mais feliz trabalhando para uma organização como autônomo (atuando sozinho) ou empregando outras pessoas?

A Figura 40 mostra essa escolha. Que quadrado descreve você melhor?

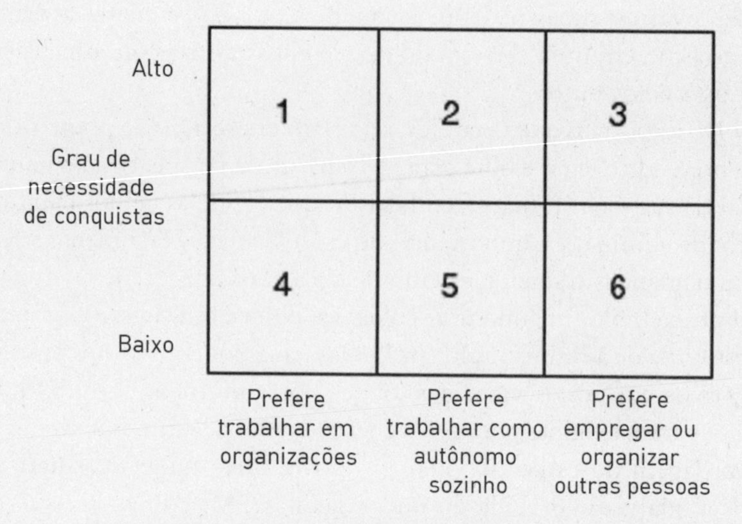

Figura 40 – Carreira e estilo de vida desejados

No box 1, estão as pessoas altamente ambiciosas, mas preferem trabalhar em um contexto organizado e oferecido pelos outros. O profissional "arquetípico das organizações" se encaixa aqui. O número desses empregos está diminuindo, porque cada vez mais as empresas contratam menos pessoas e também porque as grandes empresas estão perdendo participação de mercado para as pequenas (a primeira tendência vai continuar; a segunda, talvez não). Mas se a oferta desses empregos está caindo, então, a demanda por eles também está. Se você quer um trabalho desse tipo, deve reconhecer o fato e correr atrás da sua ambição, por mais fora de moda que isso possa vir a se tornar. As grandes companhias ainda oferecem estrutura e status, mesmo que já não consigam mais oferecer segurança.

No box 2, estão as pessoas que normalmente têm foco no reconhecimento pelos pares e que desejam ser as melhores em sua área. Elas querem ser independentes e não se ajustam muito bem às organizações, a menos que estas sejam (como a maioria das universidades) bastante permissivas. Essas pessoas devem garantir que se tornarão autônomas o mais depressa possível. Assim que conseguirem, devem resistir à tentação de contratar outras pessoas, mesmo que isso possa significar alto retorno financeiro. No box 2, estão as pessoas que normalmente são motivadas pelo reconhecimento de seus pares e por desejarem ser as melhores em sua área.

No box 3, as pessoas têm grande foco e ambição, detestam ser empregados, mas não querem a vida solitária do profissional autônomo. Podem ser anticonvencionais, mas são realizadoras: querem construir uma rede ou uma estrutura em torno de si mesmas. Essas pessoas são os empreendedores de amanhã.

Bill Gates, um dos homens mais ricos dos Estados Unidos, abandonou a faculdade, mas era obcecado pelos softwares para computadores pessoais. Mas ele não é um profissional autônomo solitário. Ele precisa ter outras pessoas, um grande número delas, trabalhando para ele. Muitas pessoas são assim. A ideologia do empoderamento corporativo obscureceu um pouco essa necessidade e deixou o desejo empreendedor meio fora de moda. Se você quer trabalhar com outras pessoas, mas não para elas, você é um profissional do box 3, que gosta do que faz, mas está atuando nos boxes 1 ou 2. É preciso reconhecer que a origem da sua frustração não é profissional mas organizacional.

No box 4, as pessoas não têm um foco muito grande nas conquistas profissionais, mas realmente gostam de trabalhar com os outros. Devem se assegurar de passar muitas horas por semana trabalhando em equipe ou fazendo trabalho voluntário.

No box 5, as pessoas não são ambiciosas, mas têm um enorme desejo de autonomia no trabalho. Em vez de criar a própria empresa, o melhor papel para elas é atuar como *freelancer*, trabalhando em projetos específicos para outras empresas, como forma de atender à própria conveniência profissional.

No box 6, estão indivíduos com baixa necessidade de conquistas profissionais, mas que gostam do processo de organizar e desenvolver os outros. Essas pessoas são professores, assistentes sociais e trabalhadores em instituições beneficentes e estão bastante adequadas para sua função. Para elas, a jornada é o mais importante, não há necessidade de chegar.

A maioria de nós gravita em torno do quadrado "certo", mas sempre que há alienação no trabalho é porque a pessoa está na "caixa" errada.

O que falar sobre dinheiro?

O que falar, de fato, sobre dinheiro?! Muitas pessoas têm uma visão peculiar sobre dinheiro. Acham que é mais importante do que é. Mas também acreditam que é mais difícil ganhá-lo do que é na verdade. Já que muitas pessoas gostariam de ter mais dinheiro do que realmente têm, vamos começar por esse segundo aspecto.

Minha visão em relação a dinheiro é que não considero difícil ganhá-lo e, uma vez que tenha um pouco para economizar, não é difícil multiplicá-lo.

Como você obtém dinheiro, em primeiro lugar? A melhor resposta, aquela que supreendentemente costuma estar certa, é fazer algo de que você gosta.

A lógica é a seguinte. Se você gosta de algo, é muito provável que faça isso muito bem. Existe mais chance de você fazer melhor aquilo de que gosta do que aquilo de que não gosta (nem sempre isso é verdade, mas as exceções são raras). Quando você é bom em alguma coisa, é capaz de criar algo que satisfaça os outros. Se você consegue satisfazer os outros, em geral, eles vão lhe pagar bem por aquilo. E, como as pessoas não costumam fazer o que gostam e, portanto, não serão tão produtivas quanto você, o resultado é que você vai ganhar acima da remuneração média do seu mercado.

Só que essa lógica não é à prova de tolos. Existem algumas profissões em que a oferta é vastamente maior do que a demanda; ser ator, por exemplo. O que fazer nessas circunstâncias?

O que você não deve fazer é desistir. Em vez disso, encontre uma profissão em que a oferta e a demanda estejam mais equilibradas, mas na qual as exigências estejam perto de atender às suas preferências vocacionais. Essas profissões adjacentes existem, embora nem sempre estejam imediatamente visíveis. Pense criativamente. Por exemplo, as exigências para ser um político estão bem próximas daquelas para ser ator. A maioria dos políticos eficazes, como Ronald Reagan, John F. Kennedy, Winston Churchill, Harold Macmillan ou Margaret Thatcher foram – ou poderiam ter sido – atores de sucesso. Charlie Chaplin foi sósia de Hitler e isso não foi acidental; infelizmente, Hitler foi um dos melhores e mais carismáticos atores do século XX. Tudo isso pode parecer bem óbvio, mas poucas pessoas que gostariam de ser atores consideram seriamente uma carreira na política, apesar de a competição ser menor e as recompensas, maiores.

E o que acontece quando o que você mais gosta tem baixa empregabilidade no mercado e você não consegue encontrar uma profissão adjacente que tenha uma perspectiva positiva? Então, siga para a sua próxima vocação predileta e repita todo o processo até encontrar uma profissão que você goste e que pague bem.

Uma vez encontrada sua profissão, se ganhar dinheiro for realmente importante para você e se for bom no que faz, seu objetivo deve ser se tornar autônomo e depois disso, assim que possível, começar a contratar outras pessoas.

Cheguei a essa conclusão a partir do argumento do Princípio 80/20 a respeito de arbitragem. Oitenta por cento do valor gerado em qualquer organização ou profissão deriva de 20% dos profissionais. Os trabalhadores que estão acima da média tenderão a ser mais bem pagos do que aqueles que estão abaixo da média, mas nunca o suficiente a ponto de refletir a diferença de desempenho. Dessa forma, as melhores pessoas são sempre mal remuneradas e as piores pessoas acabam sendo mais bem remuneradas. Sendo um funcionário acima da média, você não escapa dessa armadilha. Seu chefe pode achar que você é bom, mas nunca lhe dará o crédito por seu real valor em relação aos outros. A única maneira é abrir seu próprio negócio, caso seja bastante inclinado a contratar outros profissionais acima da média. Não dê esse passo, no entanto, se não se sentir confortável em ser autônomo ou atuar como chefe (veja Figura 40).

É fácil multiplicar dinheiro

Outro ponto a ter em mente é que, assim que você tem uma pequena reserva em caixa, esse dinheiro poderá ser facilmente multiplicado. Poupe e invista. É disso que se trata o capitalismo. Para multiplicar dinheiro, você não precisa ser da área financeira. Você pode simplesmente aplicar no mercado de ações usando o Princípio 80/20 como guia. O Capítulo 14 vai elaborar essa ideia.

O dinheiro é superestimado

Eu gostaria que você tivesse muito mais dinheiro, mas não exagere nessa questão. O dinheiro pode ajudá-lo a conquistar o estilo de vida que deseja, mas fique atento: todas aquelas fábulas desagradáveis sobre Midas e congêneres são fundamentadas na verdade. O dinheiro pode comprar a sua felicidade, mas apenas quando o utiliza para aquilo que – acima de tudo – é correto para você. Caso contrário, o dinheiro pode devolver uma "mordida".

Lembre-se de que quanto mais dinheiro tiver, menos valor uma dose extra de riqueza vai lhe acrescentar. Falando na linguagem dos economistas, a utilidade marginal do dinheiro declina acentuadamente. Assim que estiver ajustado a um padrão mais alto de vida, isso vai lhe oferecer pouca ou nenhuma felicidade extra. Pode ser até negativo, caso o custo de manter um novo estilo de vida provoque ansiedade ou mais um monte de pressão extra para ganhar dinheiro de uma maneira que não satisfaz você.

Mais riqueza sempre exige mais administração. Por exemplo, cuidar do meu dinheiro me irrita (não se ofereça para me aliviar dessa tarefa; isso me irrita menos do que fazer uma doação!).

As autoridades tributárias sempre tornam o dinheiro ineficaz. Quem ganha mais paga mais impostos desproporcionalmente. Ganhe mais, trabalhe mais. Trabalhe mais e terá que gastar mais: para morar perto do trabalho em uma área metropolitana cara ou, então, vai continuar indo e vindo, percorrendo longas distâncias; para comprar equipamentos que reduzem o trabalho; para contratar serviços domésticos terceirizados; e para bancar compensações de lazer, cada vez mais caras. Gaste mais e terá que trabalhar mais. Nesse ciclo, você pode acabar com um estilo de vida dispendioso que o controla, e não vice-versa. Você pode obter muito mais valor e felicidade de um estilo de vida mais simples e mais barato.

O que falar sobre conquistas?

Existem as pessoas que querem realizar conquistas – e, então, há também aquelas que são saudáveis e sãs. Todos os escritores motivacionais caem na armadilha de lhe dizer que você precisa de direção e propósito na vida. Em seguida, eles lhe dizem que você não tem nada disso. Depois, colocam você diante da agonia de decidir o que isso deveria ser. Para encerrar, eles finalmente lhe dizem o que acham que você deveria fazer.

Portanto, se você não quer conquistar nada específico e está bem feliz seguindo com a vida com tudo que já tem (poucas conquistas), considere-se uma pessoa de sorte (e vá direto para o final deste capítulo).

Mas, se como eu, você se sente culpado e inseguro sem conquistas e quer aumentá-las, o Princípio 80/20 pode ajudar você nesse momento de aflição.

As conquistas devem ser fáceis. Não deveriam ser "99% de transpiração e 1% de inspiração". Em vez disso, verifique se 80% das suas conquistas até agora – medidas de acordo com o que você valoriza – são resultado de 20% de seus esforços. Se isso for verdadeiro ou quase verdadeiro, então, pense cuidadosamente naqueles 20% valiosos. Você conseguiria simplesmente repetir aquelas conquistas? Melhorá-las? Reproduzi-las de maneira semelhante, mas em grande escala? Combinar duas conquistas anteriores para multiplicar a satisfação?

- Pense sobre suas conquistas passadas. Quais foram as que tiveram uma resposta mais positiva do "mercado", aquelas que levaram aos maiores aplausos do público? Esses são os 20% de trabalho e descanso que levaram a 80% dos elogios que as outras pessoas já lhe fizeram. Quanta satisfação, de fato, essas conquistas causaram em você?
- Que métodos funcionaram melhor para você no passado? Quais colaboradores? Quais audiências? De novo, pense 80/20. Qualquer um desses fatores que tenha lhe rendido uma satisfação média pelo tempo e esforço investidos deve ser descartado. Pense naqueles retornos excepcionais obtidos de forma excepcionalmente fácil. Não se restrinja à sua história profissional. Pense no seu tempo como estudante, turista ou com os amigos.
- Olhando para frente, o que você poderia conquistar e que o deixaria orgulhoso, mas que ninguém poderia alcançar com a mesma facilidade? Se houvesse cem pessoas ao seu redor tentando fazer algo, o que você faria em 20% do tempo e demoraria 80% para conseguir completar? Em que você ficaria entre os 20% do topo? Restringindo ainda mais, o que você faria melhor do que 80% das pessoas, mas em apenas 20% do tempo? De início, essas perguntas podem parecer enigmas, mas, acredite em mim, as respostas existem! A habilidade das pessoas em esferas diferentes é incrivelmente diversa.
- Se você pudesse medir a alegria derivada de algo, o que você desfrutaria mais do que 95% dos seus colegas? O que você faria melhor do que 95% das pessoas? Quais conquistas preencheriam essas duas condições?

É importante dar foco ao que você acha fácil. É aqui que a maioria dos escritores motivacionais erra. Eles presumem que você deve tentar realizar atividades que considera difíceis; uma suspeita do mesmo tipo recai sobre os avós que forçavam o consumo de óleo de fígado de bacalhau antes de as cápsulas terem sido inventadas. Os "inspiracionistas" citam sumidades como T. J. Watson que dizia que "o sucesso é o lado oposto do fracasso". Minha visão é que normalmente o fracasso é o lado oposto do fracasso. Além disso, o sucesso está bem próximo do fracasso. Você já é bem-sucedido em alguns aspectos e não importa nem um pouco se esses aspectos são poucos em número.

O Princípio 80/20 é claro. Busque aquelas poucas coisas que mais gosta de fazer e nas quais é fantasticamente melhor do que os outros.

O que mais você tem que ter, afinal?

Neste capítulo, nós abordamos trabalho, estilo de vida, dinheiro e conquistas. Para obter tudo isso, você também precisa contar com alguns relacionamentos satisfatórios. O tema exige um capítulo à parte.

CAPÍTULO 12: UMA PEQUENA AJUDA DOS AMIGOS

Os relacionamentos nos ajudam a definir quem somos e o que podemos nos tornar. A maioria de nós pode traçar os sucessos a partir de relacionamentos fundamentais.

Donald O. Clifton e Paula Nelson[77]

Sem relacionamentos, nós teríamos duas alternativas: ou estaríamos mortos para o mundo ou mortos de fato. Embora pareça banal, isso é verdadeiro: nossas amizades são o coração de nossa vida. Também é verdade que nossos relacionamentos profissionais são o coração de nosso sucesso. Este capítulo é sobre relacionamentos pessoais e profissionais. Vamos começar com os relacionamentos pessoais, com os amigos, parceiros, amantes e pessoas amadas. Em seguida, abordaremos os relacionamentos profissionais.

O que, afinal, isso tem a ver com o Princípio 80/20? A resposta é: tem a ver e muito. Existe uma relação entre quantidade e qualidade e nós frequentemente cultivamos pouco o que é mais importante.

O Princípio 80/20 oferece três hipóteses provocativas:

- Oitenta por cento do valor de nossos relacionamentos resulta de 20% deles.
- Oitenta por cento do valor de nossos relacionamentos vem daqueles 20% de amizades mais próximas que nós formamos primeiro na vida.
- Nós dedicamos muito menos do que 80% da nossa atenção àqueles 20% dos relacionamentos que representam 80% de valor.

Faça seu gráfico com os 20 melhores relacionamentos pessoais

Agora, escreva os nomes dos 20 amigos e pessoas amadas com quem tem os relacionamentos mais importantes, classificando as pessoas em ordem decrescente. "Importante" relaciona-se à profundidade e proximidade do relacionamento pessoal. Também se refere à extensão que essa relação dá suporte à sua vida e ajuda você a perceber quem é e em quem poderia se transformar. Faça isso agora, antes de continuar com a leitura.

Por falar nisso, onde seu amante/parceiro ficou nessa lista? Acima ou abaixo de seus pais ou filhos? Seja honesto (mas você deveria destruir essa lista assim que terminar de ler este capítulo!).

A seguir, distribua um total de 100 pontos entre os relacionamentos, de acordo com a importância que têm para você. Por exemplo, se a primeira pessoa da lista é exatamente tão importante quanto as demais 19 somadas, atribua 50 pontos para essa pessoa. Talvez você tenha que percorrer a lista mais de uma vez distribuindo os pontos até conseguir fazer com que a soma resulte em 100.

Não sei como é sua lista, mas um padrão típico em linha com o Princípio 80/20 teria duas características: os quatro primeiros relacionamentos (20% do total) somarão a maior parte dos pontos (talvez 80%); e haverá a tendência de existir uma constante entre cada número atribuído e o seguinte. Por exemplo, a pessoa número 2 pode ter dois terços ou metade da importância da número 1; a número 3 pode ter dois terços ou metade da importância da número 2; e assim por diante. É interessante observar que, se o relacionamento número 1 é duas vezes tão importante quanto o número 2 e assim por diante, o relacionamento número 6 será somente cerca de 3% tão importante quanto o número 1!

Complete esse exercício, anotando ao lado no nome de cada pessoa a proporção de tempo que você ativamente dedica a ela, conversando ou realizando alguma atividade em conjunto (exclua o tempo, quando a pessoa não for o principal foco de atenção, por exemplo, quando vocês ficam juntos, mas assistindo à televisão ou indo ao cinema). Transforme o total de tempo passado com as 20 pessoas em 100 unidades e, em seguida, distribua os valores ao lado dos nomes de cada uma. Normalmente, você perceberá que passa muito menos do que 80% do seu tempo com aquelas poucas pessoas que representam 80% do "valor dos relacionamentos" para você.

As implicações desse exercício devem ser simples. Opte pela qualidade em vez da quantidade. Invista seu tempo e energia emocional para consolidar e aprofundar seus relacionamentos mais importantes.

Mas há outro viés, esse relacionado à cronologia desses relacionamentos na sua vida. Acontece que nossa capacidade para formar relacionamentos próximos está bem longe de ser infinita. Existe outra troca entre qualidade e quantidade para a qual devemos estar atentos.

Teoria da aldeia

Os antropólogos destacam que o número de relacionamentos estimulantes e importantes que podemos estabelecer é limitado.[78] Aparentemente, o padrão comum dos indivíduos em qualquer sociedade é ter dois amigos de infância e dois amigos adultos significativos. Normalmente, existem ainda dois parceiros sexuais poderosos que eclipsam os demais. É bastante comum que a pessoa se apaixone uma única vez na vida e que haja um único membro da família a quem ela ama mais do que todos. O número de relacionamentos pessoais significativos é notavelmente parecido para todo mundo, não importa onde a pessoa esteja, seu grau de sofisticação ou cultura.

Isso levou os antropólogos a formular a "teoria da aldeia". Em uma tribo africana, todos esses relacionamentos se formam a apenas algumas centenas de metros de distância e dentro de um curto período de tempo. Para nós, esses relacionamentos podem estar distribuídos por todo o mundo e ao longo de uma vida inteira. Mesmo assim, estão na aldeia que cada um de nós traz dentro da cabeça. Quando preenchemos aqueles poucos espaços vazios disponíveis, eles estão ocupados para sempre.

Os antropólogos afirmam que, caso viva muitas experiências precocemente, você esgota sua capacidade de novos relacionamentos profundos. Isso pode explicar a superficialidade frequentemente observada naquelas pessoas que são forçadas a se relacionar demais pelas profissões ou pelas circunstâncias, como os vendedores e as prostitutas ou quem tem que mudar de casa periodicamente.

J. G. Ballard relatou o seguinte caso: um programa de reabilitação da Califórnia era voltado para jovens mulheres que haviam se envolvido com criminosos. Elas tinham 20 e poucos anos e o objetivo do programa era introduzi-las em novos ambientes sociais. Para isso, conviviam com jovens voluntários de classe média que serviam de tutores e as convidavam para a casa deles.

Muitas daquelas mulheres haviam casado incrivelmente cedo. Tiveram seus primeiros bebês com 13 ou 14 anos. Algumas chegaram a casar três vezes antes de completar 20 anos. Com frequência, haviam tido centenas de amantes e frequentemente tinham filhos ou se relacionavam com homens que estavam presos. Elas já haviam passado por tudo – relacionamentos, maternidade, rompimentos, perdas – e vivenciaram toda gama de experiências humanas enquanto ainda eram adolescentes.

O projeto foi um fracasso total. A explicação foi que aquelas mulheres eram incapazes de formar novos e profundos relacionamentos. Elas já estavam esgotadas afetivamente. Seus "espaços" reservados para relacionamentos já haviam sido preenchidos para sempre.

Essa história é triste, mas conveniente. Ela se ajusta ao Princípio 80/20: um pequeno número de relacionamentos será responsável por uma grande proporção de valor emocional. Preencha seu espaço de relacionamentos com extremo cuidado e não muito precocemente!

Relacionamentos e alianças profissionais

Vamos abordar agora os relacionamentos e alianças no ambiente de trabalho. Nesse caso, a importância de contar com poucos aliados próximos dificilmente poderá ser superada.

Sozinha, a pessoa parece ter o poder de realizações fantásticas – e realmente tem esse poder. Mas o desempenho excepcional exige aliados.

Isolado, você não conseguirá chegar ao sucesso. Somente os outros podem fazer isso por você. O que está ao seu alcance é selecionar os melhores relacionamentos e alianças para atender aos seus propósitos.

Você necessita desesperadamente de aliados. Você deve tratá-los bem, como uma extensão de si mesmo, como trata a você mesmo (ou deveria tratar). Não pressuponha que todos os seus amigos e aliados têm mais ou menos a mesma importância. Foque sua atenção para cultivar as alianças-chave da sua vida. Caso isso pareça óbvio ou banal, pergunte a si mesmo quantos dos seus amigos estariam de acordo com essas linhas. E, então, se pergunte como agir.

Todos os líderes espirituais têm muitos aliados. Se eles precisam disso, imagine você. Para usar um exemplo: Jesus Cristo dependia de João Batista para chamar a atenção do público para ele; depois sobre os doze apóstolos e depois sobre os outros discípulos, notavelmente São Paulo, que costuma ser chamado de o maior gênio de marketing da história.[79]

Nada é mais importante do que a escolha e a forma pela qual você constrói suas alianças. Sem elas, você não é nada. Com suas alianças, você pode transformar a sua vida, com frequência a vida dos que estão ao seu redor e, ocasionalmente, mudar o curso da história – de maneira ampla ou mais restrita.

Poderemos apreciar melhor a importância das alianças fazendo uma breve excursão histórica.

A história é conduzida por indivíduos que formam alianças eficazes

Vilfredo Pareto, o "Karl Marx burguês", afirmava que a história era basicamente uma sucessão de elites.[80] O objetivo de pessoas ou famílias cheias de energia era, dessa forma, devotado a galgar posições dentro de uma elite ou fazer parte de uma que estava substituindo outra (ou, se já estivesse dentro de uma elite, permanecer lá e fazê-la manter o status).

Se você se tornar um paretiano ou marxista, com sua visão de classes em mente, pode concluir que as alianças dentro das elites ou com os pretendentes a ingressar nelas são a força motriz do progresso. Com certeza, o indivíduo não é nada, a não ser como parte de uma classe; mas, da mesma forma, o indivíduo aliado a outros da mesma classe (ou possivelmente com indivíduos de outra classe) torna-se tudo.

A importância dos indivíduos aliados a outros é evidente em alguns pontos de virada da história. Teria havido a Revolução Russa de 1917 sem o papel fundamental de Lenin? Provavelmente não; e, com certeza, não teria sido uma revolução que mudaria o rumo da história pelos 72 anos seguintes. A Revolução Russa de 1989, que reverteu a primeira, teria tido sucesso e seria mantida se não fosse a presença de espírito e a bravura de Boris Yeltsin? Se ele não tivesse subido em um tanque do lado de fora da "Casa Branca" de Moscou, os gerontocratas comunistas provavelmente teriam conseguido concretizar aquele golpe instável.

Podemos brincar com o jogo do "e se?" repetidamente para demonstrar a importância dos indivíduos na história. Não teria havido Holocausto e nem a Segunda Guerra Mundial sem Hitler. Sem Roosevelt e sem Churchill, Hitler teria provavelmente unificado a Europa mais depressa, amplamente e de modo mais vexatório do que fizeram seus sucessores. E assim por diante. Mas o ponto-chave – sempre negligenciado – é que nenhum desses indivíduos teria mudado o curso da história sem relacionamentos e sem alianças.

Em quase todas as esferas,[81] é possível identificar um pequeno número de colaboradores sem os quais o indivíduo não seria bem-sucedido e nem teria provocado um impacto "individual" maciço. Nos governos, nos movimentos ideológicos de massas, nos negócios, na medicina, nas ciências, na filantropia ou nos esportes, o padrão é o mesmo. A história não é composta por forças cegas e não humanas. A história não é escrita por classes ou elites que operam de acordo com uma fórmula pré-programada econômica ou sociológica. A história é determinada e alterada por indivíduos dedicados que fazem alianças eficazes com um pequeno número de seletos colaboradores.

Você precisa de uns poucos aliados-chave

Se você já alcançou algum sucesso na vida, reconhecerá (a menos que seja um egoísta cego dirigindo-se para o precipício) a importância crucial dos aliados nas suas conquistas. Mas vai identificar também a mão do Princípio 80/20 no seu sucesso. Os aliados-chave são um pequeno número.

É geralmente uma afirmação acertada dizer que pelo menos 80% do valor dos seus aliados é gerado por menos de 20% deles. Para qualquer pessoa que tenha realizado algo, a lista de aliados, quando se pensa nisso, é inacreditavelmente longa. Mas das centenas de envolvidos, o valor é inversamente proporcional. Em geral, meia dúzia de aliados são muito mais importantes do que todos os demais.

Você não precisa de muitos aliados, mas precisa dos aliados certos e precisa ter o relacionamento certo com eles e também que eles tenham o relacionamento certo entre eles. Você necessita que estejam no momento certo, no lugar certo e com o interesse comum de avançar com os seus objetivos. Acima de tudo, os aliados devem confiar em você e você deve poder confiar neles.

Faça uma lista com seus vinte principais relacionamentos de negócios, das pessoas que você considera como aliados importantes e compare com a estimativa do número de contatos que você chama pelo primeiro nome. Provavelmente, 80% do valor de suas alianças está contida em 20% de seus relacionamentos. Se não for esse o caso, é possível que as alianças (ou algumas delas) sejam de baixa qualidade.

Alianças de execução

Se você está indo bem na carreira, faça uma lista das pessoas que mais o ajudaram até agora. Classifique-as em ordem decrescente e depois distribua 100 pontos entre as 10 primeiras, de acordo com a importância de cada uma.

Geralmente, as pessoas que o ajudaram mais no passado serão aquelas que poderão fazer isso no futuro. De vez em quando, no entanto, algum amigo que ficou lá embaixo na lista pode se tornar um importante aliado potencial: talvez a pessoa tenha conquistado uma nova e influente posição, deu uma boa acertada em algum investimento ou alcançou valioso reconhecimento. Faça novamente o exercício, classificando seus aliados de 1 a 10 e distribuindo outros 100 pontos entre eles. Só que, dessa vez, tome como base a futura capacidade deles para ajudar você.

As pessoas o ajudam porque existe um relacionamento forte. Em geral, essas relações mais sólidas têm cinco atributos: alegria mútua com a companhia do outro, respeito, experiência compartilhada, reciprocidade e confiança. Nos relacionamentos profissionais bem-sucedidos, esses atributos mesclam-se e se torna impossível individualizá-los, mas aqui podemos pensar neles separadamente.

Alegria mútua

O primeiro dos cinco atributos é o mais óbvio. Se você não fica contente por conversar com alguém no escritório, restaurante, em uma ocasião social ou por telefone, então, não será construído um relacionamento forte. O outro tem que se alegrar também com sua companhia.

Caso isso lhe pareça terrivelmente óbvio, reflita por um momento nas pessoas com quem convive socialmente, mas, em especial, naquelas com algum propósito profissional. De quantas pessoas você realmente gosta? Uma quantidade surpreendente de pessoas gasta muito tempo com quem não gosta de verdade. É uma completa e total perda de tempo. Não é agradável, é cansativo, com frequência é dispendioso e, além disso, impede que você se divirta de outra forma melhor e o pior é que essa convivência não vai levar você a lugar nenhum. Pare de fazer isso! Invista mais tempo nos contatos com quem você se diverte, particularmente aqueles que podem vir a ser úteis.

Respeito

Existem pessoas com as quais me divirto imensamente, mas que não respeito muito no âmbito profissional e vice-versa. Eu nunca ajudaria alguém na carreira se não respeitasse as competências profissionais da pessoa.

Portanto, se alguém vai ajudar você profissionalmente, essa pessoa tem que estar impressionada com o seu desempenho! Mesmo assim, com frequência escondemos nossa luz sob um anteparo. Paul, um bom amigo que estava em posição de alavancar consideravelmente minha carreira, uma vez observou, em uma reunião de diretoria, que ele estava pronto para acreditar que eu era competente profissionalmente, apesar de jamais ter visto a mais leve evidência disso! Decidi encontrar alguns contextos em que eu pudesse lhe mostrar algumas evidências. Agi assim – e Paul subiu rapidamente na minha lista de aliados.

Experiência compartilhada

Exatamente como na aldeia primitiva, nós temos um espaço limitado para experiências profissionais importantes. Compartilhar experiências, especialmente quando isso envolve situações de luta e sofrimento, cria vínculos fortes. Um de meus melhores relacionamentos, profissional e de amizade, formou-se quando eu era estagiário no meu primeiro emprego. A pessoa também era estagiária e vivíamos a mesma situação. Tenho certeza de que não desenvolveríamos uma relação tão forte se nós dois não odiássemos tão profundamente aquela refinaria de petróleo.

Portanto, quando estiver em um emprego difícil, desenvolva um aliado que você goste e respeite. Faça com que isso se torne uma aliança profunda e frutífera. Caso não aja assim, estará perdendo uma grande oportunidade!

Mesmo que vocês não estejam sofrendo, encontre uma pessoa com quem tenha muitas experiências compartilhadas e faça com que se torne seu aliado-chave.

Reciprocidade

Para que as alianças funcionem, cada aliado deve dar uma grande contribuição para a outra parte – repetida e consistentemente ao longo de um grande período de tempo.

A reciprocidade exige que o relacionamento não seja unilateral. Igualmente, a reciprocidade deve ocorrer com naturalidade e não ser calculada com precisão. O importante é que você faça tudo o que pode – coerente com os padrões éticos mais altos – para ajudar a outra pessoa. Isso exige tempo e atenção! Você não deve esperar até que o outro lhe peça um favor.

O que me surpreende ao rever os relacionamentos profissionais é perceber como é rara a verdadeira reciprocidade. Mesmo que os outros ingredientes – amizade, respeito, experiência compartilhada e confiança

– estejam presentes, as pessoas costumam negligenciar a ajuda proativa de seus aliados. Mais uma vez, isso é um enorme desperdício; ali está a oportunidade para aprofundar o relacionamento e ganhar crédito para receber ajuda no futuro.

Os Beatles nos disseram que "no final, o amor que você recebe é igual ao amor que você dá". Da mesma maneira, a ajuda profissional que você recebe é igual àquela que você oferece.

Confiança

A confiança consolida os relacionamentos. A falta de confiança os dilapida rapidamente. A confiança exige honestidade em tempo integral. Se houver a mínima suspeita de que você não está dizendo o que pensa, mesmo que seja pelas razões mais nobres ou para se manter diplomático, a confiança pode ser ameaçada.

Caso você não confie totalmente em alguém, não tente construir uma aliança. Tem tantas chances de não funcionar, que não vai funcionar.

No entanto, quando você tem confiança total, isso torna o relacionamento profissional muito mais ágil e eficiente. Vai economizar muito tempo e dinheiro. Nunca abra mão da confiança para agir com impulsividade, covardia ou astúcia.

Se você está em início de carreira, preencha o espaço dos aliados cuidadosamente

Uma boa regra é a seguinte: desenvolva seis ou sete alianças profissionais de ouro. Esses poucos relacionamentos devem ser os seguintes.

- Um ou dois relacionamentos com mentores, pessoas mais experientes do que você.
- Dois ou três relacionamentos com pares.
- Um ou dois relacionamentos nos quais você seja o mentor.

Relacionamentos com mentores

Escolha um ou dois mentores cuidadosamente. Não deixe que eles escolham você: nesse caso, podem ocupar o espaço de um mentor muito melhor. Os mentores que você escolher precisam ter essas duas características:

- Você deve ser capaz de desenvolver os cinco ingredientes do relacionamento, ou seja, alegria mútua, respeito, experiência compartilhada, reciprocidade e confiança.
- O mentor deve ser o mais sênior possível ou, ainda melhor, relativamente jovem, mas claramente destinado ao topo da hierarquia. Os melhores mentores são extremamente capazes e ambiciosos.

Pode parecer estranho dizer que esse relacionamento deve ser recíproco, já que inevitavelmente o mentor terá mais o que oferecer do que o mentorado. No entanto, os mentores devem ser recompensados ou acabarão por perder o interesse. O mentorado pode oferecer ideias renovadas, estímulo mental, entusiasmo, dedicação, conhecimento das novas tecnologias e alguns outros atributos de valor para o mentor. Os mentores sábios com frequência usam aliados mais jovens para se manter atualizados com as tendências emergentes e oportunidades potenciais, além de ameaças que podem não estar visíveis de uma posição mais alta da hierarquia.

Relacionamentos com pares

Com os pares, você tem muita chance de escolha. Há muitos aliados potenciais. Mas não se esqueça que você tem apenas dois ou três espaços para preencher. Seja bastante seletivo. Faça uma lista com os possíveis aliados que contam com os "cinco ingredientes" ou que têm potencial para isso. Escolha na lista os dois ou três que, em sua opinião, têm mais probabilidade de ser bem-sucedidos. Depois, trabalhe arduamente para torná-los seus aliados.

Relacionamentos em que você é o mentor

Não negligencie essas relações. É provável que consiga tirar o melhor dos seus mentorados, se eles trabalharem para você, de preferência por um período de tempo bem longo.

Múltiplas alianças

Com bastante frequência, as alianças são construídas em redes de relacionamentos on-line ou não. Essas redes podem se tornar bastante poderosas ou, pelo menos, parecer assim quando vistas de fora. Em geral, são muito divertidas.

Mas não se empolgue, não acredite que está sendo reconhecido pela multidão. Você talvez seja apenas um participante periférico naquela rede. Não se esqueça de que todos os relacionamentos verdadeiros e valiosos são recíprocos. Se você tem uma aliança forte com X e Y e ambos se relacionam entre eles, isso é excelente. Lenin disse que a corrente é tão forte quanto seu elo mais fraco. Assim, por mais forte que seja o relacionamento entre X e Y, o que realmente importa a você é o seu relacionamento com X e o seu relacionamento com Y.

Conclusão

Para os relacionamentos pessoais e profissionais, o melhor é ter poucos e profundos do que muitos e superficiais. Um relacionamento não é tão bom quanto outro qualquer. Relacionamentos seriamente falhos, aqueles em que vocês passam muito tempo juntos, mas o resultado é insatisfatório, devem ser eliminados o mais depressa possível. Os maus relacionamentos impedem o desenvolvimento dos bons. Existe um espaço limitado para os relacionamentos; não preencha os espaços muito cedo e nem tampouco com relacionamentos de baixa qualidade.

Escolha com cuidado e depois construa a relação com seriedade.

A bifurcação do livro

Nós chegamos agora a uma bifurcação opcional na leitura deste livro. Os dois próximos capítulos (13 e 14) são, respectivamente, para quem quer saber como evoluir na carreira ou como multiplicar seu dinheiro. Os leitores para quem esses não são objetivos relevantes podem avançar para o Capítulo 15, no qual são descritos os sete hábitos da felicidade.

CAPÍTULO 13: INTELIGENTE E PREGUIÇOSO

Existem apenas quatro tipos de oficiais.
Primeiro, são os preguiçosos e estúpidos.
Deixe-os em paz, eles não fazem mal a ninguém...
Em segundo lugar, existem os que trabalham muito e são inteligentes.
Eles se tornam excelentes oficiais de equipe,
cuidando para que todo detalhe tenha sido considerado.
Em terceiro, há os que trabalham duro e são estúpidos.
Esses são uma ameaça e devem ser eliminados rapidamente.
Eles criam trabalho irrelevante para todo mundo.
Finalmente, há os oficiais preguiçosos e inteligentes.
Esses são adequados para ocupar os mais altos postos.
General von Manstein, do Corpo de Oficiais da Alemanha

Este capítulo é dedicado às pessoas verdadeiramente ambiciosas. Se você não sofre da insegurança que estimula o desejo de ser rico ou famoso, pode seguir direto para o Capítulo 15. Caso queira, porém, vencer a corrida de ratos, aqui estão alguns conselhos que podem surpreendê-lo.

O general Von Manstein captura a essência deste capítulo, que é a aplicação do Princípio 80/20 para que você tenha uma carreira bem-sucedida. Se o general fosse um consultor de administração, ele teria feito uma fortuna com a matriz que apresento a seguir na Figura 41.

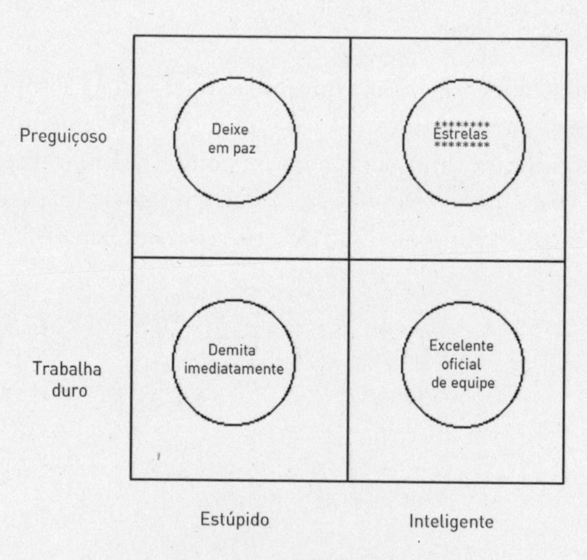

Figura 41 – A matriz de Von Manstein

Esse conselho é sobre o que fazer com as outras pessoas. Mas o que fazer em relação a você mesmo? É possível considerar que a inteligência e a propensão para trabalhar são atributos fixos. Nesse caso, a matriz de Von Manstein, embora seja interessante, seria inútil. Porém, a posição defendida neste capítulo é ligeiramente diferente. Mesmo que você seja alguém que trabalha muito, pode aprender a se tornar preguiçoso. E mesmo que os outros achem que você é estúpido, você é inteligente em algo. A chave para se transformar em uma estrela é simular, produzir e aplicar a inteligência preguiçosa. Como veremos, esse atributo pode ser desenvolvido. A chave para ganhar mais e trabalhar menos é selecionar as atividades certas e realizar apenas as que têm alto valor agregado.

Primeiro, no entanto, é instrutivo verificar como o Princípio 80/20 distribui as recompensas para quem trabalha. As recompensas são, ao mesmo tempo, desequilibradas e injustas. Nós podemos nos queixar disso ou aprender a tirar vantagem da matriz de Von Manstein.

O desequilíbrio é violento nas recompensas e no sucesso profissional

Não há ponto em que o Princípio 80/20 seja mais evidente do que nas grandes e crescentes recompensas recebidas por um número bem pequeno de profissionais de elite.

Vivemos em um mundo em que os retornos para as pessoas mais talentosas, em todas as esferas da vida, nunca foram tão altos. Uma pequena porcentagem dos profissionais recebe uma quantidade desproporcional de reconhecimento e fama e, em geral, também uma grande parte dos tesouros disponíveis.

Pegue como exemplo qualquer esfera contemporânea do empreendimento humano, em qualquer país ou globalmente. Seja no mundo dos atletas do beisebol, basquete, futebol, golfe, rúgbi, tênis ou qualquer outro esporte popular; ou na arquitetura, escultura, pintura ou qualquer outra arte visual; ou em qualquer categoria de música; no cinema ou no teatro; romances, livros de culinária ou autobiografias; ou mesmo apresentação de *talk shows*, lendo as notícias na tevê ou falando sobre política; ou em qualquer outra área bem definida, sempre haverá um pequeno grupo de profissionais notáveis cujos nomes virão à nossa mente.

Considerando quantas pessoas existem em cada país, é um número muito pequeno de nomes e geralmente uma pequena porcentagem – normalmente, bem abaixo de 5% – dos profissionais ativos naquela esfera. Em qualquer profissão, a fração de "nomes" reconhecidos é muito pequena, mas eles monopolizam as atenções. São sempre muito procurados e sempre estão no noticiário. Esse é o equivalente humano das marcas de bens de consumo; essas estrelas são imediatamente reconhecidas e compradas em grande quantidade.

A mesma concentração ocorre quando se trata de popularidade e de recompensas financeiras. Mais de 80% dos romances vendidos são de menos de 20% dos títulos publicados. O mesmo é verdade em qualquer categoria de publicação: dos álbuns de música pop aos concertos, no cinema e até mesmo nos livros de negócios. O mesmo também se aplica aos atores, celebridades da televisão ou qualquer modalidade esportiva. Oitenta por cento dos prêmios em dinheiro do golfe são destinados a menos de 20% dos golfistas profissionais; o equivalente é verdadeiro no tênis; e nas corridas de cavalos, mais de 80% das vitórias ocorre para menos de 20% dos proprietários, jóqueis e treinadores.

Nós vivemos em um mundo em que o marketing é crescente. Os nomes do topo podem pedir honorários enormes – mas aqueles que não são tão bons ou nem tão conhecidos recebem relativamente menos.

Há uma diferença entre estar no topo e ser muito conhecido, e estar quase no topo e ser bem conhecido somente por alguns poucos entusiastas. As estrelas muito conhecidas do beisebol, basquete ou do futebol ganham milhões; aqueles logo abaixo do topo recebem apenas para viver confortavelmente.

Por que os vencedores levam tudo?

A distribuição das receitas entre as superestrelas é ainda mais desequilibrada do que entre a população em geral e oferece uma ótima ilustração do Princípio 80/20 (ou, na maior parte dos casos, 90/10 ou 95/5). Diversos autores[82] buscaram explicações econômicas e sociológicas para os super-retornos das superestrelas.

A explicação mais convincente é que duas condições facilitam os altos retornos das superestrelas. A primeira é que se tornou possível para elas estarem acessíveis a milhares de pessoas de uma vez só. As comunicações modernas possibilitaram isso. O custo incremental para "distribuir" J. K. Rowling, Steven Spielberg, Oprah Winfrey ou Lady Gaga para mais consumidores pode ser quase nada, já que o custo adicional para transmitir as imagens, fazer um álbum ou imprimir um livro é uma parte bem pequena da estrutura geral de custos.

O custo adicional para tornar as superestrelas acessíveis às multidões, certamente, não é maior do que se fosse um substituto do segundo escalão, exceto que as superestrelas ainda podem pedir honorários mais altos de acordo com a escala alcançada. Embora essa quantia possa chegar a muitos milhões ou a dezenas de milhões, o custo marginal por consumidor é ainda muito baixo, com frequência, centavos ou frações de centavos.

A segunda condição para os altos retornos das superestrelas é que a mediocridade não substitui o talento. É importante obter o melhor. Se um detergente oferece a metade da eficiência de outro, o mercado pagará a metade por esse produto. Mas quem quer alguém que só tem a metade da qualidade de Rafael Nadal, Jennifer Lopez ou Jennifer Lawrence? Nesse caso, o profissional que não é uma superestrela, mesmo se trabalhasse por nada, movimentaria outros fatores econômicos infinitamente menores. Quem não é uma superestrela atrai uma audiência muito menor e, por uma mínima redução no custo total, acaba gerando retornos muito menores para todas as partes envolvidas.

"O vencedor leva tudo" é um fenômeno moderno

O mais intrigante é que essa disparidade entre a recompensa oferecida aos profissionais do topo e a dos demais nem sempre existiu. Os maiores campeões de basquete ou de futebol das décadas de 1940 e 1950, por exemplo, não ganharam fortunas. Era possível encontrar políticos proeminentes que morreram razoavelmente pobres. Quanto mais retornamos no tempo, menos é verdade que o vencedor leva tudo.

Por exemplo, William Shakespeare era absolutamente proeminente em termos de talento entre os seus contemporâneos. Da mesma forma, Leonardo da Vinci. Por direito, ou melhor, de acordo com os padrões atuais, eles deveriam ser capazes de explorar seu brilho, criatividade e fama para se tornarem os homens mais ricos do seu tempo. Em vez disso, viveram com a mesma receita atribuída hoje – em termos relativos – a milhões de profissionais moderadamente talentosos.

O desequilíbrio das recompensas financeiras está se tornando cada vez mais pronunciado ao longo do tempo. Atualmente, a receita está vinculada mais diretamente ao mérito e à negociabilidade. Assim, essa conexão 80/20 é demonstrada com mais clareza em termos de dinheiro, porque está mais evidente. Nossa sociedade é sem dúvida mais meritocrática do que aquela de um ou dois séculos atrás e até mesmo do que as gerações passadas. Isso é particularmente verdade na Europa como um todo e em especial no Reino Unido.

Se os melhores jogadores de futebol fizessem fortunas na década de 1940 ou 1950, isso teria provocado a fúria do *establishment* britânico; teria sido indecoroso. Quando os jornalistas da década de 1960 descobriram que os Beatles estavam milionários, isso causou espanto. Atualmente, o fato de que estrelas valem milhões de dólares não causa surpresa ou indignação. Hoje em dia, temos menos respeito pela posição e mais pelos mercados.

O outro elemento novo, como dito anteriormente, foi a revolução tecnológica e das telecomunicações, com a internet e a globalização. A questão-chave agora é maximizar as receitas, o que as supercelebridades podem fazer. O custo extra por contratá-las pode ser uma quantia enorme para um indivíduo, mas o custo por consumidor é trivial.

O reconhecimento sempre obedeceu ao Princípio 80/20

Mesmo se deixarmos o dinheiro de lado para lidar com questões mais duradouras e importantes (pelo menos para todo mundo e exceto para as próprias superestrelas), poderemos ver que a concentração de reconhecimento e fama em poucas pessoas, não importa qual seja a profissão, sempre foi verdade. Restrições, que hoje parecem estranhas aos nossos olhos – como classe ou falta das telecomunicações –, impediram Shakespeare e Leonardo da Vinci de se tornarem milionários. Mas a falta de riqueza não diminui o reconhecimento do talento deles ou o fato de que uma grande proporção do impacto deriva de uma pequena parcela de criadores.

Os retornos 80/20 também se aplicam aos profissionais fora da mídia

Embora sejam mais noticiados e exagerados quando se referem às supercelebridades expostas pela mídia, os retornos 80/20 não estão restritos ao mundo do entretenimento. De fato, as celebridades representam somente 3% dos multimilionários. A maioria dos 7 milhões de norte-americanos que possui entre 1 e 10 milhões de dólares é formada por profissionais de um tipo: executivos, personagens de Wall Street, os melhores advogados, médicos e congêneres. Subindo na classificação para aquele 1,4 milhão de norte-americanos que têm entre 10 e 100 milhões dólares, existem duas vezes mais empreendedores entre eles do que na categoria dos "milionários mais pobres". Quando chegamos ao grupo muito menor (alguns milhares apenas) de norte-americanos que valem entre 100 milhões e 1 bilhão de dólares, os empreendedores e administradores financeiros predominam. O mesmo é verdade para a categoria dos bilionários, na qual a revista *Forbes* registrou 946 pessoas em 2007, incluindo nada menos do que 178 novos bilionários e 17 que voltaram para a lista.

Provavelmente, o talento sempre seguiu um padrão 80/20. De uma maneira estimada, talvez o efeito da tecnologia seja mover o talento para uma curva que se aproxime da relação 90/10 ou 95/5. As recompensas costumavam seguir a curva 70/30, mas, para os mais famosos, elas podem certamente agora estar perto da 95/5 ou até mesmo de uma curva ainda mais desequilibrada.

A distribuição da riqueza pela linha 80/20 ou até mesmo por uma 99/1 parece estar se tornando uma tendência inexorável e até assustadora. Entre 1990 e 2004, os norte-americanos que mais ganhavam viram suas contas engordarem 57%. Para os 10% no topo daquele 1%, os ganhos cresceram em 85%. Os bilionários ficaram ainda mais ricos. A fortuna somada de todos eles chegou a estarrecedores 439 bilhões de dólares em 1995, mas agora se multiplicou oito vezes e chegou ao total de 3,5 *trilhões de dólares*. Em 2007, esse volume subiu não menos do que 26%. Dois terços dos bilionários de 2007 estavam significativamente mais ricos do que no ano anterior, e apenas 17% deles empobreceram.

O que tudo isso significa para os ambiciosos?

Quais são as regras do sucesso nesse mundo 80/20? Você pode querer desistir e se recusar a competir em um mundo em que as chances contra o seu megassucesso são tão grandes. Só que eu acredito que essa seria a conclusão errada. Mesmo que você não queira se tornar um hipermegabilionário mundial (mas especialmente se quiser), existem dez regras de ouro para construir uma carreira bem-sucedida em um mundo cada vez mais 80/20 (veja a Figura 42).

Embora esses princípios sejam mais valiosos quanto maior for sua ambição, eles se aplicam a qualquer nível de carreira e fortuna que você pretenda conquistar. Enquanto abordamos as regras, coloque o seu chapéu de pensador 80/20 para adequar o texto à sua própria carreira. Lembre-se da matriz de Von Manstein: encontre o quadrante em que seu nome já está escrito, aquele em que você poderá se tornar inteligente, preguiçoso e altamente recompensado.

1	Especialize-se em um nicho bem pequeno; desenvolva uma competência fundamental
2	Escolha um nicho do qual goste, onde possa ser excelente e tenha a chance de se tornar um líder reconhecido
3	Entenda que conhecimento é poder
4	Identifique seu mercado e seus clientes-chave para atendê-los da melhor forma possível
5	Identifique onde 20% dos seus esforços resultam em 80% dos retornos
6	Aprenda com os melhores
7	Torne-se autônomo cedo na carreira
8	Contrate o máximo possível de criadores de valor
9	Use terceirizados para tudo, menos para suas atividades estratégicas
10	Explore a alavancagem de capital

Figura 42 - As dez regras de ouro para o sucesso na carreira

Especialize-se em um nicho bem pequeno

A especialização é uma das maiores e universais leis da vida. É como a vida evolui, com cada espécie buscando novos nichos ecológicos e desenvolvendo características exclusivas. Um pequeno negócio que não se especializa vai morrer. O indivíduo que não se especializar estará condenado a uma vida de escravo assalariado.

No mundo natural, o número de espécies é desconhecido, mas é quase certo que esse total é fabulosamente grande. Da mesma forma, o número de nichos no mundo dos negócios é muito maior do que se costuma acreditar; sendo assim, muitos pequenos negócios, aparentemente competindo em um amplo mercado, poderiam na verdade ser líderes em seus próprios nichos, evitando a competição cabeça a cabeça.[83]

Para os indivíduos vale o mesmo raciocínio: é melhor saber bem alguns pontos ou, de preferência, um único ponto excepcionalmente bem, do que saber de tudo de forma muito superficial.

A especialização é intrínseca ao Princípio 80/20. Essa ideia funciona – ou seja, 20% das causas são responsáveis por 80% dos resultados – porque esse um quinto produtivo é mais especializado e mais adequado à tarefa em questão do que aqueles outros quatro quintos improdutivos.

Onde quer que vejamos o Princípio 80/20 operar, isso é evidência do desperdício de recursos (na parte dos quatro quintos improdutivos) e da necessidade de mais especialização. Se aqueles 80% se especializarem naquilo em que são bons, podem se tornar aqueles 20% produtivos em outra esfera. Isso, por sua vez, criará uma nova relação 80/20, mas em um nível mais elevado. O que costumava ser aqueles 80% improdutivos, ou quase isso, vai se transformar agora nos 20% produtivos em uma outra distribuição.

Esse processo, que o filósofo alemão do século XIX G. W. F. Hegel chamava de "dialético",[84] pode seguir indefinidamente, constituindo-se no motor do progresso. De fato, há evidências de que foi exatamente isso que aconteceu ao longo do tempo na natureza e na sociedade. Os padrões mais elevados de vida foram alcançados com cada vez mais especialização. O computador evoluiu de uma nova especialização da eletrônica; a internet, de uma especialização ainda maior; os softwares e aplicativos modernos e amigáveis resultaram de outras especializações; assim como os smartphones, que surgiram de outro estágio do mesmo processo. A biotecnologia, que revolucionou a produção de alimentos, evoluiu de maneira semelhante, com cada avanço exigindo e incentivando uma especialização ainda mais progressiva.

Sua carreira deve progredir da mesma forma. O conhecimento é a chave. Uma das tendências mais notáveis do mundo do trabalho na geração passada foi o poder crescente e a conquista de status dos técnicos, antigamente considerados mão de obra, mas que agora estão apoderados de conhecimento especializado somado à ainda mais especializada tecnologia da informação.[85] Esses especialistas são agora frequentemente mais poderosos e mais bem pagos do que aqueles gerentes tecnologicamente mais primitivos, que pretendiam agregar valor organizando os técnicos.[86]

No nível mais básico, a especialização requer qualificações. Na maior parte das sociedades, mais de 80% das qualificações são obtidas por 20% da força de trabalho. Cada vez mais, a mais importante distinção de classe nas sociedades avançadas não é mais a propriedade de terras ou até mesmo a riqueza, mas o domínio da informação. Oitenta por cento da informação está no domínio de 20% das pessoas.

O economista e funcionário do governo norte-americano Robert Reich dividiu a força de trabalho dos Estados Unidos em quatro grupos. O grupo do topo, ele chamou de "analistas simbólicos", pessoas que lidam com números, ideias, problemas e palavras. Esse grupo inclui os analistas financeiros, consultores, arquitetos, advogados, médicos e jornalistas; na verdade, todos os trabalhadores cuja inteligência e conhecimento são a sua fonte de poder e de influência. Curiosamente, ele chamou esse grupo de "um quinto afortunado" – nos nossos termos, os 20% do topo –, aqueles que detêm 80% da informação e 80% da riqueza.

Qualquer pessoa que tenha tido a experiência de frequentar algum curso recentemente sabe que o conhecimento está passando por uma profunda e progressiva fragmentação. De alguma maneira isso é preocupante, já que não existe quase ninguém entre os intelectuais ou na sociedade como um todo que possa integrar os diferentes avanços do conhecimento e nos dizer o que tudo isso significa. Mas, de outro ângulo, a fragmentação é mais uma evidência da necessidade e do valor da especialização.

Para o indivíduo, ao observar a tendência crescente de as melhores recompensas serem destinadas aos "cachorros grandes" do topo, esse processo oferece muita esperança. Pode ser que não haja a esperança de você se tornar Albert Einstein ou Bill Gates, mas existem centenas de milhares, para não dizer milhões, de nichos nos quais você pode escolher se especializar. Você pode até, como Gates, inventar o seu próprio nicho.

Encontre o seu nicho. Pode levar um bom tempo, mas é a única maneira de você conquistar acesso a retornos excepcionais.

Escolha um nicho do qual goste, onde possa ser excelente

A especialização requer uma reflexão cuidadosa. Quanto menor for a área, mais importante é escolhê-la com extrema precaução.

Especialize-se em algo em que já tenha interesse e de que goste muito. Você não se tornará um líder reconhecido em nada que não mereça o seu entusiasmo e a sua paixão.

Isso não é um requisito exagerado, como você pode pensar. Todo mundo fica animado com algo; caso contrário, está morto ou morrendo. E quase todo hobby, todo entusiasmo, toda vocação podem ser transformados atualmente em uma atividade de negócios.

Você também pode olhar para isso por outro ângulo. Quase todo mundo que já chegou ao topo fez essa conquista com entusiasmo pelo que realiza. O entusiasmo direciona as conquistas pessoais e contagia os outros, criando um efeito multiplicador. Você não pode simular ou manufaturar o entusiasmo.

Caso não esteja entusiasmado com sua atual carreira e seja uma pessoa ambiciosa, você deveria parar com essa atividade. Mas, antes de dar tal passo, desenvolva uma carreira melhor. Faça uma lista com tudo aquilo que motiva você. Então, pense em quais atividades poderiam se transformar em um nicho de carreira. A seguir, escolha aquela pela qual você se sente mais entusiasmado.

Entenda que conhecimento é poder

A chave para construir uma carreira a partir do entusiasmo é o conhecimento. Saiba mais do que todo mundo sobre uma área. Então, desenvolva uma maneira de comercializar isso, de criar mercado e de formar um grupo leal de clientes.

Não é suficiente saber muito sobre um pouco. Você tem que saber mais do que qualquer outra pessoa, pelo menos, sobre um tema. Não pare de aprimorar sua *expertise* até que tenha certeza de saber mais que todos e que é o melhor em seu nicho. Esteja sempre reforçando sua liderança com prática constante e curiosidade profunda. Não tenha expectativa de se tornar um líder, a menos que realmente tenha muito mais conhecimento do que todos os outros.

Colocar-se no mercado é um processo criativo: você vai ter que se trabalhar para fazer isso. Talvez você possa seguir o exemplo de outras pessoas que conseguiram se comercializar no mercado em uma área adjacente. Caso essa opção não esteja disponível, siga as diretrizes a seguir.

Identifique seu mercado e seus clientes-chave para atendê-los da melhor forma possível

Seu mercado é formado por aquelas pessoas que podem pagar por seu conhecimento. Os clientes-chave são aqueles que mais valorizam os seus serviços.

O mercado é a arena na qual você vai operar. Isso exige que você defina como o seu conhecimento pode ser comercializado. Você vai trabalhar para uma empresa estabelecida ou indivíduo como empregado, trabalhar para um grupo de corporações ou indivíduos como *freelancer*, ou abrir um negócio de serviços para distribuir seu próprio trabalho e de outras pessoas para indivíduos ou empresas?

Você vai fornecer conhecimento bruto para ser processado para situações específicas ou usá-lo para criar um produto? Você vai inventar o produto, adicionar valor ao produto semiacabado de outra pessoa ou ser um varejista de produtos acabados?

Seus principais clientes ou consumidores são os indivíduos ou empresas específicas que podem mais valorizar sua atividade e que podem lhe oferecer um fluxo de trabalho bem remunerado.

Seja você um empregado, um autônomo, um empregador grande ou pequeno ou até mesmo um chefe de Estado, você tem seus principais clientes, dos quais, depende a continuidade do seu sucesso. Isso é verdade, qualquer que seja o nível das suas conquistas anteriores.

É surpreendente, a propósito, como algumas estrelas penalizam sua posição de liderança, negligenciando ou até mesmo abusando de seus principais clientes. A estrela do tênis John McEnroe esqueceu que seus clientes eram os espectadores e até os organizadores dos torneios profissionais. A senhora Thatcher (como era chamada) esqueceu que seus clientes mais importantes eram os membros do Partido Conservador no Parlamento. Richard Nixon esqueceu que o grupo de seus principais clientes era formado por norte-americanos médios, com sua exigência por integridade.

Servir bem os clientes é chave, mas eles devem ser os clientes certos, aqueles que, com um esforço relativamente pequeno, você consegue deixar extremamente satisfeitos.

Identifique onde 20% dos seus esforços resultam em 80% dos retornos

Não é divertido trabalhar, a menos que você obtenha muito com pouco esforço. Se você tem que trabalhar 60 ou 70 horas por semana para progredir, se você sente que está sempre para trás, se você luta para manter em dia as exigências do seu trabalho, então, ou está no trabalho errado ou está trabalhando de forma completamente errada! Certamente, você não está se beneficiando do Princípio 80/20 ou da matriz de Von Manstein.

Não deixe de se lembrar daquelas ideias preciosas do Pensamento 80/20. Em qualquer esfera de atividade: 80% das pessoas estão gerando somente 20% dos resultados; e 20% das pessoas estão recebendo 80% das recompensas. O que a maioria está fazendo errado e a minoria fazendo certo? Pense nisso, quem é a minoria? Você poderia fazer o que elas fazem? Poderia obter os mesmos resultados e ainda fazer aquilo de uma maneira ainda mais extrema? Seria capaz de inventar uma forma ainda mais inteligente e eficiente para fazer aquilo?

Você e seus "clientes" combinam bem? Você está na empresa certa? No departamento certo? Na função certa? Onde você poderia impressionar seus "clientes" com relativamente pouco esforço? Você gosta do que faz e sente entusiasmo em relação a isso? Caso contrário, comece a planejar hoje a mudança para um emprego no qual você sinta entusiasmo.

Caso goste do seu trabalho e dos seus "clientes", mas não esteja se aproximando da glória, você provavelmente está investindo seu tempo da maneira errada. Quais são os 20% do seu tempo que conquistam 80% dos resultados? Faça mais disso! Quais são os 80% do seu tempo que levam a quase nada? Faça menos disso! A resposta pode ser tão simples quanto essa, embora a implementação da mudança vá exigir que você quebre seus hábitos e convenções normais.

Em todo mercado, com todos os clientes, em toda empresa e em todas as profissões, há sempre uma maneira de fazer tudo com mais eficiência e eficácia: não apenas um pouco melhor, mas em um novo patamar de melhoria. Procure, além da superfície, pelas verdades 80/20 da sua profissão ou do seu setor.

Na minha própria profissão, isto é, na consultoria em administração, as respostas são claras. Grandes clientes são uma boa. Grandes projetos são uma boa. Grandes equipes de trabalho com muitos profissionais juniores e baratos são uma boa. Relacionamento próximo com o cliente – entre os indivíduos – é bastante positivo. Relacionamento com o principal líder, o CEO, é muito bom. Relacionamentos longos com os clientes são muito positivos. Relacionamentos longos e próximos com os clientes, especialmente com as pessoas que estão no topo da hierarquia em grandes corporações, com grandes orçamentos e muitos profissionais juniores na equipe de atendimento – vamos para o banco dando risadas!

Quais são as verdades 80/20 na sua área de trabalho? Em que as empresas conseguem lucros fantásticos – até obscenos? Qual dos seus colegas está surfando alto, enquanto parece estar sempre relaxado, com tempo para dedicar aos seus hobbies prediletos? O que ele está fazendo que é tão positivo? Pense, pense, pense. A resposta está lá em algum lugar. Tudo o que você tem que fazer é encontrá-la. Mas não pergunte às instituições do setor, não faça uma pesquisa com seus colegas e nem tente encontrar a resposta na imprensa ou nos livros. Tudo o que você encontrará vai ser a sabedoria convencional repetida zilhões de vezes. A resposta estará com os hereges do setor, com os profissionais dissidentes e com os indivíduos excêntricos.

Aprenda com os melhores

Os vencedores em qualquer área, quase por definição, conseguem fazer com que 20% de seus esforços valham 80% dos resultados. Isso não quer dizer que os líderes são preguiçosos ou não se dedicam o bastante. Em geral, o líder trabalha arduamente. Mas o resultado dele, não tanto pelo tempo a mais que dedica, e simplesmente por sua competência na área, é várias vezes mais valioso do que aquele entregue pelos profissionais simplesmente competentes. O líder produz resultados que, tanto em qualidade quanto em quantidade, derruba a concorrência.

Em outras palavras, o líder realiza de maneira diferente. Ele não acompanha a maioria; pensa e sente diferente. Aqueles que são os melhores em qualquer esfera de atuação não pensam e nem agem como aqueles que têm desempenho mediano. Os líderes podem nem ter consciência do que fazem de modo diferente. Muito raramente eles articulam ou pensam sobre isso. No entanto, se os líderes não explicam os segredos de seu sucesso, com frequência isso pode ser deduzido pela observação.

As gerações anteriores entendiam isso muito bem. O discípulo sentava aos pés do mestre, o principiante aprendia o ofício com o artesão, o estudante observava o professor pesquisar, o artista estagiava com outro mais experiente: tudo se aprendia pela observação dos melhores em sua área de trabalho, assistindo e imitando.

Esteja disposto a pagar um alto preço para trabalhar com o melhor. Encontre uma desculpa para passar tempo com ele. Desenvolva as características do modo de operar dele. Perceberá que ele vê tudo de maneira diferente, investe o tempo de maneira diferente e interage com as pessoas de maneira diferente. A menos que seja capaz de fazer o que ele faz ou algo ainda mais diferenciado do *modus vivendi* médio da profissão, você nunca chegará ao topo.

De vez em quando, não é apenas uma questão de trabalhar para os melhores indivíduos. Muito know-how pode ser absorvido também da cultura coletiva das melhores empresas. A chave está nas diferenças. Indiscutivelmente, você deve trabalhar para uma das empresas médias e, depois, para uma das melhores e, então, observar as diferenças. Por exemplo, eu trabalhei para a Shell e escrevi montanhas de memorandos. Depois, fui trabalhar em uma das companhias do grupo Mars e aprendi a falar face a face com as pessoas até conseguir as respostas de que precisava. Essa última é uma prática 20/80: 20% dos esforços podem levar a 80% dos resultados. Os líderes têm muitas dessas práticas 20/80.

Observe, aprenda e pratique.

Torne-se autônomo cedo na carreira

Otimize seu próprio tempo, focando naquilo em que você adiciona cinco vezes mais valor do que em qualquer outra atividade. O segundo passo é assegurar que você capture o máximo desse valor para si mesmo.

A posição ideal, aquela que você deve buscar desde o início da carreira, é deter todo o valor do seu trabalho para você mesmo.

A teoria do valor excedente de Karl Marx afirma que os trabalhadores produzem todo o valor, sendo o excedente apropriado pelos capitalistas que lhes oferecem os empregos. Falando grosseiramente, os lucros são o excesso de valor roubado dos trabalhadores.

A teoria é absurda, mas é útil mantê-la em mente. O funcionário comum que produz resultados médios pode, na verdade, estar explorando a corporação mais do que é explorado: normalmente, as empresas têm muitos gerentes e o valor líquido agregado pela maioria deles é em geral negativo. No entanto, o funcionário que aplica o Princípio 80/20 de forma adequada é provavelmente muitas vezes mais eficaz do que a média. É pouco provável, porém, que o funcionário 80/20 seja muito mais bem remunerado do que seus pares. Sendo assim, o funcionário 80/20 obterá um resultado muito melhor para si mesmo tornando-se autônomo.

Quando você é seu próprio patrão, você ganha pelos resultados que alcança. Para quem aplica o Princípio 80/20, essa pode ser uma boa notícia.

A única circunstância em que ainda não é apropriado se tornar autônomo é quando você está na fase do aprendizado profissional. Quando uma empresa ou um profissional está lhe ensinando muito, o valor desse aprendizado pode exceder a diferença entre o valor que você agrega e o que está recebendo. Normalmente, esse é o caso durante os primeiros dois ou três anos de uma carreira. Isso também pode ocorrer quando um profissional mais experiente vai trabalhar em uma empresa com padrões mais elevados do que aqueles das companhias em que trabalhou anteriormente. Nesse caso, o período do superaprendizado deve durar por alguns meses ou, no máximo, por um ano.

Quando essa etapa acabar, torne-se autônomo. Não se preocupe demais com segurança. Sua especialização profissional e a aplicação dos preceitos 80/20 são seu porto seguro. De qualquer modo, as empresas já não oferecem mais tanta segurança.

Contrate o máximo possível de criadores de valor

Se o primeiro passo é otimizar seu tempo e o segundo é garantir que vai capturar todo valor criado por você mesmo, o terceiro é usar a alavancagem da contribuição das outras pessoas.

Você é um só, mas existe um grande número de pessoas que potencialmente podem ser contratadas. A minoria delas – mas a minoria do tipo que um praticante do Princípio 80/20 contrataria – adicionará muito mais valor do que custos.

A conclusão é que a grande fonte de alavancagem está nas outras pessoas. De alguma forma, você pode e deve otimizar também algumas pessoas que não são seus empregados: seus aliados. Mas você obterá a alavancagem mais direta e completa das pessoas que você contrata.

Uma ilustração numérica simples pode ajudar a colocar em mente o enorme valor da alavancagem proporcionada pelos funcionários. Vamos supor que, aplicando o Princípio 80/20, você se tornou cinco vezes mais eficaz do que a média dos profissionais de sua área de trabalho. Vamos supor também que você já se tornou autônomo e captura todo esse valor para você mesmo. O melhor que pode fazer, sendo assim, é obter resultados 500% acima da média. Seu "excedente" em relação à média é de 400 unidades.

Vamos continuar a supor que você possa identificar mais dez profissionais que já são – ou podem ser treinados para se tornar – três vezes melhores do que a média. Não são tão bons quanto você, mas ainda assim agregam muito mais valor do que custo. Continuando com as suposições, vamos dizer que para atrair e reter essas pessoas você pagará a elas 50% a mais do que o salário do mercado. Cada um desses profissionais produzirá mais 300 unidades de valor e custará 150 unidades. Dessa forma, você terá um "lucro" ou excedente capitalista de 150 unidades para cada um dos funcionários. Ao contratar mais dez pessoas, você terá mais 1.500 unidades de excedente para adicionar àquelas 400 que você já estava criando. Seu excedente total agora é de 1.900 unidades, quase cinco vezes mais do que aquele que gerava antes de começar a contratar mais profissionais.

Naturalmente, você não precisa ter apenas dez funcionários. As únicas duas restrições são: 1) sua habilidade para encontrar profissionais que agreguem valor excedente e 2) sua capacidade (e deles também) para buscar novos clientes. Na verdade, essa segunda restrição só pode existir na ausência da primeira, já que os profissionais que agregam valor excedente normalmente encontram o mercado pronto para comprar seus serviços.

Com certeza, é crucial contratar apenas criadores de valor líquido: aqueles cujo valor agregado excede confortavelmente os custos. Mas seria errado dizer que você deveria contratar somente os melhores. A maior parte do excesso de valor é criado ao empregar ao máximo os criadores de valor, mesmo que alguns deles sejam apenas duas vezes acima da média, enquanto os outros podem ser até cinco vezes mais eficazes (ou até mais do que isso). Dentro da sua força de trabalho, ainda assim haverá uma distribuição da eficácia com curva 80/20 ou 70/30. O maior valor absoluto excedente pode coexistir com uma distribuição do talento bastante desequilibrada.

Use terceirizados para tudo, menos para suas atividades estratégicas

O Princípio 80/20 é uma questão de seletividade. Você obtém o máximo de eficácia concentrando-se naquele um quinto das atividades nas quais você é o melhor. Esse princípio se aplica não somente às pessoas, mas também às empresas.

As companhias mais bem-sucedidas são aquelas que terceirizam tudo, menos as atividades nas quais são as melhores. Quando a competência está no marketing, não fazem a produção. Se a verdadeira vantagem está na pesquisa e no desenvolvimento, usam terceiros para produção, marketing e vendas. Quando o melhor está na produção em grandes volumes de produtos padronizados, não fazem "especiais" e nem variedades para nichos mais sofisticados. E se a especialidade está nos customizados de alta margem, não se arriscam com produtos para o mercado de massa. E assim por diante.

O quarto passo da alavancagem é usar a terceirização ao máximo. Mantenha seu negócio simples e focado claramente naqueles segmentos em que você é muitas vezes melhor do que seus competidores.

Explore a alavancagem de capital

Até aqui nós temos defendido a otimização do trabalho, mas você também pode se beneficiar da alavancagem de capital.

Isso significa usar dinheiro para produzir valor excedente adicional. Nos termos mais básicos, significa comprar máquinas para substituir os trabalhadores toda vez que forem mais eficazes sob o ponto de vista de custos. Atualmente, os exemplos mais interessantes de alavancagem de capital envolvem o uso de dinheiro para "expandir" ideias que já se provaram boas em circunstâncias locais particulares. Na realidade, o capital é utilizado para multiplicar o conhecimento detido por uma fórmula determinada. Os exemplos incluem todas as formas de distribuição de software, a expansão de redes de *fast-food* (e cada vez mais restaurantes com refeições nem tão rápidas assim), que detêm modelos como o McDonald's, além da globalização do fornecimento de refrigerantes.

Resumo

Cada vez mais, as recompensas demonstram o Princípio 80/20: os vencedores levam tudo. Aqueles que são realmente ambiciosos devem objetivar o topo em sua área de trabalho.

Escolha o seu campo seletivamente. Especialize-se. Procure o nicho que foi feito para você. Não há oferta de excelência a menos que você goste do que está fazendo.

O sucesso requer conhecimento. Mas o sucesso também exige visão do que proporciona maior satisfação aos clientes com o menor uso de recursos. Identifique onde os 20% de recursos foram feitos para oferecer 80% dos retornos.

No início da sua carreira, aprenda tudo que há para ser aprendido. Você só consegue fazer isso trabalhando para as melhores empresas e para os melhores profissionais dentro delas, sendo "o melhor" definido em relação ao seu próprio e seleto nicho.

Desenvolva as quatro formas de otimização do trabalho. Primeiro, otimize seu próprio tempo. Segundo, capture 100% do valor gerado tornando-se autônomo. Terceiro, contrate o máximo possível de criadores de valor. Quarto, terceirize tudo o que você e seus colegas não fazem muitas vezes melhor do que a média do mercado.

Caso consiga fazer tudo isso, você terá construído sua carreira em seu próprio empreendimento. Nessa etapa, utilize a alavancagem de capital para multiplicar sua riqueza.

Multiplicando dinheiro

Se você está interessado em construir uma carreira bem-sucedida, provavelmente também quer saber como multiplicar seu dinheiro. Como veremos nos Capítulos 14 e 15, isso é mais fácil, mas menos vantajoso do que se imagina.

CAPÍTULO 14: DINHEIRO, DINHEIRO, DINHEIRO

Pois a quem tem, mais será dado, e terá em grande quantidade.
Mas a quem não tem, até o que tem lhe será tirado.[87]
Mateus 25:29

Este é outro capítulo opcional neste livro, dedicado àqueles que já ganharam algum dinheiro e desejam saber como multiplicá-lo.

Se nosso futuro for parecido com todo nosso passado, é bem fácil multiplicar o dinheiro. Tudo o que você precisa fazer é colocá-lo no lugar certo e, então, deixá-lo aplicado.

O dinheiro obedece ao Princípio 80/20

Não foi por acidente que Vilfredo Pareto descobriu o que agora chamamos de Princípio 80/20, quando estava pesquisando a distribuição da receita e da riqueza. Ele percebeu que havia uma distribuição desequilibrada do dinheiro, sempre grande e previsível. Ao que parece, o dinheiro não gosta de ser igualmente distribuído:

- A menos que sejam redistribuídas por taxação tributária progressiva, as receitas tendem a ser distribuídas de forma desigual, com uma minoria ganhando a maior parte do total.
- Mesmo com a tributação progressiva, a riqueza segue um padrão ainda mais desigual de distribuição; é ainda mais difícil tornar igualitária a distribuição da riqueza do que a das receitas.
- Isso ocorre porque a maior parte da riqueza é gerada pelos investimentos, mais do que pela entrada de receitas; e porque o retorno dos investimentos tende a ser ainda mais desequilibrado do que o das receitas.
- O investimento gera grande quantidade de riqueza por causa do fenômeno da composição. Por exemplo, o valor de uma ação pode crescer 12,5% ao ano em média. Isso quer dizer que 100 dólares investidos nesse papel em 1950 valeriam atualmente 22.740 dólares. Em geral, os retornos reais de um

investimento (depois de descontados os efeitos da inflação) são altamente positivos, exceto quando a inflação está excessiva.

- Os retornos compostos dos investimentos são altamente diferentes: alguns investimentos são muito melhores do que outros. Isso ajuda a explicar por que a riqueza é distribuída tão desigualmente. Faz uma diferença enorme se você soma à riqueza uma taxa anual de, vamos dizer, 5%, 10%, 20% ou 40%. Por exemplo: a composição de 1.000 dólares com essas taxas ao longo de dez anos resultaria, respectivamente, em 1.629 dólares, 2.593 dólares, 6.191 dólares ou 28.925 dólares! Para uma taxa anual de retorno oito vezes maior, ou seja, o retorno de uma taxa composta de 40% é quase 18 vezes maior do que o obtido a uma taxa de 5%; e o resultado se torna ainda mais desproporcional à medida que o período de tempo aumenta.

Por incrível que possa parecer, além disso, certas categorias e determinadas estratégias de investimento são previsivelmente muito melhores do que outras para criar riqueza.

Ideias 80/20 para fazer dinheiro

- É muito mais provável enriquecer ou obter os maiores ganhos com o aumento da riqueza em investimentos do que com o dinheiro derivado do emprego. Isso quer dizer que há um prêmio por economizar até formar um fundo para investir. Acumular uma quantia para entrar no mundo dos investimentos, em geral, exige trabalho duro e poucas despesas: por um período, a receita líquida tem de ser maior que os gastos.
- A única exceção para essa regra é a obtenção de dinheiro por herança ou outras formas, como casar com alguém de família rica, ganhar na loteria ou outras formas de jogo ou crime. A herança pode não ser facilmente previsível, o prêmio da loteria é tão improvável que deveria ser totalmente descartado, os crimes não são recomendados, portanto, apenas o casamento com um cônjuge rico pode ser conscientemente planejado, mas mesmo isso terá um resultado incerto.
- Por causa do efeito da composição sobre os investimentos, você pode se tornar rico se começar a investir cedo ou

se viver longamente, ou pela soma dos dois fatores. Começar a investir cedo, porém, é a estratégia mais controlável.

- O mais cedo possível, desenvolva uma estratégia de investimento consistente e de longo prazo, baseada nos princípios que temos abordado neste livro desde o início.

Então, como você pode obter 80% de retorno sobre os investimentos feitos com 20% do seu dinheiro? A resposta é seguir os 10 Mandamentos de Koch[88] para investir, de acordo com o que está registrado na Figura 43.

1	Faça sua filosofia de investimento refletir sua personalidade
2	Seja proativo e desequilibrado
3	Invista principalmente no mercado de ações
4	Invista no longo prazo
5	Invista o máximo quando o mercado estiver em baixa
6	Se não consegue ganhar mais que o mercado, siga-o
7	Invista dinheiro no setor em que é especialista
8	Considere os méritos dos mercados emergentes
9	Elimine os investimentos causadores de perdas
10	Administre seus ganhos

Figura 43 – Os 10 Mandamentos de Koch para investir

Faça sua filosofia de investimento refletir sua personalidade

Um ponto-chave para realizar investimentos individuais bem-sucedidos é adequar sua personalidade e habilidades a uma das técnicas já comprovadas pelo mercado. Muitos investidores falham porque usam técnicas que, embora sejam perfeitamente válidas, não combinam com suas características pessoais. O investidor deve escolher em um menu com cerca de dez estratégias de sucesso aquela que mais se ajusta ao seu temperamento e conhecimento. Por exemplo:

- Se você gosta de brincar com números e é reflexivo, deve se tornar devoto de um dos métodos analíticos de investimento. Entre eles, o que mais gosto é o investimento em valor (veja também o ponto a seguir), identificando a ocorrência de aceleração de ganhos e investimentos especializados como certificados de opção.

- Se você tende a ser mais otimista do que pessimista, evite uma abordagem excessivamente analítica como a descrita no ponto anterior. Com frequência, o otimista se torna um mau investidor; portanto, certifique-se de que seus investimentos vão render realmente acima da média dos indicadores do mercado; caso contrário, saia desses investimentos e aplique o dinheiro em um fundo de investimentos que acompanhe o resultado médio do mercado. Mas, de vez em quando, os otimistas, que nesse caso merecem o epíteto de "visionários", transformam-se em ótimos investidores, porque selecionam duas ou três ações que sabem ter um enorme potencial. Mesmo assim, caso seja um otimista, tente restringir ao máximo seu entusiasmo: escreva cuidadosamente em uma folha por que suas ações preferidas são tão atrativas. Tente ser racional antes de comprar. E tenha certeza de que conseguirá vender qualquer papel que esteja lhe causando perdas, mesmo que tenha um compromisso emocional com a aplicação.
- Caso você não seja nem analítico e nem visionário, e sua tendência seja mais prática, ainda assim você deve se especializar em uma área que conheça bastante ou passar a seguir os investidores bem-sucedidos que têm registro histórico de bater os indicadores do mercado.

Seja proativo e desequilibrado

Ser proativo significa que você deve assumir a responsabilidade por suas próprias decisões de investimento. O perigo com os consultores e os administradores financeiros não é nem tanto o fato de eles ficarem com uma parte dos lucros; o maior problema é a pouca probabilidade desses profissionais recomendarem e implementarem uma carteira de investimentos desequilibrada – justamente o tipo que levaria aos maiores retornos. Costuma ser dito que o risco é minimizado com uma carteira de investimentos diversificada com diferentes tipos de aplicações como títulos, ações, dinheiro em conta, imóveis, ouro e colecionáveis. A minimização do risco, no entanto, é superestimada. Se você deseja ficar rico a ponto de mudar seu futuro estilo de vida, precisa conseguir retornos acima da média. As chances de atingir esse objetivo são muito maiores com uma carteira de investimentos desequilibrada. Isso significa que você deve contar com poucos investimentos: apenas aqueles em que está convicto de que lhe trarão altos retornos. E isso também significa que você só deve fazer um tipo de investimento.

Invista principalmente no mercado de ações

A menos que, de forma surpreendente, você seja um expert em um investimento muito esotérico, como telas de seda chinesas do século XIX ou soldadinhos de chumbo colecionáveis, o melhor tipo de aplicação é o mercado de ações.

Em longo prazo, o investimento em ações produz retornos admiravelmente mais altos do que aplicar o dinheiro em um banco ou em instrumentos como títulos emitidos pelo governo ou por empresas. Por exemplo, eu calculei que, no Reino Unido, se você tivesse investido 100 libras em uma incorporação imobiliária em 1950, teria obtido 813 libras por volta de 1992; mas as mesmas 100 libras aplicadas no mercado de ações teriam lhe retornado 14.198 libras, mais de 17 vezes mais.[89] Cálculos semelhantes podem ser feitos para o mercado de ações dos Estados Unidos e para quase todas as outras grandes bolsas de valores do mundo.

Anne Scheiber, uma investidora privada norte-americana sem nenhum conhecimento especial sobre o mercado de ações, aplicou 5.000 dólares em ações blue-chips logo depois do fim da Segunda Guerra Mundial. Ela não mexeu nesse investimento. Por volta de 1995, os 5.000 dólares tinham se transformado em 22 milhões de dólares: 440.000% sobre o valor original investido!

Felizmente, o mercado de ações é um tipo de investimento relativamente simples mesmo para quem não é especialista.

Invista no longo prazo

Não entre e saia com muita frequência de uma ação específica e nem da sua carteira como um todo. A menos que se mostrem perdedores, mantenha seus papéis por muitos anos. Comprar e vender ações é dispendioso e, além disso, também consome muito tempo. Se tiver a possibilidade, defina um horizonte de dez anos ou, ainda melhor, de vinte, trinta ou cinquenta anos. Quando você coloca dinheiro em ações com visão de curto prazo, está realmente jogando em vez de investir. Se ficar tentado a sacar o dinheiro para gastar, estará postergando despesas em vez de investir.

Em algum momento, com certeza, você pode querer desfrutar da sua riqueza em vez de esperar que seus herdeiros façam isso. O melhor jeito de usar sua fortuna geralmente é criar um novo estilo de vida no qual você possa escolher como quer passar o tempo e buscar uma carreira ou atividade profissional que lhe dê satisfação. Nesse caso, o período de investimento está encerrado. Mas até que tenha dinheiro o bastante para fazer essa mudança, continue acumulando.

Invista o máximo quando o mercado estiver em baixa

Embora o valor aumente ao longo do tempo, o mercado de ações é cíclico; em parte como função do próprio ciclo da economia, mas principalmente porque sua disposição é flutuante. É assombroso, mas questões irracionais como a moda, o espírito animal, o medo e a esperança podem puxar o preço das ações para cima ou para baixo. O próprio Pareto observou esse fenômeno:

> Há uma percepção de ritmo que pode ser observada na ética, na religião e na política, semelhante às ondas do ciclo de negócios...
>
> Dessa forma, durante a tendência de alta, todo argumento divulgado para demonstrar que uma empresa vai gerar lucros é recebido com benevolência; e, sendo assim, o mesmo tipo de argumento será absolutamente rejeitado na tendência de baixa... Um homem acredita que, durante o período de baixa, está se recusando a comprar determinadas ações porque se deixa guiar exclusivamente pela razão. Ele não sabe que, inconscientemente, deve essa atitude a milhares de pequenas impressões recebidas diariamente do noticiário econômico. Quando depois, durante a tendência de alta, esse mesmo homem compra aquelas mesmas ações ou outras sem melhores chances de sucesso, ele volta a acreditar que segue somente o que lhe dita a razão. Permanece desatento ao fato de que sua transição entre a desconfiança e a confiança depende dos sentimentos gerados pela atmosfera em torno dele...
>
> É bem sabido no mercado de ações que o público compra somente na alta e vende quando o mercado está declinando. Os financistas que, devido à sua maior prática nesse negócio usam ao máximo a sua razão embora às vezes sejam seduzidos pelos sentimentos, agem justamente ao contrário, e esta é a principal fonte de seus ganhos. Durante o período de alta, qualquer argumento medíocre de que o crescimento vai continuar tem grande poder persuasivo; e, se você tentar ponderar que, afinal, os preços não podem seguir subindo indefinidamente, tenha certeza de que ninguém o ouvirá.[90]

A escola do investimento em valor desenvolveu-se em torno dessa filosofia: compre quando uma ação específica ou o mercado como um todo estiver em baixa e venda quando estiver em alta. Um dos investidores mais bem-sucedidos de todos os tempos, Benjamin Graham, escreveu o livro de regras do investimento em valor e elas continuam a se comprovar ao longo do tempo.[91]

Existem muitas regras para você seguir, caso queira investir em valor. Simplificando enormemente, mas capturando, quem sabe, 80% de seu conteúdo, em bem menos do que 20% do espaço, estão apresentadas a seguir as três regras que podem ajudar você:

- Não entre quando todo mundo estiver comprando ações e quando todo mundo estiver convencido de que o mercado continuará a subir. Em vez disso, compre quando as pessoas estiverem pessimistas.
- Use o coeficiente P/L como a melhor referência para decidir se as ações estão caras ou baratas. O P/L de uma ação é seu preço dividido pelos ganhos depois de descontados os impostos. Por exemplo, se uma ação custa 250 centavos e o ganho por ação for de 25 centavos, seu P/L é 10. Se o preço da ação sobe em um período de otimismo para 500 centavos, mas o ganho por ação permanece em 250 centavos, então agora o P/L é 20.
- De modo geral, quando o P/L do mercado de ações como um todo fica acima de 17, esse é um sinal de perigo. Não invista pesadamente quando o mercado estiver tão alto assim. Um P/L abaixo de 12 é indicador de compra; abaixo de 10 é sinal definitivo para comprar. Um corretor de ações ou um bom site de finanças vai informar você sobre o P/L médio do mercado. Se lhe perguntarem a qual P/L você se refere, diga polidamente: "Ao P/L histórico, panaca".[92]

Se não consegue ganhar mais que o mercado, siga-o

É perfeitamente possível traçar uma estratégia de investimentos que fique acima da média do mercado, seguindo determinados preceitos e desenvolvendo uma abordagem adequada à sua própria personalidade e competência. Essa possibilidade será abordada a seguir. Mas é mais provável que, ao escolher seus próprios papéis, o desempenho de sua carteira fique abaixo dos indicadores do mercado.

Nesse caso, ou se você nem mesmo quiser experimentar traçar sua própria abordagem na expectativa de superar o mercado, a opção é "seguir o indicador".

Acompanhar um indicador significa comprar as ações que compõem a "carteira teórica" do próprio indicador.[93] Você só venderá esses papéis se forem retirados da composição da carteira do indicador (isso ocorre com ações com baixo desempenho) e só comprará novas ações se forem incluídas nesse portfólio.

Você pode acompanhar o índice sozinho, apenas com o esforço de seguir a imprensa financeira. Como alternativa, pode aplicar seu dinheiro em um fundo de investimentos do tipo que acompanha determinado indicador e, por um pequeno honorário anual, os administradores financeiros farão isso por você.

Você pode escolher diferentes fundos, dependendo de qual indicador decidir acompanhar. Geralmente, é mais seguro optar por seu mercado local e aplicar nos fundos que acompanham um indicador composto pelas ações das maiores e melhores companhias.

Acompanhar um indicador tem normalmente baixo risco e, além disso, no longo prazo pode oferecer grandes retornos. Caso decida seguir essa abordagem, você não precisa ler nada mais do que esses seis primeiros mandamentos. No entanto, pode ser mais divertido e mais recompensador, embora bem mais arriscado, fazer a sua própria seleção de ações. Os quatro próximos mandamentos aplicam-se a esse caso. Não se esqueça, porém, que esse sexto mandamento já recomendou que você siga um indicador a menos que consiga traçar uma estratégia que supere seguidamente o mercado. Se não for assim, elimine as perdas e volte a seguir o indicador.

Invista dinheiro no setor em que é especialista

Toda a essência da filosofia 80/20 está em saber algo muito bem: especialização. Essa lei se aplica em especial aos investimentos. Quando estiver decidindo quais ações comprar, especialize-se em uma área na qual já tenha algum conhecimento.

O melhor da especialização é que as possibilidades são quase infinitas. Você pode, por exemplo, especializar-se nas ações do setor em que trabalha ou do seu hobby ou da sua região geográfica ou de qualquer outro tema pelo qual tenha interesse. Se você gosta de fazer compras, por exemplo, pode se especializar nas ações das grandes redes de varejo.

Então, quando perceber uma nova cadeia se expandindo, com cada nova loja repleta de compradores ávidos, pode ser que queira investir nessas ações.

Mesmo que você não comece como um especialista, pode valer a pena se aprimorar em algumas ações, por exemplo, naqueles papéis de um determinado setor, assim poderá aprender o máximo possível sobre o assunto.

Considere os méritos dos mercados emergentes

Os emergentes são os mercados de ações fora dos países desenvolvidos: isto é, a economia está crescendo depressa e o mercado de ações ainda está em desenvolvimento. Os mercados emergentes incluem a maior parte da Ásia (mas não o Japão), África, Subcontinente Indiano, América do Sul, os países ex-comunistas da Europa Central e Oriental, além dos países periféricos da Europa.

A teoria básica é bem simples. O desempenho do mercado de ações é altamente correlacionado com o crescimento da atividade econômica como um todo. Sendo assim, invista nos países que apresentam o crescimento mais veloz do PIB, os mercados emergentes.

Há outras razões para os mercados emergentes serem uma opção muito boa de investimento. Está lá a fatia do mercado das futuras privatizações e, geralmente, esse é um bom lar para o dinheiro. A súbita e estranha morte do comunismo por volta de 1990 forçou muitos países emergentes a adotar mais políticas econômicas favoráveis ao livre mercado. Depois do inevitável período inicial de ruptura social, essas políticas abrem caminho para os grandes retornos dos investidores. Com frequência, as ações em um país emergente têm um valor muito bom porque tendem a estar com um coeficiente P/L muito baixo. Enquanto o mercado se desenvolve e amadurece, as empresas tornam-se maiores e é provável que o P/L suba, impulsionando consideravelmente o preço dos papéis.

Porém, investir em países emergentes é definitivamente mais arriscado do que no mercado doméstico. As empresas são mais jovens e menos estáveis, o mercado de ações como um todo pode cair como resultado de mudanças políticas ou redução do preço das commodities, a moeda pode ser depreciada (e com isso, o preço das suas ações) e, por fim, você pode achar muito mais complicado sacar seu dinheiro do que fazer a aplicação inicial. Além disso, o custo do investimento em termos das taxas e comissões dos administradores financeiros é muito mais alto do que nos países desenvolvidos. As chances de ser enganado por um corretor são bem maiores.

O investidor em mercados emergentes deve seguir três políticas. A primeira é aplicar somente uma pequena parte do total de seu portfólio, pouco acima de 20%. A segunda é aplicar o dinheiro reservado para países emergentes somente quando o mercado estiver relativamente baixo e o P/L médio ficar abaixo de 12. A terceira é investir com horizonte de longo prazo e só sacar o dinheiro quando o P/L estiver relativamente alto.

Mas, estando atento a esses alertas, no longo prazo, os mercados emergentes têm mais probabilidade de apresentar desempenho superior; por isso, pode ser sábio e divertido ter alguns investimentos nesses países.

Elimine os investimentos causadores de perdas

Caso uma ação caia 15% do preço (que você pagou para comprar), venda. Siga essa regra constante e rigorosamente.

Se quiser voltar a comprar o papel por um preço mais baixo, espere até que a cotação pare de cair por, pelo menos, alguns dias (de preferência, algumas semanas) antes de reinvestir.

Aplique a mesma regra dos 15% para os novos investimentos: detenha o prejuízo em 15%.

A única exceção aceitável para esse mandamento é se você for um investidor de longo prazo que não quer se aborrecer com o balanço do mercado e não tem tempo para monitorar seus investimentos. Quem manteve a posição em uma ação durante e depois das crises de 1929-32, 1974-75 e 1978, conseguiu bons resultados no longo prazo. Aqueles que venderam com um declínio de 15% (quando isso foi possível) e retornaram depois que a ação recuperou a perda de 15%, alcançaram ganhos ainda melhores.

O ponto-chave a respeito da regra dos 15% é agir assim com ações individuais e não em relação ao mercado. Quando uma ação cai uns 15%, o que é muito mais comum do que uma queda desse tamanho do mercado como um todo, o papel deve ser vendido. Embora poucas (se alguma) fortunas tenham sido perdidas por permanecer no mercado de ações no longo prazo (ou com um amplo portfólio de ações), um grande número de fortunas já se perdeu pelo equívoco de acreditar na lealdade a uma ou algumas ações em declínio. Para as ações individuais, o melhor indicador da tendência futura é a atual.

Administre seus ganhos

Corte as perdas, mas não corte os ganhos. O melhor indicador de um ganho no longo prazo é o lucro no curto prazo seguidamente repetido! Resista à tentação de sacar os lucros cedo demais. É aqui que os investidores particulares cometem seus piores equívocos: eles sacam bons lucros, mas falham ao alcançar os melhores retornos. Ninguém quebra por sacar o lucro, mas muitas pessoas deixam de enriquecer por seguir esse procedimento!

Existem mais duas regras 80/20 que nós ainda não exploramos:

- Comparando um grande número de carteiras de investimento mantidas por longo prazo, em geral, é verdade que 20% delas contêm 80% dos ganhos.
- Para um indivíduo mantendo uma carteira por um longo período de tempo, 80% dos ganhos geralmente virão de 20% dos investimentos. Em um portfólio composto exclusivamente por ações, 80% dos ganhos resultará de 20% dos papéis mantidos na carteira.

A razão para essas regras continuarem verdadeiras é que alguns poucos investimentos apresentam desempenho assombroso, enquanto a maioria não. Aquelas poucas ações estreladas podem oferecer retornos fenomenais. Dessa forma, é absolutamente crucial deixar que as estrelas permaneçam no portfólio durante o processo: o objetivo é fazer os lucros crescerem. Como disse um personagem à beira da morte em um dos romances de Anita Brookner: "Jamais venda as ações da Glaxo".

Teria sido fácil realizar ganhos de 100% com a IBM, McDonald's, Xerox ou Marks & Spencer nas décadas de 1950 e 1960; ou com a Shell, GE, Lonrho, BTR ou com a farmacêutica sueca Astra na década de 1970; ou com American Express, Body Shop ou Cadbury Schweppes no início da década de 1980; ou com Microsoft no final da mesma década. Os investidores que obtiveram esse retorno perderiam várias vezes essa apreciação mais tarde.

Os bons negócios tendem a gerar um ciclo virtuoso de desempenho positivo e consistente. Somente quando o *momentum* é revertido, o que pode demorar décadas para acontecer, é que se deve considerar a venda de um papel. Mais uma vez, uma boa regra de ouro é não vender a menos que o preço da ação caia 15% em relação à mais recente cotação mais alta.

Para fazer isso, defina um "preço de segurança" pelo qual venderá, 15% abaixo do mais alto. Uma redução de 15% pode indicar uma mudança na tendência. Caso contrário, continue a manter a ação em carteira até que as circunstâncias forcem a venda.

Conclusão

Dinheiro gera dinheiro. Mas alguns métodos de reprodução têm resultados muito mais prolíficos. Samuel Johnson disse que não há homem mais inocente do que aquele ocupado em fazer dinheiro. Essa observação promove a acumulação de riqueza, seja fazendo investimentos ou construindo uma carreira profissional bem-sucedida ou ainda somando as duas iniciativas, desde que mantido o mais alto nível moral. A busca da riqueza não deve ser denegrida; mas, da mesma forma, não há garantia de que essa trajetória sirva à sociedade ou traga a felicidade pessoal. Além disso, a construção de uma fortuna e o sucesso profissional contêm o perigo de se tornarem um fim em si mesmos.

O mal-estar pelo sucesso é muito possível. A riqueza cria a necessidade de administrá-la, de lidar com advogados, consultores tributários e outros contatos pessoais profundamente estimulantes. A lógica do sucesso traçada anteriormente neste capítulo resulta, de forma inexorável, em novas e ainda maiores demandas profissionais. Para conquistar o sucesso, seu alvo deve ser o topo. Para chegar lá, você tem que se transformar em um negócio. Para obter a máxima alavancagem, tem que contratar um grande número de pessoas. Para maximizar o valor de sua empresa, deve usar o dinheiro de outras pessoas e explorar a alavancagem de capital – para se tornar ainda maior e mais lucrativo. Seu círculo de contatos se amplia e diminui seu tempo para os amigos e os relacionamentos mais importantes. No vertiginoso rodamoinho do sucesso, é fácil perder o foco, a perspectiva e os valores pessoais. É uma reação perfeitamente racional dizer a qualquer momento para o sucesso parar: "Eu quero sair dessa!".

Por isso, é sensato manter distância da carreira e da acumulação de riqueza com o objetivo de refletir sobre o tema mais importante de todos: a felicidade.

CAPÍTULO 15: OS SETE HÁBITOS DA FELICIDADE

Temperamento não é destino.
Daniel Goleman[94]

Aristóteles disse que a meta de toda atividade humana deveria ser a felicidade. Ao longo dos séculos, não temos ouvido falar muito sobre ele. Talvez Aristóteles devesse ter nos contado como ser mais felizes. Sendo pragmático, poderia ter começado por analisar as causas da nossa felicidade e da nossa infelicidade.

O Princípio 80/20 pode realmente se aplicar à felicidade? Acredito que sim. Parece já estar claro para as pessoas que a maior parte da nossa felicidade percebida ocorre na menor parte do nosso tempo. Uma hipótese 80/20 seria que 80% da felicidade ocorre em 20% do tempo. Quando testei essa hipótese com meus amigos e pedi que dividissem suas semanas em dias e partes de dias ou seus meses em semanas ou seus anos em meses ou suas vidas em anos, cerca de dois terços deles mostraram um evidente padrão de desequilíbrio, aproximando-se da relação 80/20.

A hipótese não funcionou para todo mundo. Cerca de um terço dos meus amigos não tinha esse padrão 80/20. A felicidade deles era muito mais igualmente distribuída ao longo do tempo. O fascinante é que esse segundo grupo parece ser notavelmente mais feliz, de um modo geral, do que os primeiros que experimentam picos de felicidade em pequenos períodos de suas vidas.

Isso combina com nosso senso comum. Aqueles que estão felizes a maior parte do tempo têm mais chance de se sentirem mais felizes com a vida de um modo geral. Aqueles cuja felicidade se concentra em curtos intervalos de tempo têm menos chance de se sentirem felizes com a vida como um todo.

Isso ainda combina com a ideia desenvolvida ao longo deste livro de que as relações 80/20 implicam em grande desperdício, mas também em grande oportunidade de aprimoramento. Porém, de modo muito mais significativo, sugere que o Princípio 80/20 também pode nos ajudar a ser mais felizes.

Duas maneiras para ser mais feliz

- Identifique os momentos em que se sente mais feliz e multiplique-os o máximo possível.
- Identifique os momentos em que se sente menos feliz e reduza-os o máximo possível.

Invista mais tempo nas atividades que são mais eficazes para a sua felicidade e menos nas outras. Comece extirpando os "vales da infelicidade", aqueles fatores que ativamente tornam você infeliz. A melhor maneira de ser mais feliz é parar de ser infeliz. Você tem mais controle sobre isso do que imagina; basta evitar as situações em que a experiência sugere ser mais provável que você se sinta infeliz.

Em relação às atividades que são bastante ineficazes para fazê-lo feliz (ou eficazes para lhe fazer infeliz), pense sistematicamente sobre como poderia torná-las mais agradáveis. Se der certo, ótimo. Caso contrário, pense sobre como poderia evitar essas situações.

Mas as pessoas não são impotentes diante da infelicidade?

Você pode rejeitar essa ideia, em especial se tiver experiência com pessoas que são cronicamente infelizes (e que, com frequência, pertencem à aparentemente objetiva – mas terrivelmente traiçoeira e inútil – categoria dos "mentalmente doentes", uma das classificações que já trouxeram muito sofrimento ao mundo). Nesse caso, talvez você considere essa análise muito simplista, pois pressupõe um grau de controle sobre nossa própria felicidade que, por razões profundamente enraizadas na psicologia, muitos de nós, ou melhor, a maioria das pessoas não tem. Sua capacidade de ser feliz, então, não é grandemente predestinada por hereditariedade e experiências da infância? Você tem mesmo controle sobre sua felicidade?

Não há dúvida de que existem pessoas cujo temperamento é mais inclinado à felicidade do que outras. Para alguns, o copo está meio cheio, para outras, está meio vazio. Os psicólogos e os psiquiatras acreditam que a capacidade para a felicidade é determinada pela interação entre genética, experiências de infância, química cerebral e eventos significativos na vida. Evidentemente, os adultos não podem fazer nada em relação aos seus genes, experiências de infância e infortúnios passados da vida. Para aqueles inclinados a escapar das responsabilidades, é muito mais fácil creditar seu derrotismo a forças fora do próprio controle, especialmente se for do tipo que se deixa intimidar pelos profetas da saúde.

Felizmente, o bom senso, a observação e as evidências científicas indicam que, embora todo mundo tenha que lidar com as cartas recebidas no que diz respeito à felicidade – exatamente igual a todos os nossos talentos –, há muito que pode ser feito para melhorar nosso jogo ao longo da vida. Os adultos são dotados com diferentes habilidades atléticas, como resultado da genética e da extensão do treinamento e do exercício físico durante a infância, juventude e assim por diante. Mesmo assim, todo mundo pode aprimorar notavelmente sua forma física fazendo exercícios de maneira sensata e regular. Da mesma forma, por influência hereditária e formação anterior, podemos ser considerados mais ou menos inteligentes, mas todo mundo pode treinar e desenvolver a mente. Podemos ter mais ou menos propensão, por causa dos genes e do ambiente, a ficar obesos, mas a alimentação saudável e os exercícios físicos podem tornar as pessoas consideravelmente mais magras. Por que, por princípio, nossa habilidade para ser feliz seria diferente, qualquer que seja o ponto de partida dado por nosso temperamento?

A maioria de nós conhece exemplos de amigos ou colegas que passaram por mudanças concretas, e a felicidade dessas pessoas aumentou ou diminuiu permanentemente como resultado de ações adotadas livremente por elas. Um novo parceiro, uma nova carreira, um novo lugar para viver, um novo estilo de vida ou até mesmo uma decisão consciente de adotar uma atitude diferente: tudo isso pode fazer grande diferença na felicidade individual e tudo isso está sob controle de cada pessoa. A predestinação é uma hipótese pouco convincente, em especial se ficar demonstrado que somente quem acredita nessa ideia pode ser dominado por ela. As evidências de que algumas pessoas podem livremente mudar seus destinos deveriam ser persuasivas e nos encorajar a incentivar o exercício do livre arbítrio.

A liberdade para ser feliz é afinal apoiada pela ciência

Por fim, o campo da Psicologia e da Psiquiatria (que, mais do que a Economia merece o epíteto de ciência sombria), estimulado pelas descobertas de outras disciplinas científicas, está produzindo um quadro mais otimista e consistente com nosso bom senso e as observações que fazemos da vida. Os geneticistas costumam ser muito deterministas, reduzindo a complexidade dos comportamentos humanos ao domínio dos genes hereditários. Como pontua um geneticista brilhante, o professor Steve Jones: "Houve anúncios da descoberta de um único gene como causa da depressão maníaca, esquizofrenia e do alcoolismo. E tudo isso foi deixado para trás".[95] Agora, um eminente neuropsiquiatra nos afirma que "um novo campo da Psiconeuroimunologia noz diz que... o ser humano age como um todo integrado... As evidências sugerem que há um equilíbrio delicado entre o que pensamos e sentimos diariamente e nossa saúde física e mental".[96] Em outras palavras, dentro de limites, você pode escolher se tornar feliz ou infeliz e até mesmo manter ou perder a própria saúde.

Dependência crítica das condições iniciais

Isso não significa que devemos descartar as pesquisas anteriores a respeito da importância das experiências infantis (ou infortúnios posteriores). Vimos na Parte 1 deste livro que a teoria do caos enfatiza "a dependência crítica das condições iniciais". Em outras palavras, no início da existência de qualquer fenômeno, eventos aleatórios ou pequenas causas podem provocar grandes alterações do resultado final.

Algo semelhante ocorre na infância, produzindo crenças a respeito de nós mesmos – somos amados ou desamados, inteligentes ou estúpidos, temos grande ou nenhum valor, temos capacidade de assumir riscos ou estamos condenados a obedecer alguma autoridade – que atuam frequentemente ao longo de nossas vidas. Essa crença inicial, que pode se formar sem nenhum fundamento objetivo, adquire vida própria e se torna autorrealizável. Eventos posteriores – péssimas notas nas provas, um amante que nos abandona, fracasso em conseguir o emprego desejado, uma carreira que não evolui, uma demissão, um revés na saúde – podem nos tirar do rumo e reforçar a visão negativa que já tínhamos a nosso próprio respeito.

Atrasando o relógio para encontrar a felicidade

Então, esse é um mundo horroroso onde a infelicidade é o caminho reservado para nós? Eu não penso assim.

O humanista Pico della Mirandola[97] afirmou que os seres humanos não são inteiramente como os outros animais.[98] Todas as outras criaturas têm uma natureza definida, que não conseguem mudar. Aos humanos foi dada uma natureza indefinida e, portanto, receberam a habilidade de se moldar. O resto da criação é passiva; só os humanos têm uma natureza ativa. Os outros seres foram criados; nós, humanos, podemos criar.

Quando a infelicidade surge, podemos reconhecer o que está acontecendo e nos recusar a aceitá-la. Somos livres para mudar a maneira com que pensamos e agimos. Invertendo o raciocínio de Jean-Jacques Rousseau, em toda parte o homem é posto a ferros, mas em toda parte ele pode ser livre.[99] Podemos mudar a maneira como pensamos sobre os eventos exteriores, mesmo que não consigamos mudá-los de fato. E ainda podemos fazer algo mais. Inteligentemente, temos a capacidade de alterar nossa exposição aos eventos que nos façam felizes ou infelizes.

Para ser mais feliz, fortaleça a inteligência emocional

Daniel Goleman e outros escritores opõem o conceito tradicional de Inteligência (QI – Quociente de Inteligência) à Inteligência Emocional: "Habilidades como ser capaz de se automotivar e adiar gratificações; regular a disposição e afastar a angústia com a capacidade de raciocinar; ter empatia e manter a esperança".[100] A inteligência emocional é mais crucial para a felicidade do que a inteligência intelectual, embora nossa sociedade dê pouca ênfase à segunda. Como Goleman observa habilmente:

> Embora um QI alto não seja garantia de prosperidade, prestígio ou felicidade na vida, nossas escolas e nossa cultura estão fixadas nas habilidades acadêmicas, ignorando a inteligência emocional, um conjunto de traços – que alguns denominam caráter – que também conta imensamente para nosso destino pessoal.[101]

A boa notícia é que a inteligência emocional pode ser aprendida e desenvolvida: com certeza, durante a infância, mas também em qualquer outra fase da vida. Como na maravilhosa frase de Goleman, "temperamento não é destino"; então, podemos mudar nosso destino, mudando nosso temperamento. Como afirma o psicólogo Martin Seligman: "estados de espírito como ansiedade, tristeza e raiva não têm simplesmente ascendência sobre você, sem que haja nenhum controle da sua parte [...] você pode mudar a sua maneira de sentir, mudando o que você pensa".[102] Existem técnicas comprovadas para expulsar os sentimentos iniciais de tristeza e depressão antes que se tornem nocivos para sua saúde e felicidade. Além disso, cultivando hábitos de otimismo você ajuda a prevenir doenças, assim como estimula uma vida mais feliz. De novo, Goleman demonstra que a felicidade está relacionada a processos neurológicos no cérebro:

> Entre as principais mudanças biológicas causadas pela felicidade está uma crescente atividade em um centro cerebral que inibe os sentimentos negativos e estimula o aumento da energia disponível e a diminuição da que gera pensamentos incômodos [...] há [...] uma serenidade que faz o corpo se recuperar muito mais rapidamente da excitação biológica das emoções negativas.[103]

Identifique seus gatilhos pessoais, capazes de disparar os pensamentos positivos e eliminar os negativos. Em quais circunstâncias você fica com sua disposição mais positiva e mais negativa? Em que local? Quem está com você? O que você está fazendo? Como está o clima? Todo mundo tem uma ampla gama de inteligência emocional, dependendo das circunstâncias. Você pode começar a desenvolver a sua ao se dar um tempo, virando as chances a seu favor, realizando aquilo que faz com que se sinta no controle e mais benevolente. Você também pode evitar ou minimizar as circunstâncias nas quais você se sente emocionalmente estúpido!

Como ser mais feliz mudando o jeito de pensar

Todos nós já experimentamos a armadilha da depressão retroalimentada, quando nossos pensamentos ficam sombrios e negativos, tornando tudo simplesmente pior. Assim, não dá para imaginar uma saída. Quando saímos da depressão, constatamos que a saída sempre esteve lá. Nós podemos nos treinar para deter esse padrão de retroalimentação da depressão adotando medidas simples como buscar boa companhia, mudar a postura física ou criar a obrigação de se exercitar.

Existem muitos exemplos de pessoas expostas aos piores infortúnios, como aquelas que passaram por campos de concentração ou sofreram doenças graves, que reagem de maneira positiva a ponto de mudar a própria perspectiva de vida e fortalecer a capacidade de sobreviver.

De acordo com o Dr. Peter Fenwick, neuropsiquiatra: "A habilidade de enxergar a luz no fim do túnel não é complexo de Poliana; é um mecanismo de autoproteção muito saudável, que tem um sólido fundamento biológico".[104] Ao que parece, o otimismo é um medicamento aprovado pelo sucesso e pela felicidade, além de ser o maior motivador existente sobre a Terra. A esperança foi definida especificamente por C. R. Snyder, psicólogo da Universidade de Kansas, como "a convicção de que você tem o desejo e o caminho para conquistar suas metas, quaisquer que sejam elas".[105]

Como ser mais feliz mudando o jeito de pensar sobre si mesmo

Você pensa a seu respeito como alguém que é um sucesso ou um fracasso? Se você optou pelo fracasso, pode ter certeza de que existem muitas pessoas que alcançaram menos do que você e seriam descritas pelas outras como menos bem-sucedidas do que você. A autopercepção contribui para o sucesso e a felicidade. O seu sentimento de ser uma pessoa fracassada limita o sucesso e a felicidade.

O mesmo se aplica se você pensa que é feliz ou infeliz. O presidente Richard Nixon encerrou a Guerra do Vietnã declarando que os objetivos dos Estados Unidos haviam sido alcançados. Ele foi econômico com a verdade, mas quem se importa? A reconstrução da autoestima dos norte-americanos começou ali. De modo semelhante, você pode se fazer feliz ou infeliz apenas pelo jeito que decide se sentir.

Faça a escolha de querer ser feliz. Você deve isso a si mesmo e também deve isso aos outros. A menos que seja feliz, você faz seu parceiro e todo mundo ao seu redor ficarem longamente expostos à infelicidade. Sendo assim, você tem a obrigação positiva de ser feliz.

Os psicólogos nos dizem que todas as nossas percepções sobre felicidade se relacionam com nosso sentimento de autovalorização. Uma autoimagem positiva é essencial para a felicidade. A autovalorização pode e deve ser cultivada. Você sabe que pode fazer isso: desista da culpa, esqueça suas fraquezas, dê foco e desenvolva seus pontos fortes. Lembre-se de tudo o que já fez de bom, todas as grandes e pequenas conquistas e todos os feedbacks positivos que já recebeu. Há muito a ser dito para você mesmo. Diga – ou, pelo menos, pense. Você ficará maravilhado com a diferença que isso fará nos seus relacionamentos, vitórias e felicidade.

Você pode se achar decepcionante. Mas, na verdade, ao ter uma percepção negativa de si mesmo, você será, no mínimo, culpado por essa autodecepção. Durante todo o tempo, contamos histórias para nós sobre nós mesmos. Nós temos que fazer isso: não há verdade objetiva. Você também pode escolher as histórias positivas em lugar das negativas. Ao fazer isso, estará aumentando a soma da felicidade humana, começando por você e irradiando para os outros.

Use toda sua força de vontade e disposição para se tornar uma pessoa feliz. Construa as histórias certas a seu respeito – e acredite nelas!

Como ser mais feliz mudando os eventos

Outro caminho para buscar mais felicidade é mudar os eventos ao nosso redor. Nenhum de nós tem o controle completo sobre o que nos acontece, mas podemos cuidar disso mais do que acreditamos.

Se a melhor maneira de começar a ser feliz é parar de ser infeliz, o primeiro passo que devemos dar é evitar as situações e as pessoas que tendem a nos fazer sentir deprimidos ou miseráveis.

Como ser mais feliz mudando as pessoas que mais vemos

Existem evidências médicas de que os altos níveis de estresse podem ser suportados se contarmos com alguns excelentes relacionamentos pessoais. As relações de qualquer tipo que ocupam grande parte de nosso tempo e formam o tecido diário de nossas vidas, seja no trabalho, em casa ou socialmente, terão uma influência poderosa sobre nossa felicidade e nossa saúde. Para citar o psicólogo John Cacioppo, da Universidade Estadual de Ohio: "Os relacionamentos mais importantes da sua vida, aquelas pessoas que você vê dia sim, dia não, parecem ser cruciais para sua saúde. E quanto mais significativo for o relacionamento, mais terá influência sobre sua saúde".[106]

Pense nas pessoas que você encontra diariamente. Elas fazem você mais ou menos feliz? Você conseguiria mudar a quantidade de tempo que passa com cada uma, de acordo com sua resposta?

Evite os ninhos de cobras

Em geral, existem situações típicas com as quais cada um de nós lida mal. Eu nunca entendi muito bem por que as pessoas são treinadas para ter medo de cobras. Para mim, o mais sensato é evitar a selva (ou a pet shop).

O que nos aborrece, claro, varia de pessoa para pessoa. Eu não consigo parar de sentir raiva, por exemplo, quando sou colocado diante de burocracias inúteis. Posso sentir o nível de estresse subindo quando sou exposto a advogados por mais de alguns minutos. Fico ansioso em congestionamentos. Com frequência, eu me sinto meio deprimido nos dias em que o sol não aparece. Odeio ficar espremido no mesmo espaço com muitos dos meus companheiros humanos. Não tolero pessoas dando desculpas e detalhando problemas que estão além do controle delas. Se eu fosse um usuário de transporte público sempre preso no trânsito, que trabalhasse com advogados e morasse na Suécia, eu já teria chegado ao meu limite. No entanto, aprendi a evitar situações desse tipo sempre que possível. Não tenho que ir e vir do trabalho; evito o sistema de transporte urbano na hora de pico; passo pelo menos uma semana por mês sob o sol; pago alguém para lidar por mim com a burocracia; passo longe dos congestionamentos, mesmo que o trajeto fique mais longo; evito que toda pessoa maldisposta se reporte a mim; e faço com que meu telefone misteriosamente se desconecte cinco minutos depois que um advogado me liga. Como resultado de todas essas ações, eu me sinto significativamente mais feliz.

Não há dúvida de que você tenha seus próprios pontos de pressão. Faça uma lista deles agora! Conscientemente, estruture sua vida para evitá-los: escreva como fazer isso agora! A cada vez, verifique como você está se saindo na missão. Comemore cada pequena vitória alcançada a cada ponto que evitar.

No Capítulo 10 você definiu suas ilhas de infelicidade. A análise e a reflexão sobre os momentos em que você esteve menos feliz levam frequentemente a conclusões óbvias. Você odeia o seu emprego! Você fica deprimido com seu parceiro! Ou, talvez sendo mais preciso, você odeia um terço do seu emprego, não suporta estar com os parentes e amigos do seu parceiro, é mentalmente torturado por seu chefe e detesta fazer o trabalho doméstico. Ótimo! Você, finalmente, tem uma ligeira visão do óbvio. Agora, faça algo a respeito...

Hábitos diários da felicidade

Depois que você tiver eliminado – ou, pelo menos, tiver posto em ação o plano para eliminar – as causas da sua infelicidade, concentre sua energia na busca pela felicidade. Para isso, não há melhor momento do que o presente. A felicidade é profundamente existencial. Só existe agora. A felicidade passada pode ser lembrada e a felicidade futura pode ser planejada, mas o prazer que ela oferece só pode ser desfrutado no "agora".

O que todos nós precisamos é de um conjunto de hábitos diários, semelhante (de fato, parcialmente relacionado) aos exercícios físicos e à dieta saudável que mantemos. Meus sete hábitos diários da felicidade estão sintetizados na Figura 44.

1	Fazer exercícios físicos
2	Buscar estímulos mentais
3	Buscar estímulos artísticos/espirituais ou meditar
4	Fazer coisas boas pelos outros
5	Compartilhar um momento de prazer com um amigo
6	Dar-se um prazer a si mesmo
7	Parabenizar-se pelas conquistas

Figura 44 – Sete hábitos diários de felicidade

Um ingrediente essencial para um dia feliz é *fazer exercícios* físicos. Sempre me sinto melhor depois (às vezes até durante). Os exercícios liberam endorfina, um antidepressivo natural semelhante às drogas estimulantes (mas sem nenhum dos perigos ou despesas!). Os exercícios diários são um hábito essencial: se não se tornar um hábito, você fará muito menos do que deveria. Durante a semana, faço ginástica logo pela manhã antes de ir para o escritório, para garantir que nenhuma pressão do trabalho me impeça de fazer os exercícios. Caso você viaje muito, quando estiver comprando as passagens aéreas, planeje os horários para ter certeza de que vai conseguir se exercitar; se necessário, mude o cronograma para acomodar sua ginástica. Se for um executivo poderoso, não marque nenhuma reunião antes das 10 horas da manhã. Assim, você terá bastante tempo se exercitar e se preparar para o dia que vem pela frente.

Outro componente-chave da felicidade é a *estimulação mental*. Talvez você consiga isso no trabalho, mas, caso contrário, faça um pouco de exercício mental ou intelectual diariamente. Há muitas maneiras de fazer isso, dependendo dos seus interesses: palavras-cruzadas, alguns sites, ler um trecho de um livro, conversar por uns 20 minutos com um amigo inteligente sobre um tópico abstrato, escrever um artigo curto ou resenha para um blog. Na verdade, tudo o que requeira raciocínio ativo da sua parte (ver televisão, mesmo programas que exijam mais cérebro, não entra nesta categoria).

Um terceiro hábito diário essencial é a *estimulação espiritual ou artística*. Essa necessidade não é tão complicada quanto pode parecer: tudo o que você precisa é dedicar meia hora pelo menos para alimentar sua imaginação ou espírito. Vá a um concerto, galeria de arte, ao teatro ou ao cinema, tudo isso vale. Leia um poema, assista ao nascer ou ao pôr do sol, observe as estrelas ou participe de qualquer evento que estimule e entusiasme você (isso pode incluir até uma partida esportiva, uma corrida, disputa política ou ir à igreja ou ao parque). A meditação também funciona bem.

O quarto hábito diário da felicidade é *fazer coisas boas pelos outros*. Não é preciso ser uma força-tarefa de *beneficência*; pode ser um gesto aleatório de gentileza como pagar o estacionamento para alguém ou sair do seu trajeto para ajudar alguém a se encontrar na cidade. Até mesmo uma pequena atitude altruísta pode ter um grande efeito sobre nosso espírito.

O quinto hábito é *compartilhar um momento de prazer com um amigo*. Deve ser um encontro face a face com pelo menos meia hora de duração ininterrupta e a ocasião tem que ter a forma mais apropriada para você (uma xícara de café, um drinque, uma refeição ou uma caminhada agradável).

O hábito de número seis é *dar um prazer a si mesmo* todos os dias. Para se preparar para o dia a dia, faça uma lista com todos os prazeres que você poderia se dar diariamente (não se preocupe, não terá que mostrar essa lista para ninguém!). Tenha certeza de que você conseguirá se dar cada um desses prazeres a cada dia.

O último hábito é *parabenizar-se ao final de cada dia* por ter seguido os hábitos da felicidade. Já que a questão aqui é se tornar mais feliz e não infeliz, você pode contabilizar o cumprimento de cinco hábitos (incluindo esse sétimo) como um sucesso. Ainda que você não tenha atendido cinco entre os sete hábitos diários, mas sinta que obteve e desfrutou de algo significativo, congratule-se mesmo assim por ter tido um dia que valeu a pena ser vivido.

Estratagemas de médio prazo para a felicidade

Além dos sete hábitos, a Figura 45 apresenta sete atalhos para uma vida feliz.

1	Maximizar o controle
2	Definir metas atingíveis
3	Ser flexível
4	Ter um relacionamento próximo com o parceiro
5	Ter poucos e bons amigos
6	Ter poucas e próximas alianças profissionais
7	Vivenciar o estilo de vida ideal

Figura 45 – Sete atalhos para uma vida feliz

O atalho número um é *maximizar o controle sobre sua própria vida*. A falta de controle é a causa inicial de muitas dificuldades e incertezas. Eu prefiro muito mais fazer uma rota conhecida, mais longa e complexa, do que tentar seguir por um trajeto potencialmente mais curto que desconheço. No trabalho, o motorista é mais frustrado do que o cobrador – e tem mais chances de ter um ataque cardíaco não apenas pela falta de exercício que seu emprego provoca – porque é ele quem tem menos controle sobre o movimento do ônibus. Trabalhar na burocracia clássica causa alienação, porque a vida profissional da pessoa não pode ser controlada. Quem é autônomo e pode determinar suas horas de trabalho e cronogramas costuma ser mais feliz do que os funcionários contratados.

Maximizar a proporção da vida que está sob o seu próprio controle exige planejamento e, com frequência, alguns riscos. Os dividendos da felicidade, no entanto, não devem ser subestimados.

Definir metas razoáveis e factíveis é o segundo atalho para a felicidade. As pesquisas psicológicas mostram que aumenta a probabilidade de alcançarmos mais vitórias quando somos submetidos a desafios razoáveis, mas não a metas muito difíceis. Os objetivos muito fáceis podem nos levar a ser complacentes e a aceitar desempenhos medíocres. Por outro lado, objetivos muito exigentes – do tipo estabelecido por quem está lidando com culpa ou se sobrecarregando com expectativas muito altas e punitivas – são desmoralizantes e nos levam a autorrealizar nossas percepções de fracasso. Não se esqueça de que você está tentando ser mais feliz. Em caso de dúvida, quando estiver definindo metas, erre para o lado mais favorável a você. É melhor para a sua felicidade definir metas suaves e ser bem-sucedido do que optar pelos objetivos muito difíceis e fracassar – mesmo que os últimos possam levar você a um desempenho objetivamente superior. Se houver opção entre as vitórias e a felicidade, escolha a felicidade.

O terceiro atalho é *ser flexível quando eventos aleatórios interferem em seus planos e expectativas*. John Lennon uma vez observou que a vida é aquilo que acontece enquanto você está ocupado fazendo planos. O objetivo é fazer os planos se concretizarem, assim controlamos um pouco mais o que acontece em nossas vidas, e não vice-versa. Mesmo assim, devemos estar preparados para que a vida coloque nossa cota de obstáculos e desvios. As intervenções da vida devem ser aceitas com disposição e bom ânimo como um contraponto aos nossos planos. Se possível, as contribuições não planejadas da vida devem ser incorporadas aos nossos planos; dessa forma, um patamar mais elevado poderá ser alcançado. Caso nossa imaginação falhe, as objeções colocadas pela vida devem ser contornadas ou eliminadas. Quando nenhuma dessas táticas funciona, devemos aceitar o que não podemos controlar com benevolência e maturidade e ir cuidar do que podemos controlar. Sob nenhuma hipótese, devemos deixar os obstáculos da vida nos fazerem sentir irritação, raiva, amargor ou passar a duvidar de nós mesmos.

Em quarto lugar, *desenvolva um relacionamento próximo com seu parceiro.* Somos programados para ter uma relação com uma pessoa. Essa escolha do parceiro é uma das poucas decisões da vida (uma dentro daqueles 20%) que ajudarão a determinar se seremos felizes, ou não. A atração sexual é um dos maiores mistérios do universo e uma estranha demonstração do Princípio 80/20: a verdadeira química pode ocorrer em fugazes segundos, ou seja, você sente 99% da atração em 1% do tempo e sabe imediatamente que aquela é a pessoa certa para você![107] Mas o Princípio 80/20 deve colocar você em alerta: há o perigo de haver desperdício de felicidade futura. Tenha em mente que existem muitas pessoas com quem, teoricamente, você poderia ter uma ligação afetiva; esse sangue latejando na cabeça (ou no coração) acontecerá novamente.

Se você ainda não selecionou alguém, leve em consideração que a sua felicidade vai ser enormemente influenciada pela do seu parceiro. Para o bem da sua felicidade, assim como do amor, você vai querer fazer seu parceiro feliz. Mas essa missão fica muito mais fácil se, para começar, a pessoa tiver um temperamento feliz e/ou se ela adotar conscientemente a "dieta" da felicidade diária (como propõem meus hábitos da felicidade). Envolva-se com um parceiro infeliz e a maior probabilidade é que você também acabe infeliz. As pessoas com baixa autoestima e autoconfiança são um pesadelo na convivência, por mais que haja amor em abundância. Caso você seja alguém muito feliz, pode tornar feliz uma pessoa infeliz, mas essa missão é infernal. Duas pessoas medianamente infelizes mas muito apaixonadas podem alcançar um cotidiano razoavelmente feliz se forem bastante determinadas; mas eu não apostaria nisso. Duas pessoas infelizes, mesmo profundamente apaixonadas, vão enlouquecer uma à outra. Portanto, se quiser ser feliz, escolha amar um parceiro feliz.

Talvez você já tenha um parceiro que não é feliz. Nesse caso, provavelmente, já está subtraindo gravemente sua própria felicidade. Sendo assim, o principal projeto de vocês dois deve ser tornar seu parceiro mais feliz.

O quinto atalho é *cultivar uma amizade próxima com poucas pessoas felizes.* O Princípio 80/20 prediz que a maior satisfação obtida com os amigos está concentrada no relacionamento com um pequeno grupo de pessoas mais próximas. O princípio também indica que provavelmente você distribui mal seu tempo, passando muitas horas com os amigos nem tão bons assim e poucas com os amigos muito bons (embora você possa passar mais horas por amigo com aqueles que são muito bons, existem mais do tipo não são tão bons assim e, dessa forma, a soma de horas passadas com os não tão bons é maior do que aquela dedicada aos amigos muito bons). A resposta é identificar quem são os amigos muito bons e dedicar a eles 80% do tempo que você costuma passar com os amigos (você provavelmente pode também aumentar a quantidade absoluta de tempo que passa com os amigos). Você precisa tentar desenvolver ao máximo essas boas amizades porque elas são uma grande fonte de felicidade mútua.

O sexto atalho é semelhante ao quinto: *desenvolva fortes alianças profissionais com um pequeno número de pessoas com quem você gosta de estar.* Nem todos os seus colegas de trabalho ou de profissão podem se tornar seus amigos; se isso fosse possível, você distribuiria sua amizade de maneira muito superficial. Mas um pequeno grupo de pessoas pode se tornar seus amigos próximos ou aliados; pessoas por quem você faria um esforço para ajudar e que teriam a mesma atitude por você. Isso não somente aprimora sua carreira. Também enriquece imensamente o prazer que você tira do trabalho; vai ajudar a evitar que você se sinta alienado no emprego, pois oferece um vínculo integrador entre o trabalho e a diversão. Essa unificação, claro, também é essencial para a sua completa felicidade.

O último atalho para a felicidade duradoura é *vivenciar um estilo de vida desejado por você e seu parceiro.* É preciso manter um equilíbrio harmonioso entre as vidas profissional, doméstica e social. Isso significa que você mora na cidade onde quer trabalhar, tem a qualidade de vida que deseja, dispõe de tempo para a família e para se socializar e, além disso, sente-se igualmente feliz dentro e fora do trabalho.

Conclusão

A felicidade é um dever. Nós devemos escolher ser felizes. Devemos nos dedicar a cultivar a felicidade. E, fazendo isso, devemos compartilhar nossa felicidade com as pessoas mais próximas de nós e até também aquelas com quem cruzamos eventualmente pelo caminho.

Parte 4

NOVAS PERCEPÇÕES: O PRINCÍPIO REVISITADO

CAPÍTULO 16: AS DUAS DIMENSÕES DO PRINCÍPIO

Ao longo dos últimos dez anos, fiquei muito satisfeito por receber muitas centenas de e-mails e mensagens de leitores da primeira edição deste livro. Igualmente importantes – e de várias maneiras ainda mais estimulantes – foram as muitas resenhas postadas nos sites da Amazon. Esses e-mails e resenhas revitalizaram minha visão sobre o funcionamento do Princípio 80/20, especialmente no que se refere a essas duas dimensões: a eficiência e o aprimoramento da vida.

Algumas dessas resenhas são bastante críticas em relação ao livro e ao princípio e, para mim, elas se mostraram as mais úteis e desafiadoras. As duas principais críticas levantadas são: "Por fim, o Princípio 80/20 realmente se aplica à nossa vida pessoal?" e "Aqueles 80% não seriam essenciais também?". Eu retomarei essas duas questões mais à frente, neste capítulo.

As histórias que mais me inspiraram não foram aquelas em que os leitores contam que usaram o Princípio 80/20 para gostar mais do trabalho ou para ganhar mais dinheiro ou alcançar essas duas vitórias. Os casos mais comoventes foram aqueles em que os leitores aplicaram o princípio naquilo que era mais importante em suas vidas.

Minha história favorita foi enviada por um canadense de 50 anos, "feliz no casamento e com três filhos maravilhosos". Darrel (é assim que vou chamá-lo) quer ficar anônimo, mas não mudei nada em sua história além de seu nome. Ele fez uma carreira de sucesso como educador e hoje é o diretor executivo de um distrito escolar. Há três anos, foi diagnosticado com Transtorno de Aprendizagem Não-Verbal (TANV). Ele me contou:

> Foi duro de engolir, mas sei que meu diagnóstico é acurado [...] quando passo minutos procurando pelo meu carro na vaga do estacionamento ou vou até a escrivaninha procurar a folha de papel que está bem diante de mim ou na minha mão, percebo como o diagnóstico é verdadeiro. E aqui estou eu, tentando encontrar a melhor maneira de dar apoio a crianças com necessidades especiais,

> o que é grande parte do meu trabalho, enquanto eu mesmo tenho necessidades especiais (você não perceberia) [...]
>
> Eu publiquei muitos artigos [...] defendendo que os professores se tornassem líderes. Foi porque, quando eu era diretor, havia muitas atividades que os professores podiam fazer melhor do que eu e, então, deleguei a eles aqueles 80% em que eu não era tão bom. Essa trajetória acabou por me levar a ser indicado para um prêmio de liderança, que eu recebi em 1999. Poucos deles sabiam que meu estímulo e incentivo à liderança deles, embora autênticos, eram também por causa das minhas necessidades...
>
> Eu percebo como o Princípio 80/20 tem sido realmente a razão do meu sucesso [...] Também quero usar sua filosofia 80/20 para ajudar outras pessoas com dificuldade de aprendizagem a dar foco naqueles 20% que já fazem bem [...] Em um futuro não muito distante, espero remover o véu que me impede de mostrar aos outros a pessoa que verdadeiramente sou.

Darrel escreveu um texto emocionante chamado *Encontrando força na fraqueza*,[108] que aplica o Princípio 80/20 de forma romanceada. Basicamente, ele diz que, quando nossas fraquezas são aparentes, nós podemos investir naquilo onde nossas forças se ajustam com mais potência: em parte, porque não temos escolha e em parte porque percebemos a diferença entre nossa fraqueza e a força das outras pessoas. Nós avaliamos nossa dependência das outras pessoas e, em troca, nos empenhamos em lhes oferecer a garantia das forças que temos. Negar nossas fraquezas – ou até mesmo minimizá-las – pode nos afastar de nossas forças e daquelas das outras pessoas ao nosso redor.

Percepções dos leitores

Eu gostaria de repassar algumas das melhores ou mais divertidas percepções dos leitores em relação ao princípio. Primeiro, um comentário de Sean F. O'Neill:

> Nos Estados Unidos na década de 1920, havia um excelente escritor chamado Edmund Wilson. Ele apresentou Marcel Proust aos norte-americanos. Os 20% de seu tempo eram dedicados à escrita e à pesquisa. Ele dispensava os 80% de baixa prioridade com o seguinte texto, escrito em cartões postais como resposta a quem lhe fazia algum pedido: "Edmund Wilson lamenta, mas, para ele, é impossível: ler manuscritos; escrever artigos ou livros sob encomenda; fazer qualquer tipo de trabalho editorial; ser jurado em concursos

literários; dar entrevistas; ministrar cursos educativos; apresentar palestras; participar de debates ou fazer discursos; estar presente em congressos de escritores; responder questionários; contribuir ou fazer parte de painéis ou simpósios de qualquer espécie; contribuir com manuscritos comerciais; doar cópias de seus livros para bibliotecas; autografar livros para estranhos; permitir que seu nome seja usado em cabeçalhos; dar informações pessoais; enviar fotografias; ou fornecer opiniões sobre literatura ou outros assuntos".

Michael Cloud deu foco em sua vida profissional:

> Fiz uma Análise 80/20 das minhas atividades geradoras de receitas (como escritor de discursos e captador de patrocínios) e descobri que no ano passado gerei 89% do meu faturamento em 15% do meu tempo e com 15% do meu trabalho. Eu descartei os 85% do meu trabalho que só renderam 11% do meu faturamento, diminuí meu tempo de trabalho em 70% e dobrei as horas investidas nos projetos de alta rentabilidade, e mais do que dobrei as receitas [...]
>
> Então, escrevi um e-mail extremamente entusiasmado incentivando meus amigos e clientes a comprar e ler o *Princípio 80/20*, prometendo a eles que, se não tirassem valor extraordinário do seu livro, eu lhes devolveria em dobro os $25 que pagaram para comprar a edição com capa dura. Enviei minha mensagem para 107 pessoas. Entre elas, 38 compraram e leram o livro. Todos disseram que aproveitaram a leitura [...] Um vice-presidente de marketing comprou uma caixa do seu livro para doar à equipe dele.

Michael oferece quatro novas percepções:

> 1) Eu me beneficio ao estimular as pessoas a ler, refletir e aplicar o Princípio 80/20 [...] imagine os benefícios por ter 20% da minha comunidade, negócios, país e 20% dos indivíduos da Terra pensando e vivendo 80/20. Você não gostaria de viver em um mundo com Da Vincis, Mozarts e Einsteins – onde todo mundo só oferecesse o melhor de si?
>
> 2) Algumas pessoas são bem-sucedidas ao reinventar a roda. A maioria fracassa reinventando um pneu furado. Talvez você devesse escrever um breve livro sobre os 20% tóxicos, aquela pequena parte que é mais dispendiosa e prejudicial.
>
> 3) Bons jogadores de pôquer passam a vez com frequência. Como afirma Larry W. Philips em seu livro *Zen and the Art of Poker*: "Jogue apenas aquelas 15% ou 20% melhores mãos e passe o resto."
>
> 4) Em seu livro *Empresas feitas para vencer*,[109] Jim Collins escreve um capítulo brilhante sobre a aplicação do Princípio 80/20.

Terry Lee escreveu de Hong Kong para falar da conexão com a Teoria do Caos:

> Sim, o universo é desequilibrado, caso contrário, talvez não tivesse havido o Big Bang. Considero a Teoria das Restrições, de Eliyahu M. Goldratt, que foca na melhoria e exploração dos gargalos, como uma versão especial do Princípio 80/20. A ideia é se concentrar nas poucas causas – e geralmente em uma única causa – para a existência do gargalo. Isso libera um enorme potencial.

Ao que parece, essa Teoria das Restrições, assim como o princípio, aplicam-se ao mundo corporativo e à vida pessoal.

- No trabalho, qual é a restrição que, se removida, nos faria ser cinco, dez ou vinte vezes mais produtivos? Para você, a restrição é seu chefe, seu medo de falhar, sua falta de qualificação, sua incapacidade de escolher no que trabalhar, a falta de um bom colaborador ou algo completamente diferente? Qual é a restrição, o que impede você de melhorar incrivelmente seu desempenho? Se você identificar a restrição, pode iniciar uma campanha para eliminá-la.
- Na sua vida pessoal, o que o impede de aprimorá-la e levar mais felicidade às pessoas com as quais se importa? Deve haver uma restrição primordial. Qual é?

O Princípio 80/20 realmente se aplica à nossa vida pessoal?

É importante notar que ninguém discute que o Princípio 80/20 funciona para os negócios. Alguns leitores, de fato, deram exemplos de empreendimentos muito diferentes que se beneficiaram com sua aplicação. O Dr. Mark Shook é pastor de uma igreja no Texas e aumentou sua congregação 300 vezes usando o princípio. Ele escreveu:

> Seu livro sobre o Pensamento 80/20 transformou minha vida. Sou pastor de uma comunidade de fé na cidade de Cypress, no Texas. Seguindo o Princípio 80/20, nós crescemos de cinco pessoas se encontrando na minha sala de estar para uma audiência com mais de 1.500 pessoas, em apenas dois anos e meio. Nós nos chamamos de igreja 80/20. Aposto que você não sabia que era o guru do crescimento das igrejas!

Desde então, porém, eu descobri que há uma igreja 80/20 muito maior. Veronica Abney, administradora de uma das maiores igrejas de Chicago, me escreveu dizendo que "atualmente nosso culto tem 25 mil membros e nosso templo fica próximo ao estádio United Center, onde jogam os Chicago Bulls e é a casa de Michael Jordan. Gostaria de fazer nosso ministério crescer de 25 mil para 50 mil membros usando a metodologia 80/20.

E alguns leitores realmente valorizam a aplicação do conceito de Pareto em todas as dimensões da vida, começando pelos negócios, mas indo bem além deles. Essa foi minha maior inovação na reinterpretação do princípio. Kevin Garty, diretor de transferência em uma corretora de imóveis de São Francisco, me contou o seguinte:

> Eu apliquei a regra 80/20 em praticamente todos os aspectos da minha vida com resultados fantásticos. Posso confirmar que estou levantando mais tarde pela manhã e saindo mais cedo do trabalho à tarde e ainda tenho um faturamento de seis dígitos muito saudável. Eu aplicava aspectos da regra 80/20 desde que era garoto na Nova Zelândia, então, quando li seu livro, foi uma ótima validação da direção que eu já vinha trilhando. Eu senti mais confiança na minha preguiça, se isso faz sentido.

Sim, faz perfeito sentido, Kevin.

Um resenhista da Indonésia disse que a ideia 80/20 pode ser aplicada no trabalho e na vida da mesma maneira, porque "o conceito básico é *foco*. Escolher é importante; nós só devemos fazer aquilo que tem relevância em nossa vida [...] Essa é a explicação mais simples de como conquistar mais fazendo menos".

Do Japão, recebi outra resenha que dizia:

> Li o livro há quase dois anos. Apliquei a teoria em quatro empresas para as quais estava trabalhando. Reduzi minhas horas de trabalho em 25% e consegui manter meu ganho original. Nesse meio tempo, abri meu próprio negócio. Com todo aquele tempo extra que consegui gerar, comecei a pensar em novas maneiras para deixar minha vida mais divertida e mais leve no saldo bancário. É uma abordagem simples para calcular onde você está desperdiçando tempo, dinheiro e esforço e para onde deslocar o esforço para criar mais tempo e dinheiro. Agora estou prestes a [...] aplicar a fórmula em meus estudos de japonês, na minha rotina de exercícios físicos e em tudo mais que eu possa imaginar.

"Ensine a regra 80/20 para seus filhos", acrescentou um leitor, "e você vai aumentar a probabilidade de eles se mudarem de casa quando crescerem, porque terão condições financeiras para isso."

No entanto, alguns resenhistas questionam se o princípio poderia ser aplicado à vida pessoal. "Embora ache que o autor estava bem-intencionado na tentativa de aplicar o Princípio 80/20 fora da área de negócios (mais especificamente no que se refere aos relacionamentos pessoais)", escreveu um leitor no site da Amazon, "acho que ele deveria ter deixado esse assunto fora do livro." Esse resenhista ainda foi gentil o bastante para afirmar que havia uma pérola escondida na ostra do livro – a aplicação do princípio nos negócios – "pela qual valia a pena mergulhar". Mas ignore a conversa sobre vida pessoal!

Um segundo resenhista disse que o livro:

> [...] oferece uma avaliação perspicaz da realidade econômica e social dos negócios. Koch, porém, vai além e tenta extrapolar a teoria 80/20 para o sucesso, a felicidade e a vida de um modo geral. Embora parte do que ele sugere faça sentido, seus exemplos vão se tornando mais fracos conforme vai saindo do mundo dos negócios.

Aqueles 80% também não são essenciais?

A segunda maior crítica que recebo questiona se é realista, ou até mesmo desejável, eliminar aqueles 80% de atividades que geram poucos resultados. Esse é o caso a seguir, cortesia de Chow Ching "Cornholio",[110] provavelmente meu crítico mais eloquente. Vale a pena citar a resenha completa:

> Uma excelente ideia, mas perde 20% das cinco estrelas, porque [*O Princípio 80/20*] também traz outras bobagens, como dar orientações sobre como usar o conceito na sua vida e em outras áreas nas quais o autor não tem autoridade. Ele aponta as vozes da oposição e, então, as desautoriza uma a uma. Há, no entanto, uma que ficou de fora. Sou um chinês de Hong Kong. Em nossa cultura de cinco mil anos, Yin e Yang foram usados desde os primórdios e o autor parece ignorar isso.
>
> Por exemplo, ele pede para que você analise a sua vida e verifique quais são os 20% que resultam em 80% da sua felicidade. Você, então, deve se concentrar apenas nesses 20%. Fiz exatamente isso há alguns anos e só consegui piorar. A vida é um equilíbrio entre o trabalho e o lazer – você desfruta daqueles 20% de atividades yang porque está liberado dos 80% de atividades yin.
>
> Oitenta por cento do paladar de um hambúrguer é devido a 20% dos ingredientes, isto é, a carne dentro dele, mas se você tirar o pão de cima e de baixo, o sabor vai ficar forte demais – vai perder o paladar.

> Da mesma forma, talvez sua viagem de formatura ou de lua de mel para a Europa tenha sido sua experiência mais maravilhosa, mesmo assim, se refizer o mesmo roteiro várias vezes, pelo princípio do retorno marginal, a viagem vai se tornar aborrecida.
>
> O Princípio 80/20 pode ser perfeitamente aplicado ao trabalho, mas ao prazer, nem tanto. Imagino também se o autor acha que 80% do prazer do sexo deriva de 20% do tempo até o clímax (yang), então, nesse caso, poderíamos abrir mão das preliminares (yin) de uma vez por todas?

Uma preocupação semelhante me foi apresentada por lorde Carr, que foi alto funcionário do gabinete da Grã-Bretanha. Ele citou o caso do então embaixador britânico nos Estados Unidos, que lhe contou:

> Você deve pensar que muito do meu tempo é gasto com questões triviais, como jantares intermináveis e muitas horas me divertindo socialmente com líderes norte-americanos. Mas esse tempo não é desperdiçado. Quando sobrevém uma crise, sei em qual julgamento posso confiar e de quem desconfiar. Isso é muito valioso em uma crise, portanto, não considero que seja tempo "desperdiçado" de forma alguma.

Várias pessoas assumiram a tarefa de me enviar textos semelhantes, porque estão objetivamente preocupadas com o fato de que a busca pela eficiência – com a eliminação da maioria das atividades de baixo valor – pode se tornar contraproducente. Se ficarmos obcecados pela eficiência e só realizarmos as atividades importantes, podemos cortar aquilo que é necessário para renovar a nós mesmos, nossos negócios e até nossa sociedade.

"O que falar sobre os parques?", pergunta um dos meus amigos. "Os parques são uma relíquia do feudalismo e podem ser parte daqueles 80% que você eliminaria. Eles não deveriam existir, se analisarmos tudo pelos custos. Os parques não dão retorno de capital. Seriam mais valiosos como casas ou lojas de varejo. Mas se você eliminar os parques, vamos acabar com uma cidade muito pouco atrativa." Ele deveria ter citado Joanesburgo, que tem subúrbios muito agradáveis, mas quase nenhum parque ou espaço aberto e, não por coincidência, é uma das cidades mais violentas do planeta.

Uma preocupação semelhante é a seguinte: se cortarmos os elementos ineficientes de nossas vidas e de nossos trabalhos, nós nos tornaremos irracionais e desalmados, valorizando as soluções econômicas de curto prazo e desprezando nossa herança no longo prazo. Andrew Price escreve em seu livro *The Power of the Unessential*:

> [...] a pesca dos melhores peixes ocorre nas zonas costeiras, que formam apenas uma pequena parte da área total dos oceanos. O Princípio 80/20 nos indica que a atividade da pesca deve ser exercida na costa. E a procura por peixes nas zonas costeiras foi exatamente o que aconteceu.
>
> Mas a exploração consumiu muito do estoque; e não apenas isso, porque essas ricas águas costeiras são também as principais áreas de reprodução. Assim, a pesca do bacalhau e de outros peixes na costa afetou a reprodução, deixando poucos espécimes disponíveis para a captura e para a futura reprodução.
>
> Para os seguidores do Princípio 80/20, a mensagem é clara. Nossos esforços para focar naqueles desproporcionais e valiosos 20% não devem sempre ser aplicados; eles também devem deixar de ser usados. De outro modo, os 20% podem facilmente desaparecer, como demonstra o exemplo da pesca. Há outra mensagem importante. As ações com melhor desempenho (na pesca ou nas finanças) nesse ano ou as espécies mais valiosas de um ecossistema na última década não estão com o sucesso garantido no futuro. A verdade é que o mundo e seus recursos não se mantêm constantes por muito tempo.

As críticas à minha aplicação do Princípio 80/20 podem ser sintetizadas em três tópicos:

- *Questão da eliminação de atividades.* Se o Princípio 80/20 for visto como um princípio de eficiência, podemos acabar sendo muito ineficientes e não muito eficazes. Está tudo bem eliminar atividades, mas sem realizar algo profunda e integralmente, não vamos obter nada que valha a pena desfrutar. Você pode entender 80% da mensagem desse livro lendo apenas 20% dele, mas se o livro for importante para nós, vamos querer lê-lo inteiro e ficaremos chateados quando acabar. Obter 80% dos resultados com 20% do esforço pode parecer uma abordagem simplista, materialista e inautêntica do trabalho e da vida.
- *Questão da sustentabilidade.* Se o Princípio 80/20 nos leva a dar um grande foco no que funciona hoje, não haveria o perigo de que não funcionasse amanhã? Essa preocupação pode ser aplicada igualmente nos negócios e nos aspectos mais amplos de nossa vida.

- *Questão do equilíbrio.* Como afirma Chow Ching, não podemos dar foco somente nas "melhores" partes da vida, porque sem o resto de nossa vida, o melhor em breve deixará de ser o melhor. O equilíbrio não importa nos negócios porque a economia avança com a batalha entre empresas altamente especializadas – e, dessa forma, desequilibradas. Mas o equilíbrio pode ser essencial para a felicidade humana.

Duas diferentes dimensões do princípio

O que percebi com o feedback que recebi dos leitores é que existem duas distintas, em alguns casos até opostas, dimensões ou modos de aplicar o Princípio 80/20.

Por um lado, existe a dimensão da *eficiência*. É quando queremos alcançar algum objetivo da maneira mais rápida e com o menor esforço possível. Geralmente, esse domínio envolve fatores que não são muito significativos para nós, exceto como um meio para atingir um fim. Por exemplo: se olhamos para o trabalho principalmente como um meio para ganhar dinheiro porque queremos realizar outras atividades com outras pessoas fora da empresa – e são essas outras atividades que realmente nos importam –, então, o trabalho se encaixa diretamente na caixa onde está escrito "eficiência". Nesse caso, queremos usar o Princípio 80/20 para realizar nosso trabalho o mais produtiva e rapidamente possível e voltar para nossa vida real. Para isso, a abordagem 20% é nossa aplicação do princípio. Focamos nos 20% mais produtivos, talvez duplicando nosso tempo dedicado a essas atividades e, sempre que possível, eliminando tudo que não seja altamente eficiente. Como ilustração, lembre-se do exemplo que dei no Capítulo 10 sobre a "Revolução do Tempo": nós deveríamos investir dois dias nos 20% de alta eficiência e dedicar o resto da semana àquilo que realmente nos interessa. Sendo simplista, a expectativa é aumentar o valor de nosso trabalho em 160% (temos dois lotes de 80%, cada um derivado de um dia de trabalho, os 20%). Sempre que possível, devemos reduzir nossa semana de trabalho para dois dias.

A dimensão da eficiência também pode ser aplicada a questões fora do trabalho que não sejam realmente importantes para nós: são aquelas consideradas deveres. Nesses 20% entram, por exemplo, todas as pessoas que temos que encontrar socialmente, mas que realmente não gostaríamos, todas as obrigações que não queremos cumprir, mas não conseguimos escapar, como fazer a declaração de imposto de renda, limpar a garagem, cuidar do jardim (se você não gosta e não pode repassar a tarefa para alguém que goste) e assim por diante. O objetivo é descobrir aqueles 20% que dão 80% dos resultados e tirar a tarefa da frente da forma mais rápida e indolor possível.

Por outro lado, no Princípio 80/20, existe também a dimensão da *melhoria da vida.* Nesse caso, entra tudo aquilo que é realmente importante para nossa vida, seja trabalho, relacionamentos pessoais, o que desejamos conquistar, o hobby que nos oferece imenso prazer ou qualquer outra atividade que nos dê realização e possa servir de consolo em nosso leito de morte. Quando olhamos para tudo que já vivemos até agora, olhamos para a vida futura que ainda teremos e desfrutamos nossa vida como ela é hoje, identificamos tudo que nos causa um entusiasmo caloroso e nos deixa felizes por estarmos vivos – tudo isso se encaixa na dimensão da melhoria de vida. Tudo aquilo que o psicólogo industrial norte-americano Abraham Maslow rotulou de "fatores higiênicos", alimentação, abrigo, necessidades materiais, são importantes quando estão desatendidos, mas perdem a importância relativa quando são satisfeitos. Os fatores higiênicos, nos meus termos, encaixam-se na dimensão da eficiência e exigem uma solução 20%, a alternativa mais produtiva com o menor gasto de energia vital.

Por duas razões, o Princípio 80/20 é uma parte essencial da realização e melhoria do que podemos chamar de poesia da vida. Primeiro, o princípio nos ajuda a identificar o que é realmente importante em nossa vida. Quem são as poucas pessoas, quais são as poucas atividades que fazem realmente nossa vida valer a pena? A menos que você seja verdadeiramente uma pessoa pobre ou triste, esses não são aspectos instrumentais da vida, um meio para um fim, como dinheiro, reconhecimento, cargos importantes ou qualquer outro tipo de status. Isso acontece e passa. São fatores externos, não tocam nosso coração ou nossa alma, não definem quem somos nós. Depois de contar com alimento e abrigo, o que realmente importa é amar e ser amado, a expressão do nosso eu, a realização pessoal *e* a tranquilidade, a habilidade de pensar e criar, a oportunidade de se conectar com a natureza e com as outras pessoas, e acima de tudo, melhorar a vida dos amigos e da família, as pessoas com quem realmente nos importamos.

Em segundo lugar, o princípio abre espaço para essas fantásticas facetas da vida. Tornando as atividades não essenciais mais rápidas e econômicas com menor absorção de energia vital, como planejado, podemos dispor de tempo, espaço e tranquilidade para as partes essenciais da vida. Em vez de termos o que importa espremido nas margens e nos cantos de nossa vida, temos condições de colocar o que é essencial no devido lugar, no centro do palco, no coração do nosso ser.

Quando se trata das partes essenciais da vida, aqueles 20%, ou menos, que definem nossa singularidade e destino individual, deveríamos dedicar a elas toda nossa alma e energia, sem economizar tempo, dinheiro ou qualquer outro meio para atingir esse fim. A eficiência precisa da abordagem dos 20%. Porém, a melhoria de vida merece uma abordagem 200%, 2.000% ou 2.000.000%. Não há limite para a quantidade de esforço ou tempo devotada ao que melhora – ou até define – nossa vida.

Portanto, para responder às três principais críticas:

- *Eliminação de atividades.* É somente no segmento da eficiência que devemos ter como objetivo a eliminação de atividades e agir mais depressa e com mais preguiça. Nas questões de melhoria da vida, nós optamos, sempre que possível, pelo caminho mais longo, mais profundo e mais elevado.
- *Sustentabilidade.* A aplicação sensata do princípio requer visão de longo prazo e atenção às potenciais consequências imprevistas, se presumirmos que a atual posição no que se refere a esforço e recompensa não mudará. Por exemplo, vamos dizer que 10% dos atuais clientes nos dão 80% dos lucros. Mas, talvez, caso um novo concorrente dê foco em nossos consumidores superlucrativos, nossos ganhos não serão duradouros. Além disso, escondida entre os 90% de clientes marginais, ou não lucrativos, pode estar uma empresa em rápido crescimento que, se cultivada adequadamente, pode se tornar uma nova conta muito lucrativa. Como no exemplo da pescaria, dar grande foco nas águas superabundantes, sem impor restrições que viabilizem a reprodução dos peixes, pode levar ao desastre. Nas áreas mais amplas da vida, nosso foco de melhoria deve ser inteligente e de longo prazo. Competências e relacionamentos exigem investimento. Precisamos ser seletivos em relação às habilidades e às pessoas que realmente importam e, então, investir tempo e esforços extraordinários e pacientes para construir o alicerce de um compromisso de vida. Não se corta atividades aqui e, da mesma forma, não se espera gratificação instantânea! É um equívoco trabalhar por obrigação ou para

acumular riqueza, fazendo algo que odiamos. Mas é muito sábio assumir um enorme compromisso para desenvolver competências e relacionamentos que tornam nossa vida diferente, agradável e valiosa.

- *Equilíbrio.* Devemos ser equilibrados ou desequilibrados? Os dois. Devemos ser desequilibrados nas questões relacionadas à eficiência, em tudo que não seja crítico para nosso lugar no mundo. E, de alguma forma, devemos ser desequilibrados também nas questões de melhoria de vida, objetivando as poucas atividades e relacionamentos que têm mais valor e potencial para nós. No entanto, no domínio da melhoria de vida, precisamos de um equilíbrio entre trabalho e lazer, entre autonomia e projetos compartilhados, entre tempo para nós e para os outros, entre desfrutar os entusiasmos atuais e investir na construção do futuro. No setor da melhoria de vida, podemos ter nosso yin e yang. Se fosse de outra forma, nunca encontraríamos pessoas que gostam do trabalho e do lazer, que estão felizes porque, onde quer que estejam, amam o que fazem e fazem o que amam.

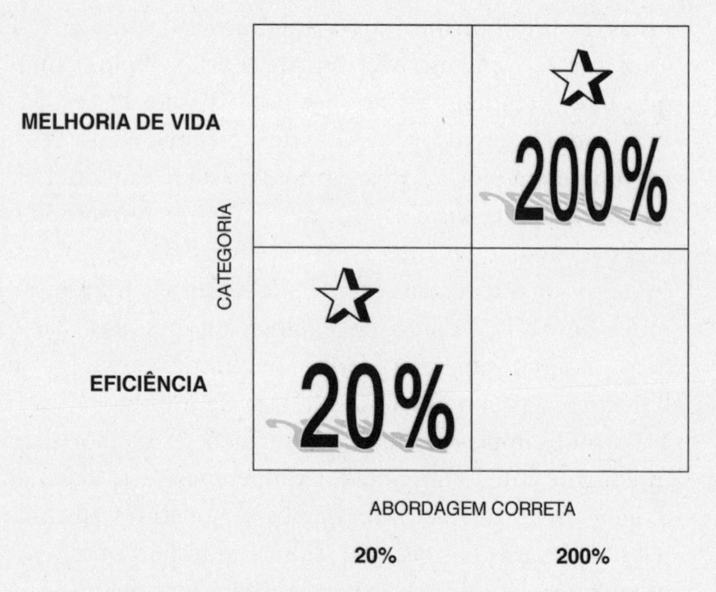

Figura 46 – Alocação de tempo e energia para o dia de hoje

A Figura 46 mostra as duas dimensões do princípio e a correta abordagem para cada uma.

Assim que tivermos decidido quais partes de nossa vida encaixam em qual dimensão, podemos traçar a matriz de forma a refletir a proporção relativa. Na Figura 47, os elementos de eficiência foram comprimidos e só consomem 20% de nosso tempo e energia. Os 20% referentes à melhoria de vida foram liberados para ocupar 80% do nosso tempo e energia.

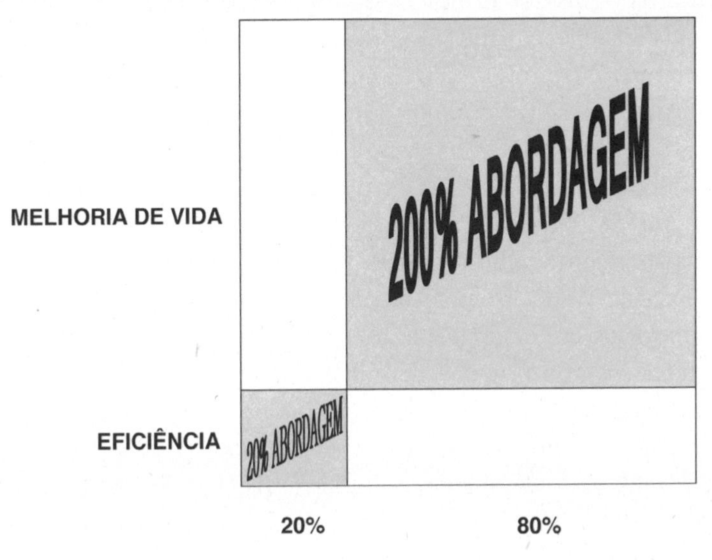

Figura 47 – Nova alocação de tempo e energia (como porcentagem do novo total)

O trabalho pode estar tanto na categoria da eficiência quanto na da melhoria de vida. É bem provável que você tenha trabalhos que se encaixem em cada uma delas. O truque é progressivamente fazer menos da categoria da eficiência e mais da melhoria de vida, até que você atinja aquele estado de felicidade em que o trabalho é realmente "a mais divertida das diversões".

A vida fora do trabalho certamente também se encaixa nas duas categorias. A resposta é a mesma. Gaste cada vez menos tempo e vitalidade na categoria da eficiência e cada vez mais na da melhoria de vida.

Vale a pena perguntar a si mesmo, caso pudesse gastar mais tempo e vigor com o que lhe importa mais, qual seria a divisão entre trabalho e lazer? E como as duas áreas iriam se relacionar? A maioria das pessoas que respondeu a essa questão disse que investiriam um tempo bem parecido entre o "trabalho" e as atividades "fora do trabalho", embora o "trabalho" seja uma definição de cada pessoa e não necessariamente a atividade assalariada. Aquelas que se tornaram adeptas do princípio descobriram que a linha entre o trabalho e o não trabalho se tornou menos nítida.

Nesse sentido, o yin e o yang da vida estão restabelecidos. Embora haja duas dimensões aparentemente opostas no Princípio 80/20 – eficiência e melhoria de vida – elas são absolutamente complementares e estão interligadas. A dimensão da eficiência abre espaço em nós para a dimensão da melhoria de vida. O ponto em comum é identificar o que nos dá os resultados desejados e o que é mais importante para nós. Tanto na eficiência quanto na melhoria de vida, a resposta sempre é uma pequena parte do total. Nós sempre evoluímos com foco e subtração. Da mesma forma, no entanto, a filosofia 80/20 seria estéril se levasse apenas à eficiência. Não há razão para se tornar mais eficiente ou mais rico a menos que tenhamos outro objetivo em mente, a meta da nossa alma. Aquelas pessoas que colocarem o Princípio 80/20 firmemente em sua área de trabalho estão perdendo o sentido real desse conceito.

Deixe-me dar um exemplo da minha própria vida. Todos os dias, quando estou morando em Londres ou no sul da Espanha, eu ando de bicicleta por uma hora. Para mim, essa é definitivamente uma atividade de melhoria de vida: é um exercício maravilhoso, eu atravesso lugares lindos (o Richmond Park com seus veados, ou a vista das montanhas espanholas), deixo os pensamentos voarem livremente enquanto pedalo e sempre retorno com ideias renovadas. Mas não faço isso sem esforço. Calculo que 10% do trajeto no Richmond Park e 15% na Espanha é formado por ladeiras íngremes; não há dúvida de que fazem meu coração bater com uma frequência bem elevada e que isso é mais de 80% do benefício do exercício físico! Não sou um ciclista fanático e não adoro ladeiras – fico feliz quando posso descer para o outro lado. Mesmo assim, por causa disso, eu não escolheria um trajeto plano. As ladeiras, de alguma forma desagradáveis, contribuem para a beleza do cenário e me oferecem atividade yin para enriquecer o yang de andar de bicicleta no plano ou ladeira abaixo.

Posso afirmar por experiência pessoal e pelo testemunho de centenas de leitores que é possível reverter as proporções da vida entre as atividades fortemente estressantes e sem sentido (yin) e aquelas que melhoram nossos dias (yang). Claro, não queremos repetir a mesma viagem de lua de mel ou aquelas mesmas férias indefinidamente. Encontramos novas maneiras de relaxar. Tampouco a maioria de nós quer relaxar a maior parte do tempo. Queremos exercitar, utilizar e desenvolver nossas habilidades, refletir, testar a nós mesmos, ajudar os outros e explorar todos os tipos de relacionamentos. Não pretendemos ficar obcecados com a eficiência, mas queremos realizar as atividades que não são de melhoria de vida o mais fácil e rapidamente possível.

Assuma a responsabilidade pelo progresso

Deixe de lado seu ceticismo e pessimismo. Esses vícios, assim como seus opostos, são autorrealizadores. Recobre a sua fé no progresso. Perceba que o futuro já está aqui: naqueles exemplos brilhantes, no agronegócio, na indústria, nos serviços, na educação, na inteligência artificial, na ciência médica, na física, de fato, em todas as ciências e até nos experimentos sociais e políticos nos quais metas inimagináveis têm sido ultrapassadas e novos objetivos caem como pinos de boliche. Lembre-se do Princípio 80/20. O progresso sempre deriva de uma pequena minoria de pessoas e de recursos organizados que demonstram que os limites anteriores podem se tornar o ponto de partida para todos. O progresso requer elites, mas aquelas elites que vivem para a glória do serviço à sociedade, que desejam colocar seus talentos à disposição de todos nós. O progresso depende da informação do desempenho excepcional e da difusão de experiências bem-sucedidas no rompimento das estruturas erigidas pelos interesses estabelecidos, exigindo que os padrões desfrutados por uma minoria privilegiada fiquem disponíveis a todos. Acima de tudo, o progresso requer, como nos disse George Bernard Shaw, que sejamos exorbitantes em nossas demandas. Temos que buscar aqueles 20% de tudo que produzem 80% dos resultados e utilizar os fatos que descobrimos para multiplicar o que tem mais valor para nós. Se nossa busca deve sempre exceder nosso alcance, o progresso exige que aquilo que for obtido por uma minoria seja transformado em padrão mínimo para todos.

O melhor em relação ao Princípio 80/20 é que você não precisa esperar por ninguém mais. Você pode começar a praticá-lo em sua vida profissional e pessoal. Você pode conquistar sua pequena porção de conquistas, felicidade e de serviço aos outros, tornando-os uma parte muito maior da sua vida. Pode multiplicar seus pontos altos e reduzir boa parte dos baixos. Além disso, identificará a massa de atividades irrelevantes e de baixo valor e deixará de viver nessa pele que não vale a pena. Vai ser capaz de isolar as partes do seu caráter, estilo de trabalho, estilo de vida e relacionamentos que, avaliadas diante do tempo e da energia envolvidos, lhe oferecem um valor muitas vezes maior do que sua atual rotina diária; e tendo isolado essas partes, poderá – com bastante coragem e determinação – multiplicá-las. Você pode se tornar um ser humano melhor, mais útil e mais feliz. E pode ajudar os outros a fazer o mesmo.

NOTAS

Prólogo à nova edição

[1] Aqueles interessados em história, política e nas questões relacionadas ao desenvolvimento mundial podem ler meu livro *Suicide of the West* (Continuum, 2006), no qual abordo esses temas em coautoria com Chris Smith, ex-ministro do Reino Unido.

Capítulo 1

[2] Josef Steindl, no livro *Random Processes and the Growth of Firms: A Study of the Pareto Law*, publicado em 1965, em Londres, pela Charles Griffin. Disponível em: <http://www.worldcat.org/title/random-processes-and-the-growth-of-firms-a--study-of-the-pareto-law/oclc/491563522>. Acesso em: 28 nov. 2014.

[3] Pesquisas extensivas revelaram um grande número de artigos curtos mencionando o Princípio 80/20 (em geral, chamado de regra 80/20), mas não identificou nenhum livro sobre o tema. Caso exista um livro sobre o Princípio 80/20, mesmo um trabalho acadêmico que não tenha sido publicado, gostaria que o leitor me informasse. Um livro recente, embora não seja realmente sobre o Princípio 80/20, deu atenção à relevância do conceito. O livro *The 20% Solution*, de John J. Cotter (Chichester: John Wiley, 1995), oferece a resposta correta em sua Introdução: "Identifique aqueles 20% do que você faz que contribuirão para a maior parte de seu sucesso futuro e, então, concentre seu tempo e energia neles." (p. xix). Cotter refere-se de passagem a Pareto (p. xxi), mas nem Pareto e nem o Princípio 80/20 (sob qualquer nome) é mencionado fora da Introdução, e Pareto nem sequer consta do Índice Remissivo. Como muitos outros autores, Cotter é anacrônico para atribuir o conceito 80/20 a Pareto: "Vilfredo Pareto foi um economista francês (sic) que observou há cem anos que 20% dos fatores da maioria das situações gera 80% dos acontecimentos (ou seja, 20% dos clientes de uma empresa geram 80% dos lucros). Ele chamou a isso de Lei de Pareto." (p. xxi). Na verdade, Pareto jamais usou a expressão "80/20" ou qualquer outra parecida. O que ele chamou de sua "lei" foi de fato uma fórmula matemática (exposta na nota 5), da qual foi derivado o Princípio 80/20 como conhecemos atualmente.

[4] No artigo "Living with the car", publicado na revista *The Economist,* de 22 de junho de 1996, p. 8.

[5] Vilfredo Pareto (1896/7), Cours d'Economie Politique, Universidade de Lausanne. Apesar da mitologia habitual, Pareto não usou a expressão "80/20" em sua discussão sobre a desigualdade de renda ou em qualquer outro texto. Ele nem sequer fez a simples observação de que 80% da renda era ganha por 20% da população trabalhadora, embora essa conclusão possa ser tirada de seus cálculos muito mais complexos. O que Pareto descobriu – e que deixou tanto ele quanto seus seguidores bastante entusiasmados – foi uma relação constante entre os maiores ganhadores e o percentual do total de renda que desfrutavam, uma relação que segue um padrão logarítmico regular e que podia ser encontrada de forma similar em qualquer

período de tempo ou país que fosse estudado. A fórmula é a seguinte: Sendo N o número de ganhadores de renda maior do que x, com A e m como as constantes, Pareto descobriu que:

$$\text{Log } N = \log A + m \log x.$$

[6] É preciso enfatizar que essa simplificação não foi feita pelo próprio Pareto e nem, infelizmente, por qualquer um de seus seguidores por mais de uma geração. Essa é, no entanto, uma dedução legítima a partir de seu método e, além disso, muito mais acessível do que qualquer explicação dada por Pareto.

[7] A Universidade de Harvard, em particular, aparece como uma incubadora da valorização de Pareto. Além da influência de Zipf na filologia, a faculdade de Economia demonstrou uma apreciação calorosa da Lei de Pareto. Para conhecer a melhor explicação para isso, veja o artigo de Vilfredo Pareto no *Quartely Journal of Economics*, v. LXIII, n. 2, maio de 1949 (Presidente e Colegas da Faculdade de Harvard).

[8] Para uma excelente explicação da Lei de Zipf, leia o livro de Paul Krugman, *The Self-Organizing Economy*, editora Blackwell, 1996.

[9] Joseph Moses Juran no livro *Quality Control Handbook*, Nova York: McGraw-Hill, 1951. Observe que embora Juran claramente se refira ao "Princípio de Pareto" e acuradamente enfatize sua importância, nessa primeira edição do manual, ele não emprega em nenhum momento a expressão "80/20".

[10] Paul Krugman, *The Self-Organizing Economy*, editora Blackwell, 1996.

[11] Malcolm Gladwell, em artigo intitulado "The Tipping Point" publicado originalmente na revista *New Yorker,* em 3 de junho de 1996.

[12] Malcolm Gladwell, no mesmo artigo citado na nota anterior.

[13] James Gleik, em *Caos – A criação de uma nova ciência*, Rio de Janeiro: Campus, 1989.

[14] Leia o artigo de W. Brian Arthur, "Competing technologies, increasing returns and lock-in by historical events", publicado no *Economic Journal*, v. 99, março de 1989.

[15] O artigo "*Chaos Theory Explodes Hollywood Hype*" menciona os economistas Art de Vany e David Walls e foi publicado no jornal *Independent on Sunday,* em 30 de março de 1997. Disponível em: <http://www.independent.co.uk/news/chaos-theory-explodes-hollywood-hype-1275802.html>. Acesso em: 30 nov. 2014.

[16] Essa frase de George Bernard Shaw foi citada por John Adair em seu livro *Effective Innovation*, Londres: Pan Books, 1996.

[17] Citado por James Gleik, em *Caos – A criação de uma nova ciência*, Rio de Janeiro: Campus, 1989.

Capítulo 2

[18] Com base no livro *Beyond Limits*, de Donella H. Meadows, Dennis L. Meadows e Jorgen Randers, Londres: Earthscan, 1992.

[19] Com base no livro *State of the World*, de Lester R. Brown, Christopher Flavin e Hal Kane, Londres: Earthscan, 1992, que, por sua vez, cita o trabalho número 159 - *International Distribution of Income: 1960-1987,* do Departamento de Economia da Universidade Americana de Washington.

[20] Com base no artigo "Strategic Planning Futurists Need to be Capitation-specific and Epidemiological", publicado em *Health Care Strategic Management,* em 1° de setembro de 1995. Disponível em <http://www.ncbi.nlm.nih.gov/pubmed/10144887>. Acesso em: 9 fev. 2015.

[21]Malcolm Gladwell, no artigo "The Science of Shopping", publicado em 1996, na *New Yorker.* Disponível em: <http://gladwell.com/the-science-of-shopping/>. Acesso em: 2 dez. 2014.

[22]Mary Corrigan e Gary Kauppila, no livro *Consumer Book Industry Overview and Analysis of the Two Leadind Superstore Operators*, Chicago: William Blair & Co, 1996.

Capítulo 3

[23]Tradução de Coríntios 13:12. Disponível: em <https://www.bibliaonline.com.br/nvi/1co/13>. Acesso em: 3 dez. 2014.

[24]Joseph Juran, *Controle de Qualidade – Handbook*, São Paulo: Makron, 1992.

[25]Na mesma obra de Juran anteriormente citada.

[26]Ronald J. Recardo, em seu artigo "Strategic Quality Management: Turning the Spotlight on Strategies as Well as Tactical Issues", publicado em *National Productivity Review,* de 22 de março de 1994.

[27]Niklas Von Daehne em "The New Turnaround", *Success*, 1º de abril de 1994.

[28]David Lowry, no artigo "Focusing on time and teams to eliminate waste at Shingo prize-winning Ford Electronics", publicado em *National Productivity Review* de 22 de março de 1993.

[29]Terry Pinnell, no artigo "Corporate Change Made Easier", publicado na revista *PC User,* de 10 de agosto de 1994.

[30]James R. Nagel, no artigo "TQM and the Pentagon", publicado em *Industrial Engineering,* de 1º de dezembro de 1994.

[31]Chris Vandersluis no artigo "Poor Planning Can Sabotage Implementation", publicado em *Computing Canada,* em 25 de maio de 1994.

[32]Steve Wilson no artigo "Newton: Bringing AI out of the Ivory Tower" publicado em *AI Expert,* de 1º de fevereiro de 1994.

[33]Jeff Holtzman, no artigo "And Then There None" publicado na *Electronic Now,* de 1º de julho de 1994.

[34]Artigo "Software Developers Create Modular Applications that Include Low Prices and Core Functions" publicado na *MacWeek* de 17 de janeiro de 1994.

[35]Barbara Quint, no artigo "What's Your Problem?" publicado na *Information Today,* de 1º de janeiro de 1995.

[36]Veja o livro de Richard Koch e Ian Godden, *Gerenciar sem gerência*, Rio de Janeiro: Rocco, 2000, especialmente o Capítulo 6.

[37]Peter Drucker, no livro *Administrando em tempos de grandes mudanças*, São Paulo: Thomson Pioneira, 2003.

[38]No livro *Gerenciar sem gerência* já citado anteriormente.

Capítulo 5

[39]Henry Ford, no livro *Ford on Management*, com introdução de Ronnie Lessem, Oxford: Blackwell, 1991 – reedição dos textos *Henry Ford* (1922), *My Life and Work* (1929) e *My Philosophy of Industry* (1929).

[40]Gunter Rommel publicou o estudo *Simplicity Wins,* em 1996, pela Havard Business School Press.

[41]"Managing cost: transatlantic lessons", artigo de George Elliott, Ronald G. Evans e Bruce Gardiner, publicado na *Management Review,* em junho de 1996.

[42]Richard Koch e Ian Godden, no livro *Gerenciar sem gerência*, Rio de Janeiro: Rocco, 2000.

[43]Artigo "Wholesale Changes", de Carol Casper, publicado no *US Distribution Journal*, de 15 de março de 1994.

[44]"Using Activity-based Costing in your Organization", artigo de Ted R. Compton, publicado no *Journal of Systems Management*, de 1° de março de 1994.

Capítulo 6

[45]Vin Manaktala, no artigo "Marketing: The Seven Deadly Sins", publicado no *Journal of Accountancy*, em 1° de setembro de 1994.

[46]É fácil esquecer a transformação deliberada e bem-sucedida da sociedade resultante do idealismo e da capacidade de uns poucos industriais, que foram decisivos no início do século XIX, usando o argumento da "cornucópia da abundância": segundo eles, a pobreza, embora prevalente, poderia ser abolida. Está aqui, por exemplo, outra fala de Henry Ford: "A missão de abolir a mais desastrosa forma de pobreza é um desejo a ser facilmente atendido. A Terra é abundantemente produtiva e pode haver muita comida, roupa, trabalho e lazer". Veja o livro *Ford Management*, com introdução de Ronnie Lessem (1991, Oxford: Blackwell). Sou bastante grato também a Ivan Alexander que me mostrou o rascunho de seu livro *The Civilized Market* (1997, Oxford: Capstone), onde encontrei, no primeiro capítulo, essa e outras questões emprestadas aqui (veja a próxima nota).

[47]Ivan Alexander em seu livro *The Civilized Market* (1997, Oxford: Capstone).

[48]Citado por Michael Slezak em seu artigo "Drawing Fine Lines in Lipsticks", publicado em *Supermarket News*, de 11 de março de 1994.

[49]Mark Stevens, em seu artigo "Take a Good Look at Company Blind Spots", publicado no *Star Tribune* (Twin Cities), em 7 de novembro de 1994.

[50]John S. Harrison, no artigo "Can Mid-Sized LECs Succeed in Tomorrow's Competitive Marketplace?", publicado em *Telephony*, de 17 de janeiro de 1994.

[51]Ginger Trumfio no artigo "Relationship Builders: Contract Management", publicado em Sales & Marketing Management, de 1° de fevereiro de 1995.

[52]Jeffrey D. Zbar, no artigo "Credit Card Campaign Highlights Restaurants", publicado no *Sun-Sentinel* (Fort Lauderdale), de 10 de outubro de 1994.

[53]Donna Petrozzello, no artigo "A Tale of Two Stations", publicado em *Broadcasting & Cable*, de 4 de setembro de 1995.

[54]O consultor Dan Sullivan foi citado no artigo de Sidney A. Friedman, "Building a Super Agency of the Future", publicado na *National Underwriter Life and Health*, de 27 de março de 1995.

[55]Um grande número de artigos sobre setores e negócios específicos atesta essa afirmação. Veja, por exemplo, Brian T. Majeski em "The Scarcity of Quality Sales Employees", publicado em *The Music Trades*, de 1° de novembro de 1994.

[56]Harvey Mackay, no artigo "We Sometimes Lose Sight of How Success is Gained", publicado em *The Sacramento Bee*, de 6 de novembro de 1995.

[57]Artigo "How Much Do Salespeople Make?", publicado em *The Music Trades*, de 1° de novembro de 1994.

[58]Robert E. Sanders, no artigo "The Pareto Principle, its Use and Abuse", publicado no *Journal of Consumer Marketing*, v. 4, 4° trimestre de 1987.

Capítulo 7

[59]Peter B. Suskind, no artigo "Warehouse Operations: Don't Leave Well Alone", publicado na *IIE Solutions* de 1° de agosto de 1995.

[60]Gary Forger, no artigo "How More Data + Less Handling = Smart Warehousing", publicado em *Modern Materials Handling,* de 1° de abril de 1994.

[61]Filofax – empresa que fez sucesso em todo mundo nas décadas de 1980/1990 com organizadores pessoais: pequenos fichários com capas sofisticadas e duradouras que incluíam agenda diária, agenda telefônica e outros utilitários. Atualmente, produz também capas para tablets. Disponível em: <http://www.filofax.co.uk/>. Acesso em: 31 jan. 2015. (N.T.)

[62]Karung – cobra aquática nativa da região indo-pacífica que tem a pele macia e sem escamas. (N.T.)

[63]Robin Field, na seção "Branded Consumer Products" integrante do livro *The Global Guide to Investing,* organizado por James Morton, Londres: FT/Pitman, 1995.

[64]Ray Kulwiec, no artigo "Shelving for Parts and Packages", publicado em *Modern Materials Handling,* de 1° de julho de 1995.

[65]Michael J. Earl e David F. Feeny, no artigo "Is your CIO Adding Value?", publicado na *Sloan Management Review,* de 22 de março de 1994.

[66]Derek L. Dean, Robert E. Dvorak e Endre Holen no artigo "Breaking Through the Barriers to New Systems Development, publicado na *McKinsey Quarterly,* 22 de junho de 1994."

[67]Roger Dawson, no artigo "Secrets of Power Negotiating", publicado em *Success,* de 1° de setembro de 1995.

[68]Orten C. Skinner, no artigo "Get What You Want Through the Fine Art of Negotiation", publicado em *Medical Laboratory Observer,* de 1° de novembro de 1991.

Capítulo 9

[69]*Momentum* – Força percebida em um movimento de alta ou de queda, capaz de sustentar a tendência por um período de tempo. (N.T.)

[70]Essa frase é de Ivan Alexander, de quem roubei vergonhosamente as ideias quando ainda estava escrevendo seu livro, *The Civilized Market* (1997, Oxford: Capstone).

[71]Ivan Alexander observa com precisão que "embora estejamos conscientes de que a riqueza da Terra é finita, descobrimos outras dimensões de oportunidades, um novo espaço compacto, mas fértil, no qual os negócios podem florescer e se expandir. Exportação, comércio, automação, robotização e informática, apesar de quase não ocuparem áreas e espaços, são domínios sem fronteiras para as oportunidades. Os computadores são as máquinas menos dimensionais que a humanidade já concebeu" - no livro: *The Civilized Market* (1997, Oxford: Capstone).

Capítulo 10

[72]Em tradução livre – versos de Andrew Marvell citados em *Oxford Book of Verse,* Oxford: Oxford University Press, 1961.

[73]O melhor e mais avançado guia para administração do tempo é de Hyrum W. Smith, *The Ten Natural Laws of Time and Life Management,* Londres: Nicholas Brealey, 1995. Smith refere-se intensamente à Franklin Corporation e um pouco menos a suas raízes mórmons.

[74]Referência aos livros de Charles Randy, *The Age of Unreason,* Londres: Random House, 1969; e *The Empty Raincoat,* Londres: Hutchinson, 1994.

[75]Veja William Bridges, em seu livro *JobShift: How to Prosper in a Workplace Without Jobs* (Londres: Nicholas Brealey, 1995). O autor argumenta, quase persuasivamente, que o trabalho nas grandes organizações vai se tornar mais a exceção do que a regra e que a palavra "emprego" vai passar a significar "projeto".

[76]Veja a biografia escrita por Roy Jenkins intitulada *Gladstone* (Londres: MacMillan, 1995).

Capítulo 12

[77]Donald O. Clifton e Paula Nelson, no livro *Play to Your Strenghts*, Londres: Piatkus, 1992.
[78]Entrevista com J. G. Ballard publicada na revista *Re/Search*, São Francisco, outubro de 1989.
[79]Provavelmente, São Paulo teve tanta importância para o sucesso do cristianismo quanto o Jesus histórico. Foi Paulo quem tornou o cristianismo aceitável para Roma. Sem esse movimento, fortemente rejeitado por São Pedro e outros discípulos originais, o cristianismo teria permanecido uma seita obscura.
[80]Veja a edição de *The Rise and Fall of Elites*, de Vilfredo Pareto, publicada em 1968, em Nova York, pela Arno Press, com introdução de Hans L. Zetterberg. Editada originalmente na Itália em 1901, é uma descrição mais curta e melhor da sociologia de Pareto do que seus trabalhos posteriores. A definição de Pareto como o "Karl Marx burguês" foi um elogio sarcástico publicado em seu obituário em 1923 pelo jornal socialista *Avanti*. É uma descrição apropriada, porque Pareto, como Marx, enfatizava a importância da classe e da ideologia na determinação dos comportamentos.
[81]Exceto, possivelmente, na música e nas artes visuais. Mesmo aqui, no entanto, os colaboradores talvez tenham mais importância do que geralmente se admite.

Capítulo 13

[82]Veja o livro *The Winner-Take-All Society*, de Robert Frank e Philip Cook (Nova Iorque: Free Press, 1995), no qual os autores, embora não usem a expressão 80/20, claramente abordam a operação das leis 80/20. Eles lamentam o desperdício representado por essas recompensas desequilibradas. Veja também um ensaio perspicaz publicado na revista *The Economist* (25 de novembro de 1995, p. 134) no qual eu abordo extensamente essa questão. O ensaio da *The Economist* observa que, no início da década de 1980, Sherwin Rose, economista da Universidade de Chicago, escreveu uma série de artigos sobre a economia das superestrelas.
[83]Richard Koch no livro *The Financial Times Guide to Strategy* (Londres: Pitman, 1995).
[84]Em *Hegel's Philosophy of Right*, traduzido por T. M. Knox (Oxford: Oxford University Press, 1953).
[85]Veja a reportagem "The New Worker Elite", de Louis S. Richman, publicada na revista *Fortune*, de 22 de agosto de 1994.
[86] Essa tendência é parte da "morte dos gerentes": eles estão se tornando redundantes e somente os "realizadores" têm lugar nas corporações eficazes. Leia mais sobre isso no livro *Gerenciar sem gerência*, de Richard Koch e Ian Godden (Rio de Janeiro: Rocco, 2000).

Capítulo 14

[87]Tradução de Mateus 25:29. Disponível em: <http://www.bibliaon.com/versiculo/mateus_25_29/>. Acesso em: 11 fev. 2015. (N.T).
[88]Os 10 Mandamentos de Koch são orientações bastante simplificadas. Quem deseja levar a sério seus investimentos particulares deve ler *Selecting Shares that Perform*, de Richard Koch (Londres: Pitman, 1997).
[89]Esse cálculo foi feito com base no *BZW Equity and Gilt Study* de 1993 e foi citado por Koch em seu livro *Selecting Shares that Perform* (Londres: Pitman, 1997).
[90]Referência ao livro *The Rise and Fall of Elites*, de Vilfredo Pareto, publicado em 1968 em Nova York pela Arno Press.
[91]Janet Lowe em seu livro *Benjamin Graham, The Dean of Wall Street* (Londres: Pitman, 1995).

[92]Além do P/L histórico, que é baseado nos ganhos divulgados no último ano, existe também o P/L prospectivo, que se fundamenta nos ganhos futuros estimados pelos analistas do mercado de ações. Se há expectativa de que os ganhos subam, o P/L prospectivo será menor do que o histórico, fazendo assim com que as ações pareçam baratas. O P/L prospectivo deve ser levado em consideração pelos investidores experientes, mas é também potencialmente perigoso porque a previsão de lucros pode não se concretizar (e, com frequência, não ocorrem). Para uma abordagem mais detalhada sobre o coeficiente P/L, veja Richard Koch, em seu livro, *Selecting Shares that Perform* (Londres: Pitman, 1997).

[93]Por exemplo, no Brasil, um dos indicadores é o Ibovespa: o Índice Bovespa é resultado de uma carteira teórica de ativos e tem o objetivo de indicar o desempenho médio das cotações dos papéis de maior negociabilidade e representatividade do mercado de ações brasileiro. Mais informações disponíveis em: <http://www.bmfbovespa.com.br/indices/ResumoIndice.aspx?Indice=IBOVESPA&idioma=pt-br>. Acesso em: 11 fev. 2015. (N.T.)

Capítulo 15

[94]Um capítulo revelador do livro *Inteligência Emocional*, de Daniel Goleman (Rio de Janeiro: Objetiva, 1996).

[95]Veja artigo da doutora Dorothy Rowe, "The Escape from Depression", publicado no *Independent on Sunday*, de 31 de março de 1996, citando o professor Steve Jones no livro *In the Blood: God, Genes and Destiny* (Londres: HarperCollins, 1996).

[96]Dr. Peter Fenwick, no artigo "The Dynamics of Change", publicado no *Independent on Sunday* de 17 de março de 1996.

[97]Pico della Mirandola (1463/1494), filósofo neoplatônico e humanista do Renascimento italiano. (N.T.)

[98]Ivan Alexander, em seu livro *The Civilized Market* (1997, Oxford: Capstone).

[99]Referência à frase: "O homem nasce livre e em toda parte é posto a ferros. Quem se julga o senhor dos outros não deixa de ser tão escravo quanto eles", atribuída ao filósofo iluminista Jean-Jacques Rousseau (1712/1778).

[100]*Inteligência Emocional*, de Daniel Goleman (Rio de Janeiro: Objetiva, 1996).

[101]*Ibidem.*

[102]*Ibidem.*

[103]*Ibidem.*

[104]Dr. Peter Fenwick, no artigo "The Dynamics of Change", publicado no *Independent on Sunday,* de 17 de março de 1996.

[105]Citado por Daniel Goleman, no livro *Inteligência Emocional* (Rio de Janeiro: Objetiva, 1996).

[106]*Ibidem.*

[107]Estou em dívida com meu amigo Patrice Trequisser por me indicar essa manifestação tão importante do Princípio 80/20: você pode se apaixonar em segundos e esse sentimento pode exercer uma forte influência para o resto da sua vida. Patrice não aceitaria meus alertas, já que ele se apaixonou à primeira vista há mais de vinte e cinco anos e continua alegremente casado. Mas, claro, ele é francês.

[108]No original, "*Finding power in weakness*".

[109]*Empresas Feitas para Vencer* (*Good to Great*), de Jim Collins (São Paulo: HSM Editora, 2013).

[110]Referência à série de animação norte-americana *Beavis & Butt-Head*, criada por Mike Judge e exibida pela MTV. (N.T.)

Este livro foi composto com tipografia Bembo Std e impresso em papel Off-White 70 g/m² na Formato Artes Gráficas.